Altbausanierung 1

Helmuth Venzmer (Hrsg.)

Feuchteschutz

18. Hanseatische Sanierungstage
vom 8. bis 10. November 2007
im Ostseebad Heringsdorf/Usedom

Vorträge

1. Auflage 2007

BuFAS Fraunhofer IRB Verlag

Beuth Verlag GmbH · Berlin · Wien · Zürich

Herausgeber:
Prof. Dr. rer. nat. Dr.-Ing. habil. Helmuth Venzmer, Wismar

© 2007 Beuth Verlag GmbH
Berlin · Wien · Zürich
Burggrafenstraße 6
10787 Berlin

Telefon: +49 30 2601-0
Telefax: +49 30 2601-1260
Internet: www.beuth.de
E-Mail: info@beuth.de

Fraunhofer IRB Verlag
Postfach 80 04 69
70504 Stuttgart

Telefon: +49 711 970-25 00
Telefax: +49 711 970-25 08
Internet: www.baufachinformation.de
E-Mail: irb@irb.fraunhofer.de

Titelbild: Wassertropfen auf hydrophobierter Ziegeloberfläche, Foto Dipl.-Ing. Lev Koss, Wismar
Satz: Dipl.-Ing. Lev Koss, Wismar
Druck: Crivitz-Druck, 19089 Crivitz, Gewerbeallee 7a
Gedruckt auf säurefreiem, alterungsbeständigem Papier nach DIN 6738

ISBN 978-3-410-16652-8 (Beuth) ISBN 978-3-8167-7452-5 (IRB)

Editorial

In diesem Jahr beginnt anlässlich der 18. Hanseatischen Sanierungstage 2007 die Zusammenarbeit des Bundesverbandes Feuchte & Altbausanierung mit dem Beuth Verlag, Berlin-Wien-Zürich. Alle Tagungsinhalte zum Thema Feuchteschutz bilden die Basis für die neue Buchreihe Beuth FORUM, ALTBAUSANIERUNG, Heft 1.
Es gibt einige Neuerungen. Erstens führt dieses neue FORUM die beiden alten Reihen ALTBAUINSTANDSETZUNG, die in Zusammenarbeit mit dem Dahlberg-Institut e.V. Wismar entstand und die SCHRIFTENREIHE DES BUNDESVERBANDES FEUCHTE & ALTBAUSANIERUNG zusammen, wodurch eine größere Konzentration und vor allem eine größere Klarheit erreicht werden kann. Zweitens sind wir mit unserer Veranstaltung an einen anderen Veranstaltungsort, in das Ostseebad Heringsdorf, gegangen, weil uns der Veranstaltungsort, die Tagungsstätte und auch die zwingend notwendige große Ausstellungsfläche besonders geeignet erschienen.

Als Herausgeber möchte ich mich bei allen Autoren bedanken, die mit ihren eingereichten Beiträgen zum Entstehen dieses ersten Hefts beigetragen haben. Auch in diesem Jahr haben wir wieder die Schwerpunkte Holzschutz, Bautenschutz, Sachverständigenwesen, Recht und eine Exkursion durch die Seebäderarchitektur der Insel Usedom im Programm.

Wir hoffen, dass wir mit diesem Programm den Nerv der Teilnehmer getroffen haben und wünschen Ihnen eine anregende Veranstaltung, viele Diskussionen mit den Referenten und mit Ihren Fachkollegen im Auditorium und mit den vielen Firmenvertretern, die eine Ausstellung vorbereitet haben.

Helmuth Venzmer
Herausgeber

Inhaltsverzeichnis Seite

Sanierung von Rissen an Brettschichtholzträgern

K. Lißner
Dresden

W. Rug
Eberswalde/Wittenberge

Zusammenfassung

Risse in Brettschichtholz entstehen aus Beanspruchungen senkrecht zur Faser des Holzes, wenn die Querzugfestigkeit des Holzes überschritten wird. Querzugbeanspruchungen können durch quer zur Holzfaser auftretende Kräfte oder durch klimatisch bedingte Querzugspannungen verursacht werden. Risse im Holzquerschnitt vermindern die Tragfähigkeit des Querschnittes. Zur Wiederherstellung der Tragfähigkeit müssen Risse in Brettschichtholz dauerhaft saniert werden.

1 Brettschichtholz ein seit über 100 Jahren bewährter Holzwerkstoff

Brettschichtholz besteht aus mindestens drei miteinander verklebten Brettlagen. Je nach Pressentechnologie können unterschiedlich große und lange Querschnitte hergestellt werden. Brettschichtholz wird seit über 100 Jahren industriell hergestellt (s. [1] und [2]) und hat durch seine technische Entwicklung den Holzbau in dieser Zeit revolutioniert.

Bild 1: Olympiahalle Hamar/ Norwegen, Zweigelenk- Fachwerkrahmen aus Brettschichtholz mit maximaler Spannweite von 96 m, Hallenlänge 260 m (Foto: Arge Holz Düsseldorf)

Für tragende Holzbauwerke größerer Spannweite wird heute fast ausschließlich Brettschichtholz verwendet. In Abhängigkeit von der gewählten Tragwerksart sind Spannweiten bis 100 m und darüber realisierbar (s. Bild 1). Mit räumlichen Strukturen (z. B. Stabnetzwerkkuppeln) auch Spannweiten bis 250 m.
In leistungsfähigen Brettschichtbetrieben können Einzelbauteile mit Querschnittshöhen bis 3,0 m und Längen bis 60 m ohne weiteres hergestellt werden.
Durch das Übereinanderkleben von Brettlagen entsteht ein Vergütungseffekt, da vor dem Verkleben wuchsbedingte Fehlstellen, wie z. B. große Äste ausgekappt werden. Gleichzeitig lässt sich die Güte des Brettschichtholzes durch die Verwendung visuell sortierter oder maschinell sortierter Brettlagen gezielt beeinflussen. Bevorzugte Holzart für die Brettlagen ist Fichtenholz. Auf Anforderung können auch dauerhaftere Holzarten wie Kiefer, Lärche oder Douglasie verwendet werden. In Zukunft wird man auch hochtragfähiges Brettschichtholz aus Laubholz herstellen.
Die Brettdicke ist abhängig von der in Abschnitt 7.1.1 der DIN 1052: 2004 festgelegten Nutzungsklasse. Bei Verwendung von Bauteilen in den Nutzungsklassen 1 und 2 nach DIN 1052:2004 darf nach DIN EN 386:2001 die Brettdicke maximal 45 mm betragen. Bei Anwendung der Bauteile in Nutzungsklasse 3 nach DIN 1052:2004 darf die Brettdicke maximal 35 mm betragen.

Die maximale Holzfeuchte der Brettlagen ist in DIN EN 386:2001 je nach Vorbehandlung des Holzes vor dem Verkleben festgelegt. Im Allgemeinen werden die Brettlagen auf eine Holzfeuchte von 8 bis 15% vorgetrocknet. Brettschichtholz gilt deshalb als „trockenes Bauholz".

2 Ursachen von Rissen an Brettschichtholzquerschnitten

Risse im Holz haben zwei Ursachen:

- klimabedingte Risse aus der Wirkung wechselnder Klimabeanspruchungen
- beanspruchungsbedingte Risse aus der Wirkung von Kräften im Bauteil,

Klimabedingte Risse

Holz hat aufgrund von Wassereinlagerungen in seiner Zellstruktur ein ausgeprägtes hygroskopisches Verhalten.
Unterhalb des Fasersättigungspunktes führt die Hygroskopizität zu einem Gleichgewichtsfeuchtezustand, der von dem umgebenden Klima bestimmt wird. Verändert sich das Klima, so wird der Feuchtezustand dem äußeren Klima angepasst.
Das Bild 2 zeigt die Gesetzmäßigkeit für die Holzart Fichte.

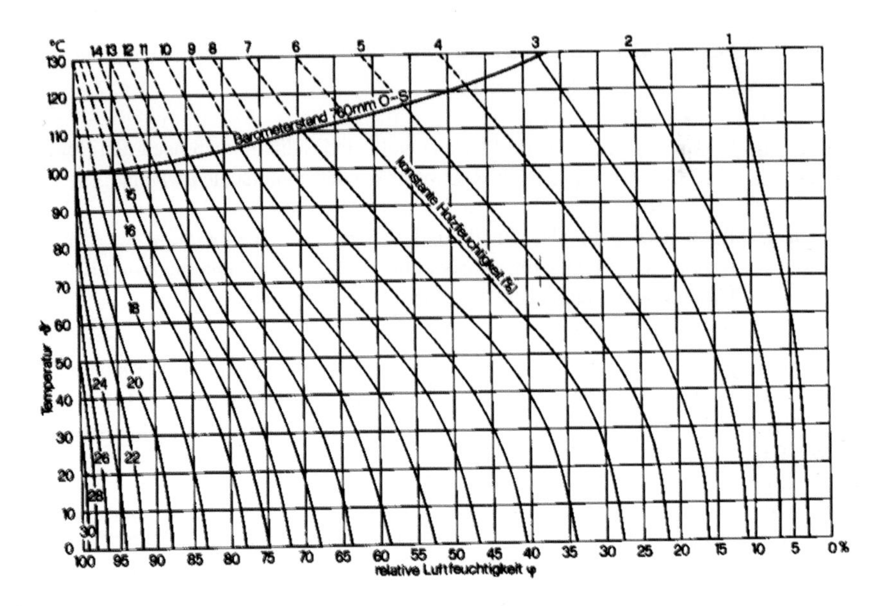

Bild 2: Hygroskopische Isothermen (Fichtenholz- aus [5])

Im Neuentwurf zu DIN 1052 sind Nutzungsklassen angegeben, die über die Lufttemperatur und die Luftfeuchtigkeit definiert sind.
Nutzungsklasse 1: Sie ist gekennzeichnet durch eine Holzfeuchte, die einer Temperatur von 20°C und einer relativen Luftfeuchte der umgebenden Luft entspricht, die nur für einige Wochen pro Jahr einen Wert von 65 % übersteigt.
Aus dem Diagramm Bild 2 ergibt sich hieraus eine Ausgleichsfeuchte von etwa 12 %. [13] Dieser Wert entspricht dem oberen Grenzwert (9 + 3 = 12 %) für beheizte Räume.
Kommt es im Zusammenhang mit den sich verändernden Klimabedingungen zu einer Erhöhung der Ausgleichsfeuchte, so quillt das Holz, bei Verminderung der Gleichgewichtsfeuchte schwindet das Holz.
Schwinden und Quellen des Holzes sind in den drei Hauptrichtungen (längs, radial und tangential) sehr unterschiedlich. Bezogen auf das Schwinden in Faserlängsrichtung ist die Verformung infolge Quellen und Schwinden bei Nadelholz in radialer Richtung 15 Mal und in tangentialer Faserrichtung 30 Mal größer (s. Bild 3).

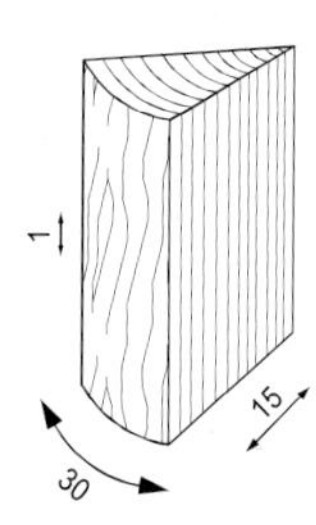

Bild 3: Verhältniswerte Quell- und Schwindverhalten (Nadelholz)

Die Tabelle 1 zeigt die Rechenwerte für das Quell- und Schwindmaß nach den Regelungen in DIN 1052:2004, die je nach Holzwerkstoff sehr unterschiedlich sind.

Tabelle 1: Rechenwerte für das Quell- und Schwindmaß rechtwinklig zur Faserrichtung des Holzes für ausgewählte Bauhölzer bei unbehindertem Quellen und Schwinden nach DIN 1052:2004, Tabelle F.4

Baustoff	**Schwind- und Quellmaß in % für Änderung der Holzfeuchte um 1% unterhalb des Fasersättigungsbereiches**
Fichte, Kiefer, Tanne, Lärche, Douglasie, Western Hemlock, Afzelie, Soutern Pine, Eiche	0,24
Buche	0,30
Teak, Yellow Cedar	0,20
Azobe (Bongossi), Ipe	0,36

Trotz der Verklebung verhält sich Brettschichtholz aus Nadelholz im Quell- und Schwindverhalten wie Nadelvollholz.
Bei Brettschichtkonstruktionen kann es, wie auch bei Vollholzkonstruktionen, zu klimabedingten Spannungen im Querschnitt des Bauteiles kommen. Die Spannungen entstehen vor allem dann, wenn die Klimaverhältnisse unter Nutzungsbedingungen zum Schwinden des Holzes führen.
Mit den Schwindverformungen sind Zwängungsspannungen im Holz verbunden, die zu Trocknungsrissen führen. Die Neigung zur Rissbildung ist dabei um so größer, je schneller das Holz heruntertrocknet. Durch das Trocknen des Holzes entstehen Querzugbeanspruchungen. Diese entstehen durch die unterschiedliche Feuchteverteilung im Holzquerschnitt, die durch ein Feuchtegefälle von außen nach innen geprägt ist. Die Schwindverformungen an der Außenseite werden durch die noch feuchten inneren Schichten behindert und es kommt zu Querzugbeanspruchungen mit Rissbildungen. Die dabei entstehenden Querzugbeanspruchungen können durchaus im Bereich der Bruchfestigkeit bei Beanspruchung auf Querzug liegen.
Bild 4 zeigt die Trocknung eines Brettschichtholzquerschnittes (b/h/ℓ = 150/450/600 mm, Brettlagendicke 30 mm) mit versiegelten Stirnflächen bei einer Ausgangsfeuchte von ca. 12 bis 13%. Dieser wird 14 Tage bei einer Temperatur von 32° C und einer relativen Luftfeuchte von 15 bis 20% gelagert. Bei diesem Klima würde sich nach einer bestimmten Zeit innerhalb des Querschnitts eine Holzfeuchte von 3,5 bis 4,0% einstellen. Schon der Trocknungsverlauf nach 14 Tagen zeigt eine Herabsetzung der Holzfeuchte am Querschnittsrand. Die dadurch entstehenden Querzugspannungen erreichen Werte im Bereich der Bruchfestigkeit des Holzes. Es kommt zur Rissbildung im Holz oder in der Klebefuge.
Trocknet zum Beispiel ein Brettschichtträger einer Sporthalle von einer Holzfeuchte bei Lieferung von 12% nutzungsbedingt (z. B. in der gut beheizten Halle oder durch intensive Sonneneinstrahlung über Oberlichter) auf 6% zurück, so schwindet der Binder um folgende Maße:
Querschnitt des satteldachförmigen Binders in Trägermitte: b/h = 180/2200 mm
Holzfeuchte bei Einbau: 12%, Holzfeuchte unter Nutzungsbedingungen: 7,5%, Rechenwert für das Schwind- und Quellmaß nach DIN 1052:2004, neu Tabelle F.4 pro 1% Feuchteänderung:

$$\alpha_u = \frac{0{,}24\%}{1\%}$$

$$_\Delta h = \frac{\alpha_u}{100} \cdot (u_0 - u_{Gl}) \cdot h = \frac{0{,}24}{100} \cdot (12 - 7{,}5) \cdot 2200 = 23{,}76\text{mm}$$

$$_\Delta b = \frac{\alpha_u}{100} \cdot (u_0 - u_{Gl}) \cdot b = \frac{0{,}24}{100} \cdot (12 - 7{,}5) \cdot 180 = 1{,}9\text{mm}$$

Über die Trägerhöhe verteilt entstehen bei diesem Schwindmaß Risse. Bei wiederholter Klimabeanspruchung nimmt die Risstiefe über die Querschnittsbreite zu und es entstehen weitere Risse.

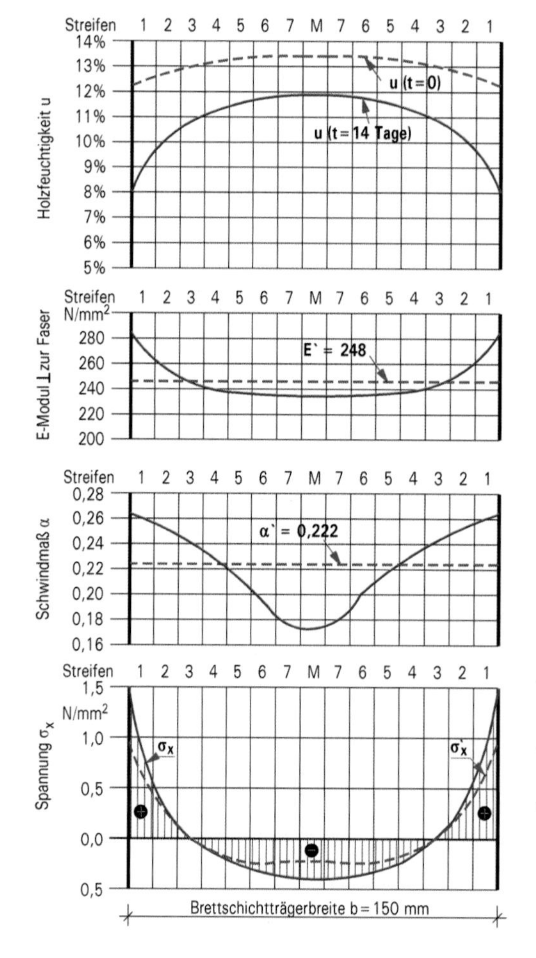

Bild 4: Trocknungsverlauf eines BSH- Querschnittes nach 14 Tagen nach Budianto, Ehlbeck u. a. 1977 [4]

a: Holzfeuchteverteilung über die Querschnittsbreite
b: Elastizitätsmodul senkrecht zur Faser
c: Verteilung Schwindmaß über Querschnittsbreite
d: Verteilung der Querzugbeanspruchung nach dem Elastizitätsmodul bzw. nach dem Schwindmaß)

Geht man davon aus, dass die Schwindverformung der äußeren Schichten durch die inneren Schichten des Holzquerschnittes behindert wird, ergibt sich in grober Näherung für einen Wert von $E_{90,mean}$ = 420 N/mm² (Brettschichtholz- Festigkeitsklasse GL28h, nach DIN 1052:2004, neu Tabelle F.9) eine trocknungsbedingte Spannung in der Größenordnung von:

$$\sigma_{t,90} = \frac{2}{3} \cdot (\frac{\Delta h}{h_{ap}}) \cdot E_{90,mean}$$

$$\sigma_{t,90} = \frac{2}{3} \cdot (\frac{23,76}{2200}) \cdot 420 \approx 3,0 \frac{N}{mm^2}$$

Setzt man nicht 2/3 an, sondern wie in DIN 1052:1988/1996, Teil1, Abschnitt 4.2.5 festgelegt 0,5, so erhält man für die Beanspruchung einen Wert von $\sigma_{t,90}$= 2,3 N/mm^2. Diese Werte liegen sehr viel höher als die Werte für die charakteristische Querzugfestigkeit von Brettschichtholz ($f_{t,90,k} \approx$ 0,5 bis 1,5 N/mm^2)! Beanspruchungsbedingte Risse (s. Tabelle 2)

Tabelle 2: Querzugbeanspruchung bei Brettschichtholzkonstruktionen

Brettschichtholz- Konstruktion	**Querzugbeanspruchung/- gefährdung**
Satteldachträger mit geradem oder gekrümmtem Untergurt	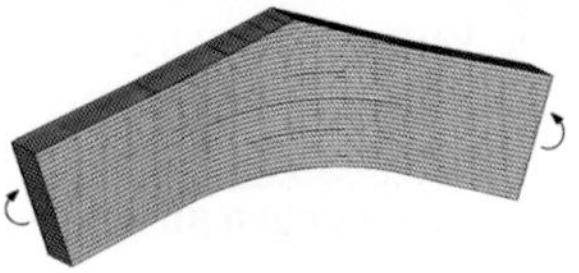
Ausgeklinkter Träger	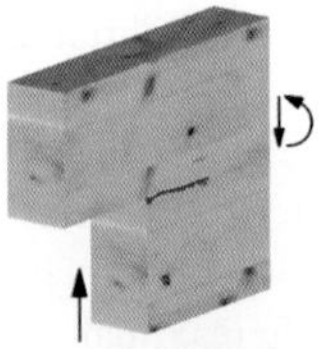
Durchbrüche im Träger	
quer zur Faser angehängte Lasten	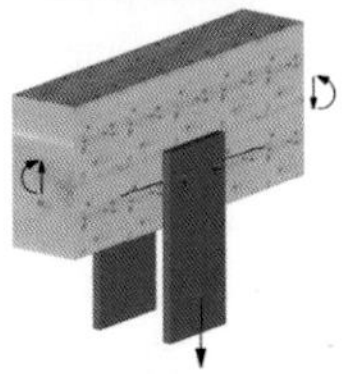

Ein unbestreitbarer Vorteil von Brettschichtholz ist, dass aufgrund der äußerst flexiblen Fertigungstechnologie eine große Vielfalt verschiedener Tragwerks- und Querschnittsformen herstellbar ist. So lassen sich nicht nur Träger mit parallelem Rand, sondern auch

Träger mit schrägen oder gekrümmten Rändern herstellen. Es entstehen recht elegante Pult- oder Satteldachträger, die häufig im Hallenbau Anwendung finden.
Aufgrund der Geometrie treten bei satteldachförmigen Brettschichtträgern mit veränderlicher Trägerhöhe und geradem oder gekrümmten Untergurt in Trägermitte Biegespannungen (Längsspannungen) und zusätzlich Querzugspannungen auf, deren Verteilung nicht linear über die Trägerhöhe verläuft.
Wegen der leichten Bearbeitbarkeit von Holz lassen sich bei Brettschichtträgern mit großen Querschnitten sehr leicht Ausklinkungen oder Durchbrüche herstellen. Dadurch wird der innere Kräfteverlauf gestört und es kommt zu Querzugbeanspruchungen an den Rändern. Eine Querzugbeanspruchung entsteht planmäßig auch bei Queranschlüssen (s. Tabelle 2). Da die charakteristische Querzugfestigkeit nur bei etwa 1/50 der charakteristischen Biegefestigkeit bzw. 1/40 der charakteristischen Zugfestigkeit liegt, überdies stark streut, von der Feuchte und dem Trägervolumen wesentlich beeinflusst wird, sollte eine derartige Beanspruchung möglichst vermieden werden. Kann eine solche Beanspruchung aus statisch- konstruktiven Gründen nicht vermieden werden, so sind u. U. besondere Vorkehrungen, wie zum Beispiel Verstärkungen zu treffen.

3 Risserscheinungen an Brettschichtholz

Maßgebend für die Beurteilung einer zulässigen Rissbildung sind die Veröffentlichungen. [6], [12] Die Breite von Schwindrissen ist je nach gewünschter Oberflächenqualität des Brettschichtholzes bei Auslese- und Sicht- Qualität auf maximal 3 bzw. 4 mm begrenzt. Die Risstiefe ist unabhängig von der Oberflächenqualität festgelegt. Bei Bauteilen ohne planmäßige Querzugbeanspruchung darf pro Querschnittsseite die Risstiefe maximal 1/6 der Querschnittsbreite betragen. Bei Brettschichtholzbauteilen mit planmäßiger Querzugbeanspruchung sind Risse mit einer Tiefe bis 1/8 der Bauteilbreite pro Binderseite zulässig (s. auch Tabelle 3).

Tabelle 3: Zulässige Rissbildung bei Schwindrissen im Brettschichtholz nach [6] u. [12]

Gewünschte Oberflächenqualität von Brettschichtholz	Rissbreite [mm]	Risstiefe	Anzahl der Risse
Industrie- Qualität	Ohne Begrenzung	< 1/6·b[1)] < 1/8·b[2)]	Ohne Begrenzung
Sicht- Qualität	< 4	< 1/6·b[1)] < 1/8·[2)]	Ohne Begrenzung
Auslese- Qualität	< 3	< 1/6·b[1)] < 1/8·b[2)]	Ohne Begrenzung

1) bei Bauteilen ohne planmäßige Querzugbeanspruchung bis zu 1/6 der Bauteilbreite von jeder Seite
2) bei Bauteilen mit planmäßiger Querzugbeanspruchung bis zu 1/8 der Bauteilbreite von jeder Seite

Alle über die maximal zulässigen Risstiefen hinausgehenden Risse sind als unzulässig zu betrachten.

Beispiel 1:
An den 6 Sporthallenbindern einer 25,75 m weit spannenden Dachkonstruktion wurden zahlreiche Risse festgestellt.
Zum einen wurden Risse festgestellt, die relativ dünn waren, aber in einigen Fällen über die gesamte Binderbreite durchgehen und sich über eine große Länge (> 2,0 m) erstreckten. Es handelte sich hierbei um Risse in der Klebefuge. Risse in den Klebefugen wurden festgestellt an allen Bindern. Die Breite der zweiten Rissgruppe war zumeist größer (3 bis 10 mm). Sie traten gehäuft im Bereich des Firstes auf. Die Länge lag zwischen 200 mm bis 1,5 m, teilweise auch darüber. Risse mit der größten Rissbreite gingen in vielen Fällen über die gesamte Trägerbreite durch. Jeder Binder war durch mindestens einen solchen Riss geschädigt.
Die Bilder 5 und 6 zeigen eine Zusammenfassung aller Risse an allen Bindern mit unzulässiger Risstiefe. Die Risse konzentrieren sich vor allem im querzugbeanspruchten Bereich der Satteldachbinder mit gekrümmten Untergurt.
Da die Tragfähigkeit der Binder nicht mehr gegeben war, musste die Halle sofort gesperrt werden.

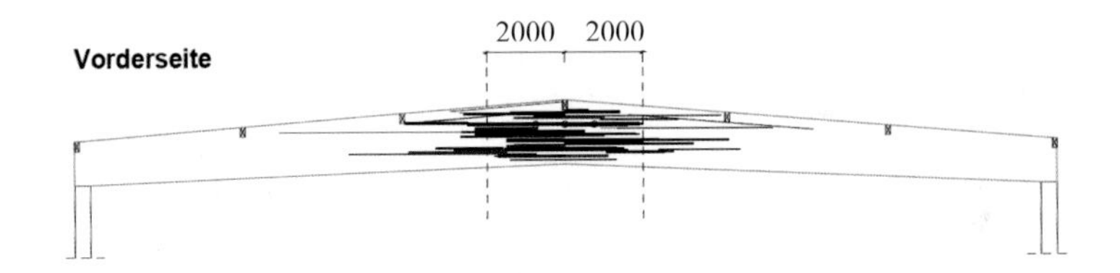

Bild 5: Zusammenfassung aller Risse, die tiefer als 1/8 der Trägerbreite sind (Bindervorderseite)

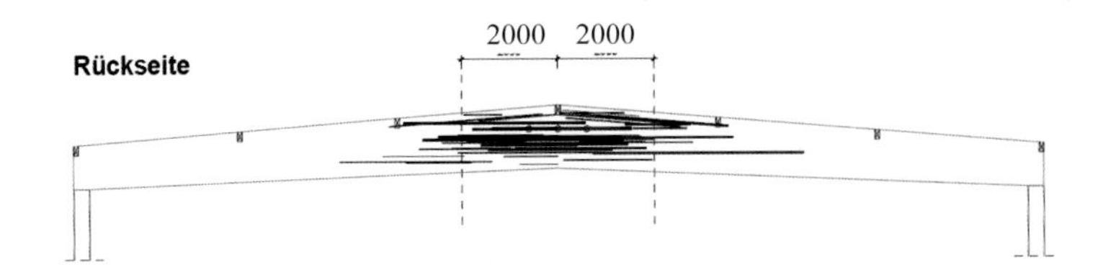

Bild 6: Zusammenfassung aller Risse, die tiefer als 1/8 der Trägerbreite sind (Binderrückseite)

Beispiel 2:
An der Binderkonstruktion einer Sporthalle wurden zahlreiche Risse festgestellt.
Es handelte sich hierbei ausschließlich um Risse in der Klebefuge. Risse in den Klebefugen waren feststellbar an allen Bindern, sowohl an den Vorder- und Rückseiten. Sie hatten eine Rissbreite zwischen 1,0 und 5 mm und eine Risstiefe von 20 bis 140 mm. An zwei Bindern wurden Risstiefen gemessen, die größer als die halbe Trägerbreite waren und an einem Binder gingen die Klebefugenrisse auch über die gesamte Querschnittsbreite durch. Die Bilder 7 und 8 zeigen eine Zusammenfassung aller festgestellten Risse an allen Bindern. Auffällig ist auch hier, dass die Risse hauptsächlich im querzugbeanspruchten Bereich der Satteldachbinder mit gekrümmten Untergurt anzutreffen sind.

Vorderseite

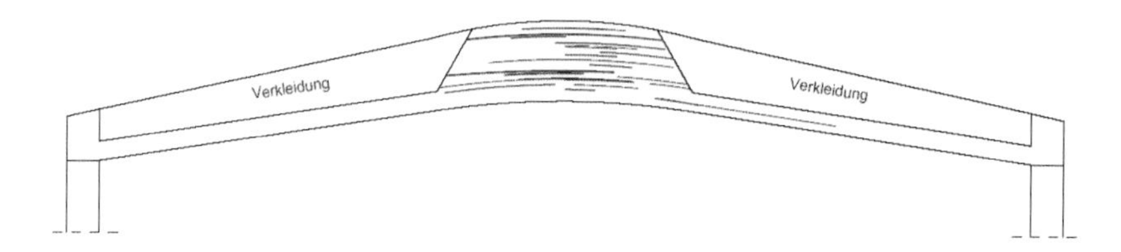

Bild 7: Zusammenfassung aller Risse, die tiefer als 1/8 der Trägerbreite sind (Bindervorderseite)

Rückseite

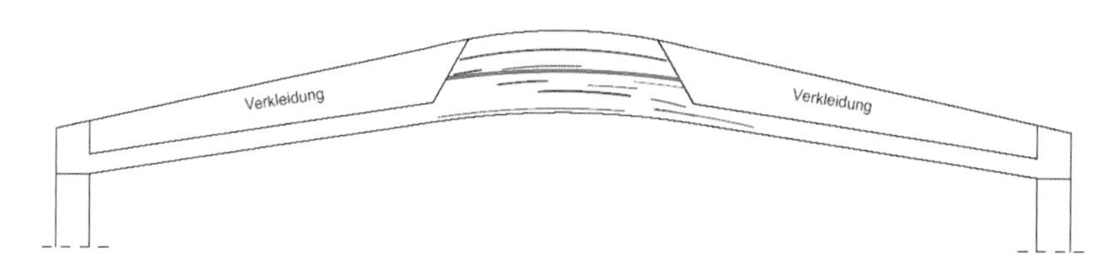

Bild 8: Zusammenfassung aller Risse, die tiefer als 1/8 der Trägerbreite sind (Binderrückseite)

Da die Risse ausschließlich in den Klebefugen auftraten, ergab sich die Frage, ob die Klebefugen ordnungsgemäß verklebt waren oder ob Fehlverklebungen vorliegen. Zur Untersuchung dieser Frage wurden Proben von ungerissenen Klebefugen mittels Bohrkernen entnommen. Pro Binderseite wurden jeweils zwei Bohrproben entnommen. Diese wurden in einer Materialprüfanstalt hinsichtlich der Scherfestigkeit untersucht. Im Ergebnis konnte festgestellt werden, dass der anzusetzende Mindestwert für

die Scherfestigkeit von Klebeverbindungen bei Nadelholz ($_{min}f_v$= 4,0 N/mm^2) bei allen Proben überschritten wird (s. Bild 9).
Bei keiner Probe trat ein Bruch in der Klebefuge auf!
Die Anforderungen an den erforderlichen Faserbruchanteil wurden bei zwei Proben nicht erfüllt. Diese Proben wurden zusätzlich einer genaueren Untersuchung mittels Mikrokop unterzogen. Die Untersuchung zeigte für diese Proben einen nur mikroskopisch sichtbaren Faserbruchanteil (s Bild 10 am Beispiel der Probe 4-R1).
Das Ergebnis der Untersuchungen erbrachte den Nachweis, dass Fehlverklebungen nicht vorliegen.

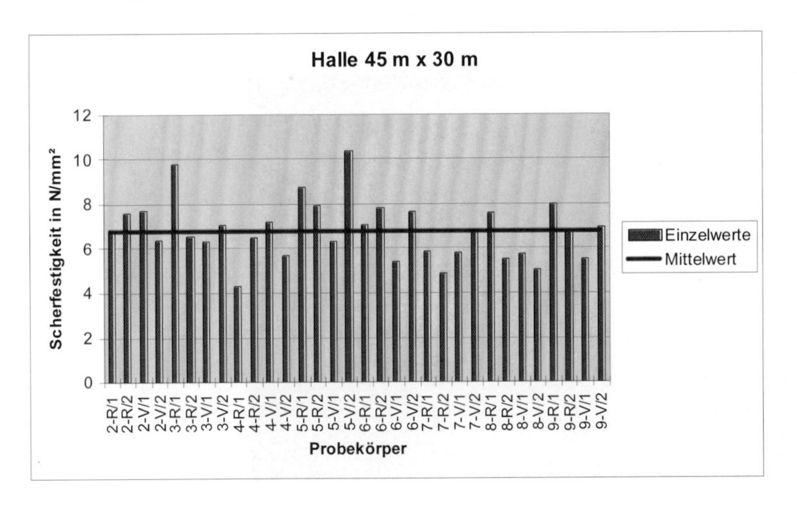

Bild 9: Ergebnis der Untersuchungen zur Scherfestigkeit ungerissener Klebefugen (Statistische Werte: $f_{v,mean}$= 6,8 N/mm^2 $f_{v,k}$= 4,64 N/mm^2)

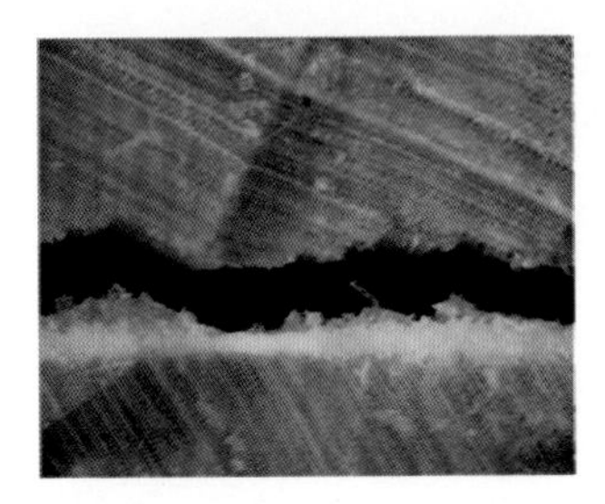

Bild 10: Probe 4-R1; Betrachtung der Klebfuge im Bohrkern senkrecht zur Bruchfläche; Holzbruch.

Beispiel 3:
In einer Fabrikhalle herrscht produktionsbedingt ein Klima, bei dem das bei einer weitgespannten Fachwerkkonstruktion verwendete Brettschichtholz auf eine Feuchte von 4,5 bis 5,5% heruntertrocknet.

Die an der Konstruktion gemessenen Rissbreiten lagen in Summe in der Größenordnung der gemessenen Querschnittsänderungen, die für die Querschnittshöhe ca. 8,7 mm betrug.
Da die Schwindverformungen des Holzes insbesondere an den Knotenpunkten des Fachwerkträgers durch eine hohe Anzahl von Stabdübel behindert wurden, kam es an den betreffenden Stellen zu Zwängungsspannungen und infolgedessen zu einer deutlichen Rissbildung (s. Bild 11).
Dies wirkte sich tragfähigkeitsmindernd aus, da bei einigen Stabdübeln das Vorholz in Beanspruchungsrichtung aufgerissen war und der Dübel an dieser Stelle keine Beanspruchung mehr aufnehmen konnte.

Bild 11: Tragfähigkeitsmindernde Rissbildung im Bereich von Stabdübelverbindungen eines Zugstoßes (Stabkraft: $_{vorh}N_{t,d}$= 1230 kN)

4 Sanierungsverfahren zur Wiederherstellung der Trag- und Funktionsfähigkeit sowie des baulichen Holzschutzes

Risse im Brettschichtholz müssen durch eine für derartige Arbeiten qualifizierte Fachfirma geschlossen werden.
Die Fachfirma muss im Besitz eines Eignungsnachweises für das Kleben tragender Holzbauteile nach DIN 1052:2004, Anhang A und für die Risssanierung über durch die Materialprüfanstalt der TH Stuttgart für diesen speziellen Zweck geschultes Personal verfügen.
Vor dem Verkleben der Risse werden diese sehr gründlich mittels Pressluft gereinigt.
Für die Risssanierung haben sich in den letzten Jahren zwei grundlegende Verfahren in der Praxis bewährt [12]:

- Spachtelverfahren
- Abklebmethode

Bei beiden Verfahren wird nach dem Spachteln der Rissöffnung oder Abkleben der Risse mit durchsichtigem Klebeband der Klebstoff über Bohrlöcher in die Rissfugen eingepresst. Dazu werden alle 100 bis 150 mm ein Bohrloch in die verspachtelte Rissöffnung bzw. in das Klebeband gesetzt. Mittels Kartusche wird der Klebstoff in die Risse eingepresst und das Bohrloch durch einen Holzpfropfen verschlossen. Nach dem Aushärten des Klebstoffes wird die Oberfläche des Brettschichtholzquerschnittes sauber abgeschliffen.
Als Klebstoff für die Risssanierung haben sich Epoxidharzklebstoffe bewährt. Der zur Anwendung kommende Klebstoff muss für die Risssanierung geeignet und zugelassen sein.

Bild 12: Risssanierung, der Klebstoff wurde nach dem Abkleben in Bohrungen (Abstand 100 bis 150 mm) in die Fuge eingepresst

Bild 13: Risssanierung, ausgetretener Klebstoff wurde mittels Schleifmaschine entfernt und die Holzoberfläche sauber abgeschliffen

5 Schlussfolgerungen

Risse beeinträchtigen die Tragfähigkeit von Brettschichtholzquerschnitten. Sie entstehen immer dann, wenn die Querzugbeanspruchung höher liegt als die Querzugfestigkeit. Ihr Auftreten ist als Mangel zu bewerten. Aufgrund von Klimaschwankungen können zusätzlich Querzugbeanspruchungen mit Rissbildungen entstehen. Eine Vermeidung solcher Spannungen gelingt nur, wenn extreme Klimaschwankungen vermieden werden.
Deshalb fordert die DIN 1052:2004 in Abschnitt 6.2 für Holzkonstruktionen:

(3) Zur Verminderung von Schwindrissen und Maßänderungen sind in den Nutzungsklassen 1 und 2 die Hölzer mit Einbaufeuchten von höchstens 20% einzubauen, für die Nutzungsklasse 3 sollte die Einbaufeuchte höchstens 25% betragen.
(4) Ist die Holzfeuchte zum Zeitpunkt des vorgesehenen Einbaus wesentlich höher als die in der vorgesehenen Nutzungsklasse zu erwartenden Ausgleichsfeuchte im Gebrauchszustand, so darf dieses Holz nur dann verwendet werden, wenn es nachtrocknen kann und die Bauteile selbst sowie die angrenzenden Bauteile gegenüber den hierbei auftretenden Schwindverformungen nicht empfindlich sind.

Diese Regeln stehen im Zusammenhang mit dem allgemeinen Grundsatz, dass Holzkonstruktionen mit einer Holzfeuchte einzubauen sind, die der während der Nutzung zu erwartenden Gleichgewichtsfeuchte entspricht. Bei der Planung einer Holzkonstruktion sind deshalb die Nutzungsbedingungen so genau wie möglich zu bestimmen. Als Orientierung und zur Berücksichtigung des Einflusses der Feuchte auf die Festigkeits- und Steifigkeitswerte der Holzwerkstoffe gelten die im Abschnitt 7.1.1 der DIN 1052:2004 angegebenen Nutzungsklassen.
Klimaschwankungen sind insbesondere bei querzugbeanspruchten großvolumigen Binderkonstruktionen bzw. bei anderen Bauteilen mit planmäßigen lastbedingten Querzugbeanspruchungen (s. Beispiele in Tabelle 2) zu vermeiden, wenn diese Beanspruchung konstruktiv nicht verhindert werden kann. In den Erläuterungen zur DIN 1052:2004 heißt es deshalb im Punkt E 10.2.4 (4) ausdrücklich: „...Die Klimabeanspruchung der Bauteile mit querzugbeanspruchten Bereichen ist für den Nutzungszeitraum möglichst präzise zu definieren. Eine Feuchtezunahme während Transport, Lagerung und Montage und eine anschließend zu scharfe Rücktrocknung bei Inbetriebnahme des Gebäudes ist zu vermeiden. Das dabei auftretende Holzfeuchtegefälle erzeugt Querzugspannungen in den Außenbereichen der Bauteile, die Risse verursachen...“(s. [8]).

Literatur

[1] Rug, W: *100 Jahre Hetzerpatent- Eine Entwicklungsgeschichte der Brettschichtbauweise,* In: Bautechnik (2006) H8, S. 533- 540

[2] Rug, W.: 100 Jahre Holzbau- und Holzbauforschung, In: Bund Deutscher Zimmermeister (BDZ) Hrsg.: 100 Jahre Bund Deutscher Zimmermeister, 100 Jahre Verband, Holzbau, Holzbauforschung 1903 – 2003, Bruderverlag Karlsruhe, 2003

[3] Lißner, K.; Felkel, A.; Hemmer, K.; Radovic', B.; Rug, W.; Steinmetz, D.:*Holzbau DIN 1052 Praxis-Handbuch,* Bund Deutscher Zimmermeister Hrsg., Beuth- Verlag + Weka Verlag, Berlin, Augsburg 2005

[4] Budianto, T.; Ehlbeck, J, u. a.: *Karlsruher Forschungsarbeiten und Versuche im Ingenieurholzbau von 1972- 1977,* In: bauen mit holz (1977) H.5, S. 105- 220

[5] Kollmann, F.: *Technologie des Holzes,* Berlin 1952

[6] *BS-Holz-Merkblatt vom April 2001;* Herausgeber: Studiengemeinschaft Holzleimbau (www.brettschichtholz.de)

[7] Radovic, Wiegand: Oberflächenqualität von Brettschichtholz; In: bauen mit holz (2005) Heft 7und bauen mit holz (2005) Heft 8

[8] Blaß, H. J.; Ehlbeck, J.; Kreuzinger, H.; Steck, G.: *Erläuterungen zu DIN 1052:2004-08*, München 2004

[9] Langendorf, *Klimaeinflüsse auf Holz,* Fachbuchverlag Leipzig 1955

[10] Larsen, H.: *Gekrümmte Brettschichtholzträger und Satteldachträger,* In: Holzbauwerke nach Eurocode 5, Step1, Düsseldorf 1995

[11] Blaß, H. J.; Ehlbeck, J.: *Wiederherstellung der Tragfähigkeit von gerissenen Brettschichtträgern, bauen mit holz (1992)* H.2, S. 118- 121

[12] Radovic, B.; Goth, H.: *Entwicklung und Stand eines Verfahrens zur Sanierung von Fugen im Brettschichtholz, bauen mit holz (1992)* H. 9, S. 732- 742, H. 10, S. 816- 818

[13] Lißner, K.; Rug, W.; Steinmetz, D.: *DIN 1052:2004-Neue Grundlagen für Entwurf, Berechnung und Bemessung von Holzbauwerken-* Teil 1: Material- und Werkstoffverhalten, In: Bautechnik (2007) H. 8 (in Vorbereitung)

Optimierte Holzkonstruktionen für den gewerblichen und öffentlichen Bau

K. Hemmer
Queidersbach

Zusammenfassung

Das im Auftrag des Holzabsatzfonds durchgeführte Vorhaben soll Planern und Ausführenden die rasche Erstellung eines Alternativangebots für Hallen, Büros, Kindergärten und Schulen in Holzbauweise ermöglichen. Dabei werden zusammen mit den statischen Nachweisen, Konstruktionszeichnungen und Materiallisten auch komplette Kalkulationslisten vorgegeben. Hierbei liegt ein Schwerpunkt der Ausführungen auf dem baulichen und vorbeugend chemischen Holzschutz. Dabei werden die Änderungen der z.Zt. sich in Überarbeitung befindenden DIN 68800 vor allem im Hinblick auf die „Gefährdungsklasse 0" kritisch untersucht. Dieses geschieht im Zusammenhang mit dem Begriff des „trockenen Holzes" wie er in DIN 1052:2004 definiert ist, wobei vor allem die Angriffsmöglichkeit von Anobium punctatum De Geer und Hylotrupes bajulus L. betrachtet werden. Weiterhin wird auf den besonders gefährdeten Übergangsbereich im Kontakt mit der Unterkonstruktion eingegangen. Hierfür werden baupraktische Lösungen vorgestellt. Abschließend werden nötige Maßnahmen gegen Holzfeuchteänderungen besprochen, welche über die Definitionen der DIN 1052:2004 hinausgehen.

1 Ausgangssituation

Obwohl Holz ökologische und wirtschaftliche Vorteile aufweist, werden Bauwerke in der Praxis meistens nicht in Holzbauweise geplant. Bei Hallen erfolgt die Ausführung in überwiegender Zahl in Stahlbauweise bzw. in Beton- und Spannbetonausführung. Öffentliche Gebäude, wie Büros, Kindergärten oder Schulen werden dagegen hauptsächlich in Massivbauweise projektiert. Die vorliegende, im Auftrag des Holzabsatzfonds durchgeführte Ausarbeitung hat als Ziel, dem Zimmerer vor Ort die Möglichkeit zu geben, rasch und kostengünstig ein Alternativangebot zu erstellen. Zudem soll sie eine Planungs-, Bemessungs- und Kalkulationshilfe für Architekten und Ingenieure darstellen. Dabei erfolgt die Konstruktion unter besonderer Beachtung der klimatischen Verhältnisse sowie deren Einfluss auf die Dauerhaftigkeit der Bauwerke, wobei dem baulichen und dem vorbeugend chemischen Holzschutz besondere Beachtung geschenkt wird. Die Ausarbeitungen selbst bestehen neben der statischen Berechnung, den Konstruktionszeichnungen und den Stücklisten aus Kalkulationslisten (Excel), womit durch Einsetzen von aktuellen Einheitspreisen kurzfristig eine zutreffende Kalkulation erstellt werden kann.
Infolge des großen Datenumfangs erfolgt die Ausgabe nicht in Buchform, wie ursprünglich vorgesehen, sondern mittels DVD. Nach dem Programmstart zeigt sich der in Bild 1 dargestellte Ablauf. Nach der Abfrage, ob ein gewerbliches oder ein öffentliches Bauwerk betrachtet werden soll, wird die Systemzusammensetzung definiert, bei der die Länge und Breite des Bauwerks sowie die gewünschte Konstruktionsart festgelegt werden. Als Ergebnis erhält man den statischen Nachweis mit den entsprechenden zeichnerischen Darstellungen, sowie die Material- und Kalkulationstabellen für das jeweilige Bauteil sowie eine Zusammenstellung für das Gesamtbauwerk.

Bild 1: Allgemeiner Systemaufbau

Wird der gewerbliche Bau angewählt, so stehen verschiedene Rahmen- und Bindersysteme (Bild 2) mit Stützweiten von 10 bis 25 m in Schrittweiten von 1 m zur Auswahl. Dabei können die Dach- und Wandaussteifungen in drei Variationen festgelegt werden. Bei den Bindersystemen ist zudem die Wahl unterschiedlicher Stützen gegeben. Ist eine Halle in ihrer Gesamtlänge als Vielfaches von 5 m Binderabstand definiert, so wird automatisch der zugehörige Giebelrahmen, bestehend aus Giebelrähm und –stützen ausgewählt, die Anzahl der erforderlichen Zwischenrahmen bzw. Zwischenbinder mit Stützen ermittelt und das Gesamtsystem ausgegeben. Falls dieses beim Angebot gewünscht wird, können die Felder zwischen den Tragsystemen noch mit Holztafelelementen geschlossen werden.

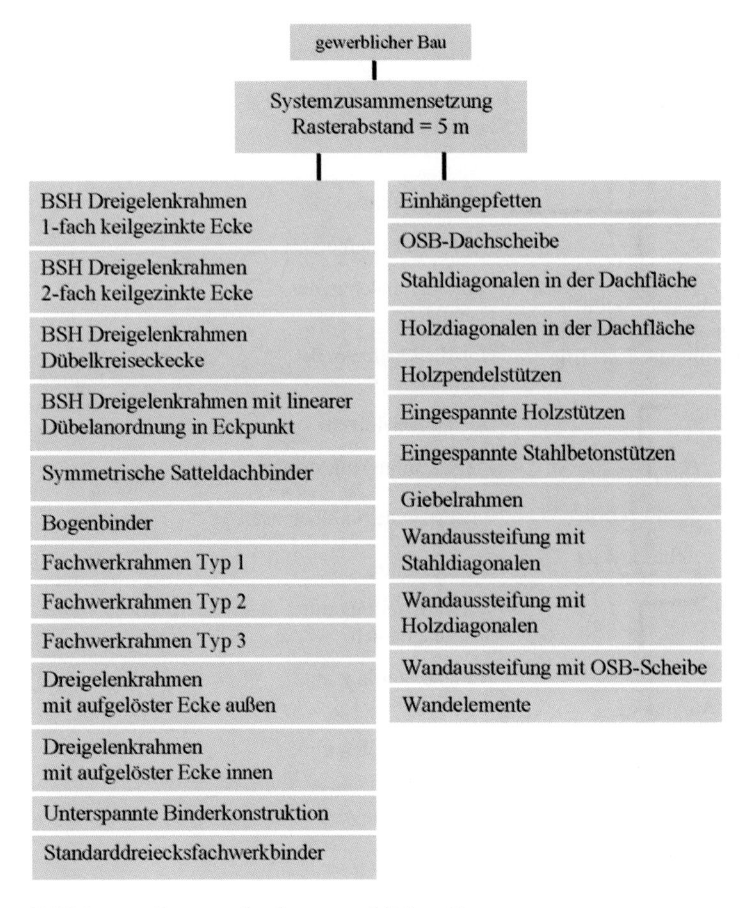

Bild 2: Systeme für den gewerblichen Bau

In ähnlicher Weise wird bei der Anwahl des öffentlichen Baus verfahren. Dabei kann bei Büro- und Schulbauten zwischen ein- und zweigeschossiger Bauweise gewählt werden. Die Kindergartensysteme sind dagegen nur eingeschossig vorgesehen. Bild 3 zeigt die verschiedenen Wahlmöglichkeiten. Bei den Bürobauten betragen die Systemabstände 4,5 m bei Stützweiten von 5 bis 12 m in Schrittweiten von 1 m. Die Kindergärten sind als Quadrat-, Sechseck- bzw. Achteckraster mit 6 bis 20 m Systemlänge ausgelegt. Bei den Schulen wurde dagegen ein freies System, bestehend aus verschiedenen Einzelbauteilen, gewählt. Dieses System ermöglicht eine große Variationszahl, allerdings können dabei keine Gesamtgebäude als fertige Planzeichnung dargestellt werden.

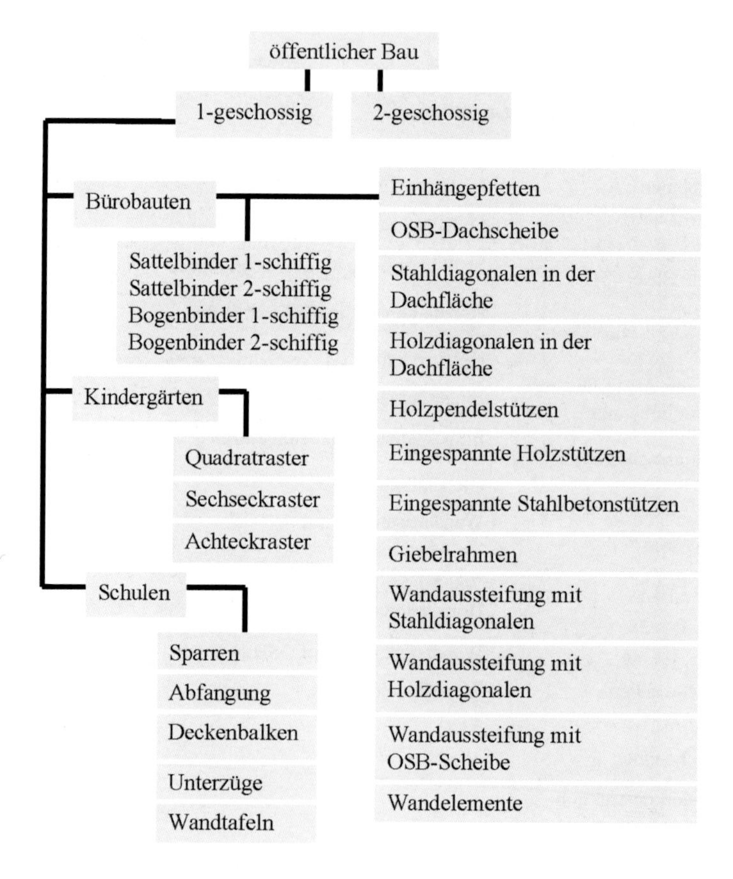

Bild 3: Systeme für den eingeschossigen öffentlichen Bau

Neben den tragwerksplanerischen und kalkulatorischen Ergebnissen ist die Dauerhaftigkeit dieser Holzkonstruktionen von besonderer Bedeutung. Hier steht die allgemein verbreitete Meinung dem Holzbau entgegen, dass Stahl- oder Massivbauten eine längere Lebensdauer als Holzbauten aufweisen würden. Dieses Vorurteil muss durch sorgfältige Planung und Ausführung widerlegt werden.

Baulicher und vorbeugend chemischer Holzschutz

Der Holzschutz, wie er allgemein verstanden wird, richtet sich hauptsächlich gegen pflanzliche und tierische Schädlinge. Dabei wird oft der Schutz gegen Feuchteaufnahme- und –abgabe vernachlässigt, was u.U. Schädigungen bei Holzkonstruktionen nach sich zieht, die bis zum totalen Versagen einer Konstruktion führen können. DIN 1052:2004 berücksichtigt zwar drei Nutzungsklassen, welche Holzfeuchten von 5 bis 24 % abdecken, dieses bezieht sich aber hauptsächlich auf die Tragfähigkeit und die Verformungen von Gesamtsystemen. Entsprechend dieser Norm sollen keine Hölzer über 20 % Feuchte eingebaut werden, angestrebt wird eine Holzfeuchte von 15 ± 3 %, wie sie z.B. beim Konstruktionsvollholz vorgegeben ist. Unter diesen Voraussetzungen geht man davon aus, dass, sofern im Bauwerk keine weitere Feuchtezufuhr stattfindet, die Sicherheit gegen Zerstörung durch Schädlinge gegeben ist. Dieses zeigt sich auch im geplanten Entwurf zur DIN 68800. Hiernach sollen alle Hölzer „unter Dach“, sofern technisch getrocknetes Holz verwendet wird, – nur solches Holz sollte in Zukunft zur Anwendung gelangen – in die Gefährdungsklasse 0 eingeordnet werden. Dieses ist in Bild 4 dargestellt. Dazu gehören auch die Holzbereiche im Dachüberstand, also außerhalb des beheizten Gebäudebereiches (Bild 4).
Es stellt sich hier die Frage, ob mit diesen Vorgaben nicht Schäden provoziert werden, welche dem Holzbau nachhaltig schaden. Das erste Problem liegt in der Trockenhaltung der Traglattung, der Konterlattung und der Schalung. Diese kann wohl nie über längere Zeiträume garantiert werden. So kann beispielsweise Flugschnee bei vielen Dachdeckungssystemen eindringen, welcher beim Tauvorgang eine länger andauernde Hozfeuchteerhöhung hervorruft, einzelne Dachdeckungsteile können im Lauf der Zeit Schäden annehmen, welche nur bei einer laufenden Kontrolle der Dichtheit der Dachhaut erkannt würden oder was bei vielen Tonziegeldeckungen beobachtet wurde, dass die Ziegel selbst die Nässe aufnahmen und an die Unterkonstruktion weitergaben. So wurden bei sonst einwandfreier Dachdeckung durchgehende Feuchte bei Ziegeln gefunden, welche in der Traglattung gemessene Holzfeuchten von bis zu 38 % hervorriefen. Erfahrungsgemäße Schwachpunkte im Dachbereich stellen zudem Kehlen, Wandanschlüsse und Kreuzungspunkte (z. B. bei senkrecht zueinander verlaufenden Firsten) dar.
Auch der Bereich des Dachüberstandes ist nicht unproblematisch, da hier eine Trocknung durch Wärmezufuhr aus dem Gebäude nicht gegeben ist. Stattdessen kann Schlagregen diese Holzbauteile befeuchten, wobei unvermeidliche Fugen zwischen einzelnen Bauteilen oder auch Schwindrisse über Kapillarwirkung eine erhöhte längerfristige Feuchteaufnahme nach sich ziehen. So sind in diesen Bereichen, teilweise über Monate hinweg, Holzfeuchten deutlich über 20 % feststellbar.

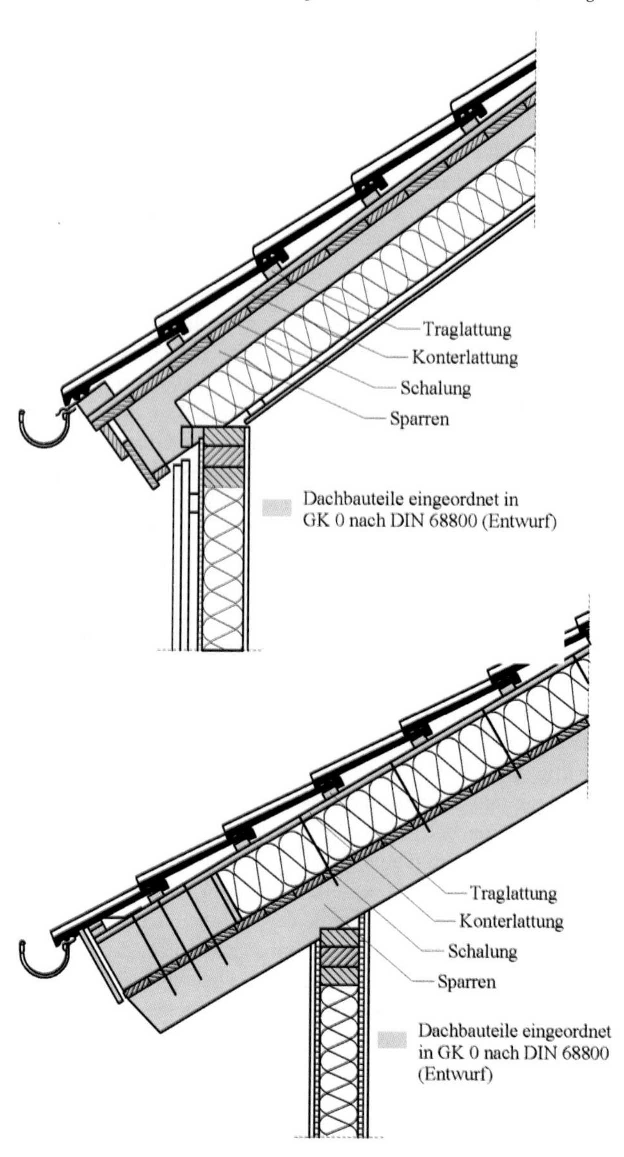

Bild 4: Holzbauteile im Dachbereich bei Dächern mit Zwischensparrendämmung bzw. Aufdachdämmung, welche nach dem geplanten Entwurf zur DIN 68800 in die Gefährdungsklasse 0 eingeordnet werden sollen

Ein weiteres Problem stellt die Dampfdiffusion dar, welche an den durch die Dachfläche abgehenden Wärmestrom gekoppelt ist. Ob hierbei innenseitig nur eine Dampfbremse angeordnet ist bei außenseitig diffusionsoffener Bauweise oder ob innenseitig eine Dampfsperre vorliegt bei beispielsweiser Außenschalung aus OSB-Platten, ist in jedem Fall zu überprüfen, ob und in welchen Mengen Wasser im Dachbereich während der kalten Jahreszeit angelagert wird, welches dann in der warmen Jahreszeit wieder abgegeben werden kann. Diese Frage stellt sich auch bei der Verwendung so genannter intelligenter Folien, welche ihren Dampfdiffusionswiderstand entsprechend den klimatischen Bedingungen ändern. Wenn nämlich über mehrere Monate Wasser im Dämmbereich angelagert wird, so wird dieses von den anliegenden Holzbauteilen in dieser Zeit auch aufgenommen, so dass langfristig eine erhöhte Holzfeuchte vorliegt.
Die zuvor gemachten Ausführungen machen deutlich, dass viele Bereiche eines Daches weder langfristig vor Durchfeuchtung sicher sind noch dass hier ein nennenswerter baulicher Holzschutz möglich ist. Hierauf sollte bei der Novellierung der DIN 68800 im Zusammenhang mit der Gefährdungsklasse 0 hingewiesen werden. In diesem Zusammenhang stellt sich die Frage, gegen welche Schädlinge hier hauptsächlich Schutzmaßnahmen ergriffen werden müssen. Pilzbefall benötigt Holzfeuchten von etwa 30 % oder darüber. Dagegen greifen Käfer, wie der Hausbock oder auch die Pochkäfer Holz bereits bei erheblich geringerer Holzfeuchte an. In Bild 5 ist diese Problematik im Zusammenhang mit den Holzfeuchten der die Nutzungsklassen nach DIN 1052:2004 dargestellt. Hieraus ist zu erkennen, dass Anobium punktatum De Geer ab etwa 11 % Holzfeuchte wirksam werden kann. Bei einer Holzfeuchte von 24 % wird dabei bereits ein Wert von über 80 % der maximalen Entwicklungsgeschwindigkeit erreicht. Ähnlich ist auch der Verlauf der Entwicklungsgeschwindigkeit in diesem Feuchtebereich bei Hylotrupes bajulus L., allerdings beginnt hier der Angriffsbereich bereits bei 9 %, wobei die Kurve etwas flacher verläuft. In dem angestrebten Holzfeuchtebereich von 15 ± 3 % liegt die Entwicklungsgeschwindigkeit bei etwa 30 bis 55 % ihres Maximalwertes. Um ohne vorbeugende Schutzmaßnahmen auszukommen, müsste bereits beim Einbau eine Holzfeuchte von ca. 10 % angestrebt werden. Deshalb wird in den Ausarbeitungen eine technische Trocknung auf eine Holzfeuchte von 9 ± 3 % berücksichtigt.
Neben der Holzfeuchte ist vor allem die Temperatur bei der Entwicklung von holzzerstörenden Käferlarven von Bedeutung. Für die beiden zuvor genannten Käfer ist diese Abhängigkeit in Bild 6 dargestellt. Geht man von Raumtemperaturen von 15 bis 24 °C aus, wie diese bei Berechnungen für beheizte Wohnräume abhängig von der Raumnutzung angesetzt werden, so stellt man fest, dass Anobium punktatum De Geer hier seinen optimalen Wachstumsbereich vorfindet, während Hylotrupes bajulus L. bei etwas höheren Temperaturen seine optimalen Wachstumsbedingungen erreicht. Dieses zeigt sich auch in der Praxis verstärkt an vielen durch Käferlarven geschädigten Holzbauteilen (Bild 7).

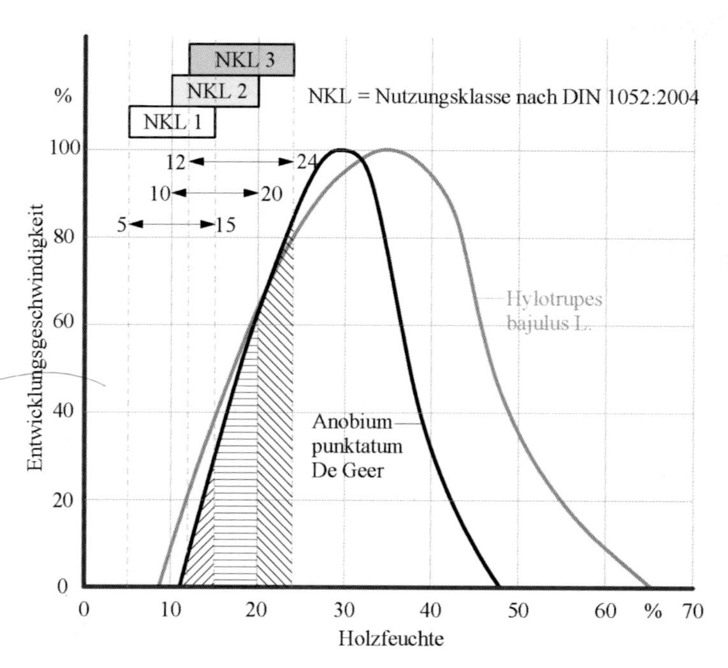

Bild 5: Entwicklungsgeschwindigkeit der Larven von Anobium punktatum De Geer und Hylotrupes bajulus L. in Abhängigkeit von der Holzfeuchte (nach G. Becker)

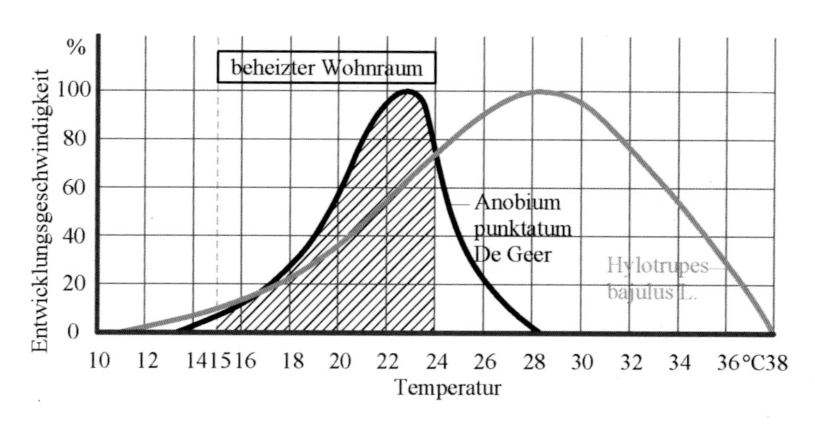

Bild 6: Entwicklungsgeschwindigkeit der Larven von Anobium punktatum De Geer und Hylotrupes bajulus L. in Abhängigkeit von der Temperatur (nach G. Becker)

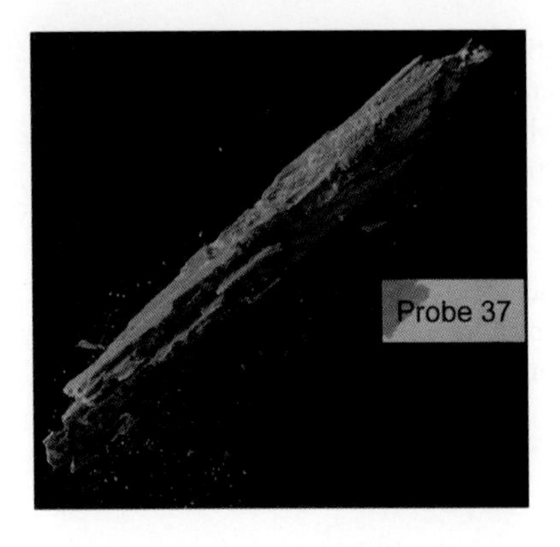

Bild 7: Durch Anobium punktatum De Geer zerstörte Probe aus einem Deckenbalken bei einer ca. 40 Jahre alten Holzbalkendecke (Feuchtezutritt durch Dachundichtigkeit)

Ein hauptsächliches Problem im Holzbau stellt die Forderung nach mindestens 30 cm Abstand bei Holzkonstruktionen von der Unterkonstruktion dar, wenn im Bereich dieser Wasser auftreten kann (ebener Übergang vom Gelände zum Gebäude). Bei frei stehenden Stützen, welche nur durch Vertikalkräfte beansprucht werden, stellen Stützenfüße aus Metall eine brauchbare Lösung dar. Problematischer ist dieses bei Stützen oder Rahmenstielen, welche auch große Horizontalkräfte abtragen müssen. Ein ähnliches Problem stellt der Aufstandsbereich von Wandelementen dar. Hier bewirkt vor allem das Montieren bei stehendem Wasser auf Betonbodenplatten, wie es in der Praxis immer wieder vorkommt, eine erhebliche Feuchtezunahme im Holz (Bild 8). Hier hilft nur die Verwendung von hochresistenden Hölzern oder der Einsatz von kesseldruckimprägniertem Holz, wobei darauf zu achten ist, dass das Holzschutzmittel in den ganzen Querschnitt eindringt. Dieses ist bei dünnen Hölzern wie Nivellierschwellen mit vertretbarem Aufwand realisierbar.

Bild 8: Montage der Nivellierschwellen zum Aufstellen von Wandelementen bei stehendem Wasser auf der Betonbodenplatte

Da kleinformatige Querschnitte bei der Kesseldruckimprägnierung leichter vollständig zu schützen sind als große, empfiehlt sich bei Hallenrahmenstützen der Unterbau eines in dieser Art imprägnierten Fußholzes. Bild 9 zeigt ein Lösungsvorschlag, wie er in den vorliegenden Ausarbeitungen gegeben ist. Dabei wird in den Aufstands- und Berührungsfugen der Hölzer mittels Schutzfolie und Schutzanstrich die Wasseraufnahme bzw. -weiterleitung behindert. Die Vertikalkraftübertragung erfolgt dabei über Kontakt, die Horizontalkraft wird durch eine Zapfenverbindung weitergeleitet. Damit diese nicht durch Querzug versagt, erfolgt eine Verstärkung durch Vollgewindeschrauben. Mit solchen wird auch das Moment aus der exzentrischen Horizontalkrafteinleitung in die Hauptstütze eingetragen. Dieses kann auch mit eingeklebten Stahlstäben erfolgen, sofern eine Zulassung vorliegt, die die Verwendung des Klebers bei dem gegebenen Holzschutzmittel erlaubt.

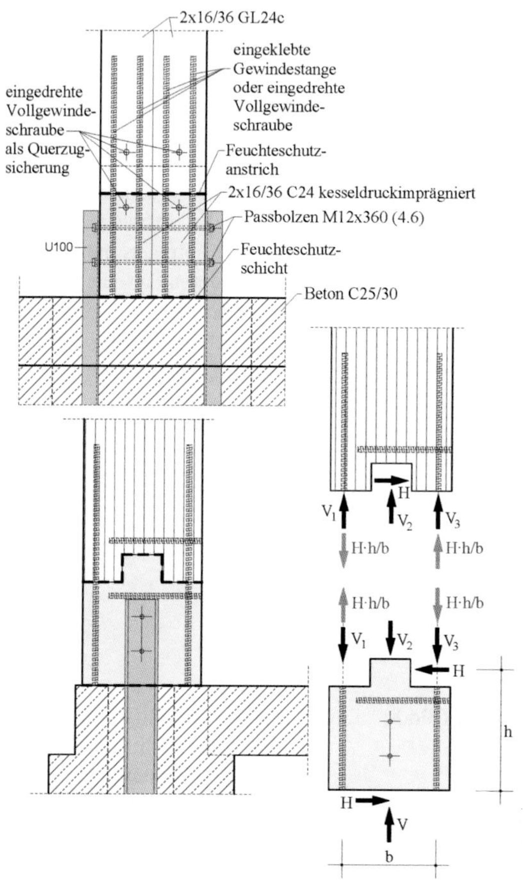

Bild 9: Ausbildung des Fußpunktes eines Hallenrahmens bei ebenerdigem Übergang des Außengeländes zum Hallenboden

Weiterhin berücksichtigt in den Ausarbeitungen sind Schutzmaßnahmen, welche die Aufnahme und Abgabe der Holzfeuchte behindern. Dieses sind wasserabweisende bzw. sonnenlichtreflektierende Anstriche oder Schutzfolien bzw. Abdeckungen. Was das Fehlen solcher Maßnahmen bewirken kann, zeigt das in Bild 10 dargestellte Beispiel. Es handelt sich dabei um eine in Ost-West-Richtung verlaufende Trogbrücke, welche zudem mit einem dunklen Anstrich versehen war. Bereits nach einem Jahr Standzeit wies der Binder an der Südseite vollständig durchgehende Risse auf, während der nördlich gelegene Träger nur die üblichen Schwindrisse zeigte. Hieraus ist deutlich zu erkennen, dass Schutzmaßnahmen, welche nach DIN 1052:2004 nicht gefordert sind, durchaus ihre Berechtigung haben und von verantwortungsbewussten Konstrukteuren auch angewendet werden sollen.

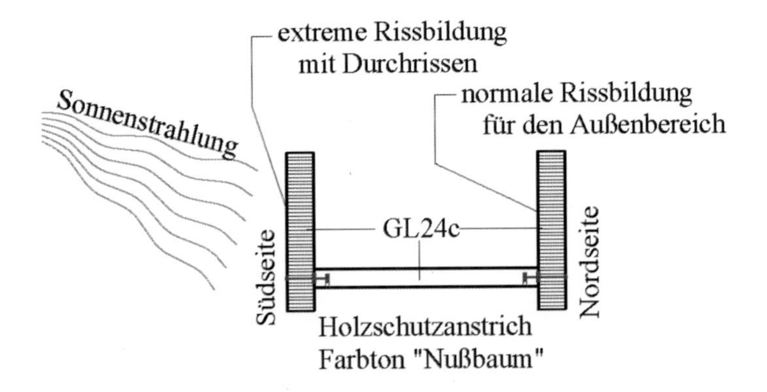

Bild 10: Rissbildung bei Brückenträgern in Abhängigkeit von der Anordnung, der Sonneneinstrahlung und der Anstrichfarbe

Apparative Verfahren zur Diagnose von Schäden durch Insekten an Holzbauteilen

T. Haustein und C. von Laar
Wismar

A. Hasenstab
Nürnberg

K. Osterloh
Berlin

Zusammenfassung

Die Diagnose von Fraßschäden Holz zerstörender Insekten im Inneren des Holzes ist notwendig, um Sanierungsumfang und –notwendigkeit nach einem Schädlingsbefall einschätzen zu können. Ein Universalverfahren zur Diagnose von Insektenschäden im Holz gibt es nicht. Für den denkmalpflegerischen Bereich ergibt sich zudem die Anforderung an eine zerstörungsfreie bzw. zerstörungsarme Untersuchung. Die Resistografie, das Ultraschallecho-Verfahren und die Radiografie erfüllen als apparative Diagnosemethoden diese Anforderung zur Bewahrung von Kulturgut.
Neben den verfahrensspezifischen Eigenschaften sind die Biologie der Insekten und die Holzanatomie zu berücksichtigen. Eine quantitative Schadenserfassung ist mit der Resistografie und dem Ultraschallechoverfahren unter bestimmten Voraussetzungen möglich. Für die Detektion von Insektenschäden mittels Resistografie ist insbesondere die Größe der Bohrgänge und der Grad der Zerstörung von Bedeutung. Kleinere Fraßgänge werden oftmals überlagert, während stark zerfressene Holzbereiche durch das Verfahren sicher abgebildet werden. Das Ultraschallechoverfahren ist an weitgehend ebene Holzoberflächen gebunden. Risse erzeugen Totalreflexion und lassen eine weitere Untersuchung in Bereichen hinter den Rissen nicht zu. Mit der digitalen Radiografie lassen sich Schäden im Holz sicher abbilden. Das Verfahren eignet sich gut zur Verifizierung der Ergebnisse der beiden anderen Verfahren. Ein Nachteil ist der hohe apparative Aufwand.

1 Einleitung

Schädlinge an Holz und Holzwerkstoffen bezeichnet man als Materialschädlinge. Es sind Insekten (Hexapoda) die im Wesentlichen zur Ordnung der Käfer (Coleoptera) gehören. Schäden erzeugen diese Tiere im Wesentlichen durch ihren Ernährungsfraß am Holz und das Schlüpfen der Imagines. Sie unterscheiden dabei nicht, ob es sich um einen kunstvoll geschnitzten Altar oder einen Baumstamm handelt. Da es sich bei den meisten im Bauwerk vorkommenden Holzschädlingen ursprünglich um Freilandinsekten handelt, haben sie im Bauwerk ihre „ökologische Nische" gefunden. [20]
Für die historische Bausubstanz und deren Ausstattung stellen Holz zerstörende Insekten ein nicht zu unterschätzendes Problem dar. [23], [5], [16], [17] Bereits in älterer Literatur wird für bestimmte Spezies auf deren Schadenspotential hingewiesen. [19], [11], [3], [18] Sakrale Bauwerke, Freilichtmuseen sowie Burgen und Schlösser sind besonders betroffen. Sie bieten den Holzschädlingen aufgrund ihrer Bauweise und dem vorherrschendem Raumklima häufig einen Lebensraum, den diese benötigen um zu überleben, zu wachsen und sich fortzupflanzen.
Durch die verborgene Lebensweise der Insektenlarven im Holzinneren sind deren Fraßschäden nur schwierig zu beurteilen. Schlupflöcher auf der Holzoberfläche ermöglichen keine sicheren Rückschlüsse über die Schädigung der Holzsubstanz. [13] Insbesondere für museale Gegenstände, Kunstgut und Holzbildwerke stellt sich nach einer Schädlingsbekämpfung fast immer die Frage nach Festigungs- und Ergänzungsarbeiten. Im konstruktiven Bereich besitzt die Beurteilung der Standsicherheit von Dachtragwerken, Holzbalkendecken und Fachwerkkonstruktionen zentrale Bedeutung. Nicht mehr ausreichend tragfähige Hölzer sind daher auszutauschen bzw. zu verstärken.
Die Prüfung von Hölzern, die durch Holz zerstörende Insekten befallen sind, erweist sich häufig als schwierig. Während im profanen Baualltag die Bebeilung oder Bohrkernentnahme als zerstörende Untersuchungsmethode Anwendung finden, sind diese im denkmalpflegerischen und restauratorischen Bereich unakzeptabel, da Erhaltung und Bewahrung der Originalität im Vordergrund stehen. Der Einsatz zerstörungsfreier bzw. zerstörungsarmer Prüfmethoden wird gefordert.

2 Apparative Methoden zur Schadensdiagnose

Für die Detektion von Schäden im Holzinneren gibt es mehrere zerstörungsfreie und zerstörungsarme Verfahren (Tabelle 1). Ihre Anwendung erfolgt im Wesentlichen im Hinblick auf Pilzschäden im Holz. Die Einsatzmöglichkeit auf Insektenfraß im Holz wurde bisher kaum untersucht.
Im Nachfolgenden sollen drei apparative Verfahren vorgestellt werden. Im Rahmen einer mehrstufigen Versuchsreihe wurde die Eignung von Ultraschallsignalen bei einer Ultraschallechountersuchung und des Bohrwiderstandes zur Beurteilung von Insektenschäden an verschiedenen Hölzern geprüft. Eine Verifizierung der Ergebnisse

erfolgte mittels digitaler Radiografie. Dazu wurden die Hölzer mit einer mobilen Röntgenröhre durchstrahlt. Die mit Resistografie untersuchten Hölzer wurden zusätzlich für eine optische Kontrolle entlang des Bohrweges aufgeschnitten.

Tabelle 1: Übersicht zu Prüfverfahren im Holz

Zerstörungsarme Verfahren	Zerstörungsfreie Verfahren
• zimmermannsmäßige Nagelprobe • Eindringwiderstandsmessung bzw. Messung der Schlagbruchfestigkeit (TU Karlsruhe: Pilodyn; TU Dresden: Xylodyn) • Ausziehwiderstandsmessung, Pull-out testing • Endoskopie • Bohrungen und Bohrkerne • Bohrwiderstandsmessung	• Optische Untersuchungsverfahren: z.B. Visuelle Einschätzung, Thermografie • Mechanische Untersuchungsverfahren: z. B. Schallemissionsanalyse • Elektromagnetische Verfahren: z. B. Radarverfahren, Magnet-Resonanz-Tomographie (MRT) • Durchstrahlungsverfahren: z. B. Röntgenverfahren • Ultraschall-Verfahren: z. B. Durchschallung, Ultraschallecho

2.1 Resistografie (Bohrwiderstandsmessung)

Bei diesem Verfahren wird eine dünne, 1,5 mm dicke Stahlnadel unter einer definierten Vorschubgeschwindigkeit in das Holz gebohrt (Bild 1). Vorschub und Drehzahl der Nadel werden automatisch gesteuert. Die Geometrie der Nadel bewirkt, dass der Bohrwiderstand unmittelbar an der Nadelspitze gemessen wird. Zeitgleich während des Bohrvorganges erfolgt der Ausdruck der Messwertprofile, die als Bohrprofil bezeichnet werden. Der gemessene Bohrwiderstand ist eine dimensionslose Größe, die im trockenen Holz mit der mittleren Rohdichte des Holzes korreliert. [14] Mit dieser Bohrmethode lassen sich Bereiche im Holz mit geringer Festigkeit (Risse, Fraßgänge, Fäulnis) lokalisieren. Die hier vorgestellten Untersuchungen an insektenbefallenen Hölzern wurden mit dem Resistograph® 3450, Firma Rinntech (Heidelberg, D) durchgeführt.

2.2 Ultraschallecho

Das Prinzip des Ultraschallechoverfahrens beruht darauf, das niederfrequente Schallimpulse in das Bauteil gesendet werden, welche an der Bauteilrückwand beziehungsweise an Fehlstellen (z. B. Hohlräume durch Insektenfraß) reflektiert werden. Alle Messungen an den Hölzern wurden im niederfrequenten Bereich bei einer mittleren Frequenz von 55 KHz als Prüffrequenz durchgeführt. Die Messung erfolgte mit einem Transversalwellenprüfkopf A 1220 bestehend aus einem Array von 24 Punktkontakt-Prüfköpfen TD 20 der Firma ACSYS (Moskau, RUS) (Bild 2) sowie einem zusätzlichen Einzelkontakt-Prüfkopf für kleine Querschnitte. Im Array beträgt der Abstand zwischen den einzelnen Prüfköpfen 20 mm. Durch die federnd gelagerten Prüfköpfe konnte auch an leicht unebene Holzoberflächen angekoppelt werden (z. B. handbehauene Hölzer).

Bild 1: Bohrwiderstandsmessung an einem Fichtenkantholz mit Schäden durch *Anobium punctatum* (Foto: Haustein)

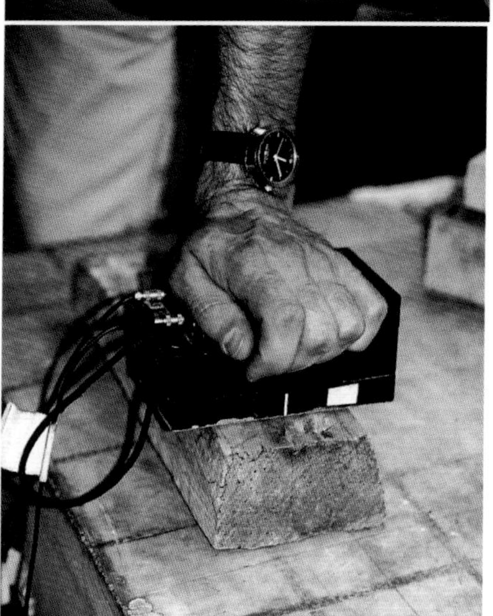

Bild 2: Transversalwellenprüfkopf auf einer Rotbuchenprobe mit Befall durch *Ptilinus pectinicornis* (Foto: Haustein)

2.3 Digitale Radiografie

Die digitale Radiografie ist ein Durchstrahlungsverfahren, bei dem anstelle eines Filmes Matrixdetektoren auf Halbleiterbasis oder Speicherfolien mit einem Auslesegerät

(„Computed Radiography“) verwendet werden. Diese kommen mit einer geringeren Röntgendosis im Vergleich zum Film aus. Besondere Vorteile gegenüber dem Röntgenfilm sind, vor allem bei der Durchstrahlungsprüfung von Holz, die weitaus größere Helligkeits- und Kontrastdynamik (je nach System ca. 4000 bis über 65000 Graustufen) und die Möglichkeit einer digitalen Bildbearbeitung zur Hervorhebung interessierender struktureller Details. [22]
Zum Einsatz gekommen ist ein direkt auslesbarer Flachdetektor (Agfa DirectRay am-Se, 139 µm Pixelgröße, Bildgröße 2560 x 3072 Pixel, 14 bit linear) zusammen mit einer mobilen Röntgenblitzröhre GE XR 200 (150 kV) der Firma Golden Engineering (Centerville, IN, USA) (Bild 3). Die Aufnahmen von den insektenbefallenen Hölzern erfolgten in einfacher Durchstrahlung im Labor der BAM.

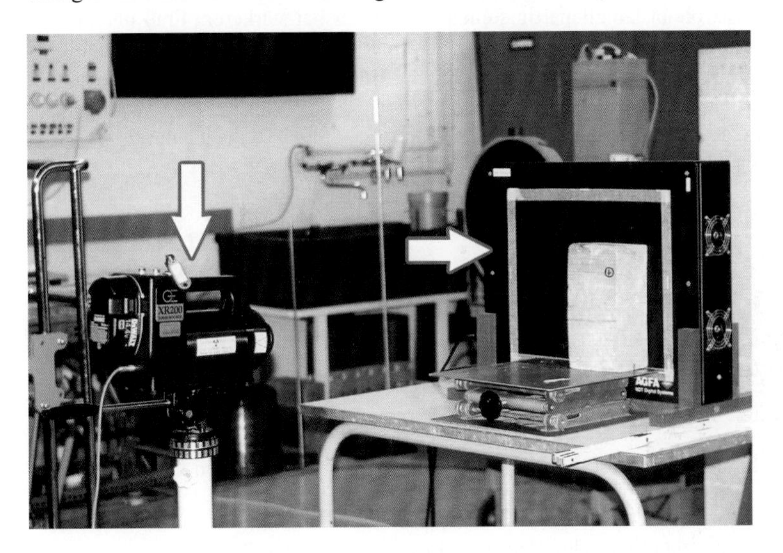

Bild 3: Versuchsaufbau mit Röntgenblitzröhre (links), Flachdetektor (rechts) und Fichtenholzprobe mit Befall durch *Anobium punctatum* (Foto: Haustein)

3 Schadbild der Holzzerstörer an den Prüfhölzern

Für die Versuchsdurchführung wurden Hölzer verwendet, welche einen aktiven Befall durch bestimmte Nagekäfer (Col., Anobiidae) aufwiesen. Es handelt sich um folgende drei Arten:

- Gewöhnlicher Nagekäfer (*Anobium punctatum* [De Geer, 1774])
- Gescheckter Nagekäfer (*Xestobium rufovillosum* [De Geer, 1774])
- Gekämmter Nagekäfer (*Ptilinus pectinicornis* [Linnaeus, 1758]).

Zugleich konnten auch natürliche Gegenspieler (Prädatoren und Parasitoidae) determiniert werden. Die Hölzer waren durch Fraßschäden und Ausschlupflöcher der Insekten gekennzeichnet. Das Schadensbild, welches die Holzzerstörer durch ihren Ernährungsfraß hervorrufen, soll kurz beschrieben werden.

3.1 Schadbild Gewöhnlicher Nagekäfer *(Anobium punctatum)*

Die runden Schlupflöcher der Käfer erreichen einem Durchmesser von ungefähr 1 bis 2 mm. Die Fraßgänge, die ebenfalls rund sind, liegen bei 2 bis 3 mm. [1], [2] Bevorzugt wird von den Larven weiches Frühholz, so dass die Fraßgänge bei den Nadelhölzern meist in den Frühholzringen verlaufen [2] (Bild 4). Das härtere, nährstoffärmere Spätholz bleibt lamellenartig stehen und ist nur bei stärkerem Fraß unregelmäßig durchlöchert. [1] Die Larven verstopfen hinter sich die Gänge mit Bohrmehl. [1] Die bevorzugten Holzarten sind Kiefer, Fichte, Buche, Esche und Robinie, Kernholz wird gemieden.

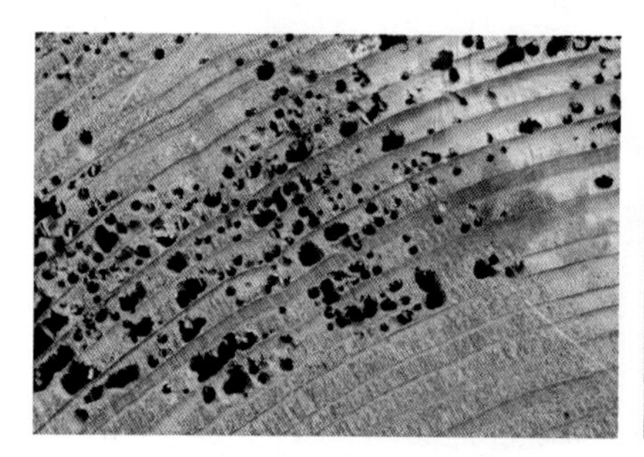
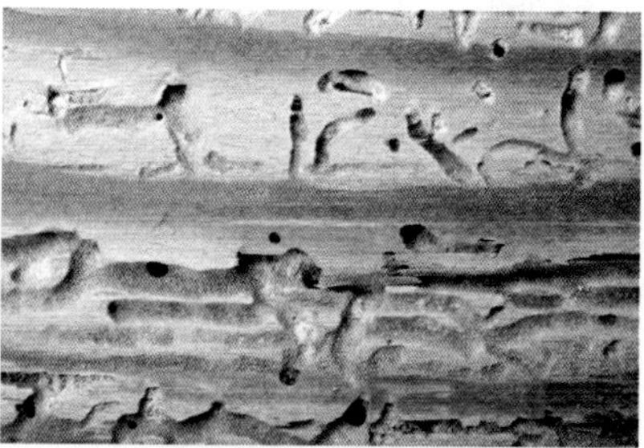

Bild 4: Fraßgänge von *Anobium punctatum* im Frühholz links im Querschnitt und rechts im Radialschnitt (Foto: Haustein)

3.2 Schadbild Gescheckter Nagekäfer (*Xestobium rufovillosum*)

Die kreisrunden Schlupflöcher der Käfer sind mit 2 bis 4 mm Durchmesser relativ groß. [9], [2], [21] Die im Querschnitt kreisförmigen Larvenfraßgänge folgen bevorzugt den Jahrringen. [2] Der holzfarbene, linsenförmige Larvenkot ist locker im Bohrgang verteilt (Bild 5). Es wird Kernholz befallen, bevorzugt wird altes Eichenholz mit leichtem Pilzbefall.

3.3 Schadbild Gekämmter Nagekäfer (*Ptilinus pectinicornis*)

Die Schlupflöcher der adulten Käfer sind denen von *Anobium punctatum* sehr ähnlich. Sie sind rund und etwa 1,0 bis 1,5 mm im Durchmesser. Eigene Untersuchungen ergaben einen Mittelwert von ∅ 1,2 mm. Zu unterscheiden ist zwischen einem Primär- und Sekundärbefall. Beim Primärbefall bohren die Weibchen einen kurzen Brutgang quer zur Faserrichtung des Holzes, zumeist in unbefallenes Holz. Bei einer sekundären Brutanlage geht ein Quergang von der Puppenwiege aus. Die Weibchen verwenden dabei sehr gern ihre eigene Puppenwiege [10], aber auch Puppenwiegen des *Anobium punctatum* werden angenommen. [7] Nach der Eiablage verlassen die Weibchen den Brutgang nicht mehr und verbleiben über den Tod hinaus in diesem als Stopfen. [10], [9] Während die Brutgänge quer zur Faser angelegt werden, erfolgen die Fraßgänge der Larven überwiegend in Faserrichtung, wobei das Fraßmehl in den Gängen zu einem soliden Docht fest zusammengedrückt wird. [9], [2] Befallen wird trockenes feinporiges Laubholz, besonders Buche (Bild 6).

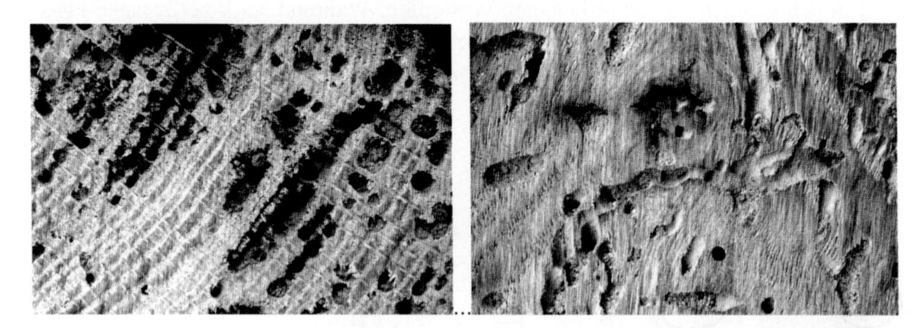

Bild 5: Fraßgänge von *Xestobium rufovillosum* im Eichenkernholz, links Querschnitt und rechts im Tangentialschnitt (Foto: Haustein)

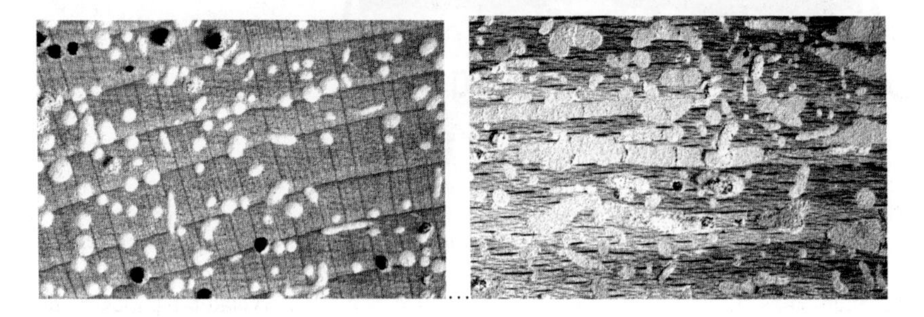

Bild 6: Mit Bohrmehl dicht verstopfte Fraßgänge in Rotbuche durch *Ptilinus pectinicornis*, links im Querschnitt und rechts im Radialschnitt (Foto: Haustein)

4 Untersuchungsergebnisse an ausgewählten Hölzern

Für die Untersuchung wurden sechs insektenbefallene Nadel- und Laubhölzer verwendet. Es handelt sich um die Nadelholzarten Fichte und Kiefer sowie die Laubhölzer Eiche, Rüster und Rotbuche.

Die Untersuchungen wurden an anobienbefallenen Hölzern ohne Farbfassung durchgeführt. Es handelte sich um weitgehend ebene Oberflächen ohne starke Profilierungen. Die Versuchsmaterialien sind Originalbauteile, die aus historischen Bauwerken entnommen wurden. Sie befanden sich zum Zeitpunkt der Messung im lufttrockenen Zustand (u = 10 bis 15 %).

Resistografie (Bohrwiderstandsmessung)
Fraßgänge mit kleinem Durchmesser wie von *Anobium punctatum* lassen sich häufig nicht sicher im Bohrwiderstandsdiagramm wieder finden. [14] Dies gilt auch für die Bohrgänge durch die Larven des *Ptilinus pectinicornis* im Laubholz, die das Bohrmehl in den Gängen zu festen Dochten verstopfen. Während stark zerfressene Frühholzbereiche hintereinander liegender Jahrringe deutlich als Schadensbereich abgebildet werden, sind einzelne Fraßgänge, besonders bei Engjahrringigkeit, nicht zu detektieren (Bild 7).

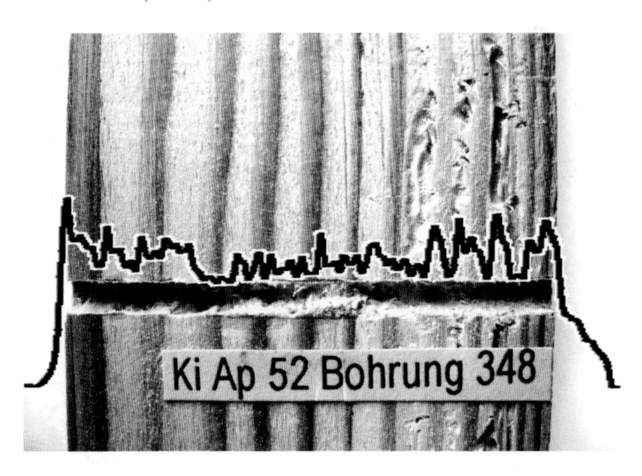

Bild 7: Im radialen Bohrprofil nicht abgebildete Fraßgänge von *Anobium punctatum* in Kiefernsplintholz (Foto: von Laar)

Die Fraßgänge der größten Anobiidae *Xestobium rufovillosum* lassen sich sicherer abbilden, jedoch nur solange kein zusätzlicher Pilzschaden vorliegt. Ist insektenbefallenes Holz zusätzlich von Pilzen geschädigt, werden die Insektenfraßgänge im Wesentlichen nicht abgebildet. Der Pilzschaden überdeckt den Insektenfraß im Bohrprofil. Dies gilt für alle drei Anobienarten.

Ultraschallecho
Die Untersuchungen haben gezeigt, dass bestimmte Insektenschäden mit dem Ultraschallechoverfahren unter Verwendung von Transversalwellen detektiert werden. Be-

einflussende Faktoren sind die Bauteilabmessungen, Rissbildungen, die Insektenart und die Befallsintensität. Mit dem Ultraschallechoverfahren kann ein ungeschädigter Bereich eindeutig anhand einer deutlichen Reflexion an der Bauteilrückseite erkannt werden. Ist eine Schädigung vorhanden, kommt es zu einer Abschattung der Rückwand (Bild 8).

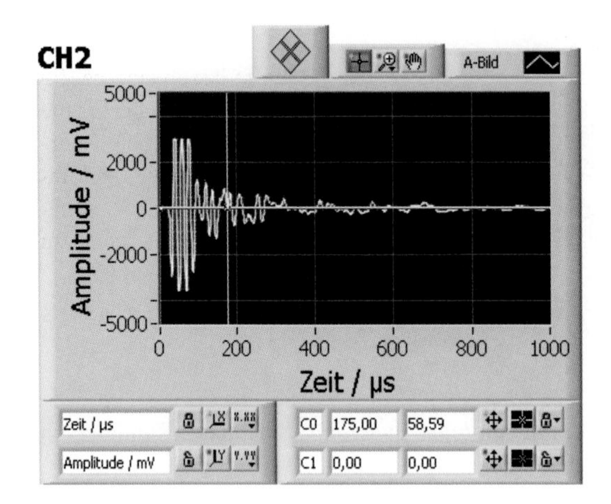

Bild 8: Laufzeit/Intensität –Bild, *Anobium punctatum* geschädigtes Fichtenholz, das fehlende Rückwandecho zeigt den Schaden an (Geräteausdruck BAM)

Die Messungen an durch *Ptilinus pectinicornis* geschädigten Rotbuchenproben ergaben, dass eine punktuelle Auswertung mit Ultraschallecho fehlerbehaftet sein kann und immer eine Untersuchung entlang einer Messlinie mit geringem Messpunktabstand zu empfehlen ist.

Das Phänomen, das bei stark befallenen Proben, Abschattungen für Schäden und zugleich Rückwandechos für intaktes Holz gemessen wurden, kann durch mehrere Messpunkte umgangen werden. Es ist zu vermuten, bei fest ausgestopften Fraßgängen und noch vorhandenem restlichen Holzgerüst, trotz einer Schädigung Schallwellen an der Bauteilrückseite reflektiert werden.

Es ist für die Messungen unerheblich, ob Bohrmehl vorhanden ist oder nicht, da sich Transversalwellen im weichen Bohrmehl wie in der Luft nicht ausbreiten können.

Digitale Radiografie

Alle untersuchten Holzproben wurden mittels Röntgentechnik durchstrahlt. Die Fraßgänge der verschiedenen Insekten wurden als Bild aufgelöst (Bild 9). Sowohl mit einer stationären Röntgenröhre (150 kV, 1 mA, 30 s, Focus-Detektor Abstand 1000 mm) wie mit der hier vorgestellten mobilen Blitzröhre (99 Impulse, selber Abstand) konnte der Schadensumfang im Holzinneren abgebildet werden. Stark verzweigte Gangstrukturen, aber auch die Begrenzung auf nur angelegte kurze Bohrgänge der Insekten konnten mit dem Verfahren lokalisiert werden. Ein Verstopfen der Larven-Fraßgänge zu soliden Dochten, wie bei *Ptilinus pectinicornis*, hat keinen Einfluss auf die Abbildungsqualität der Gänge.

Bild 9: Deutliche Fraßschäden durch *Anobium punctatum* im linken Randbereich des Kantholzes [Foto: Osterloh]

5 Diskussion

Die beschriebenen Ergebnisse stellen eine Zusammenfassung erster Untersuchungen dar. Demnach ist das Auffinden von Holzschädigungen durch Insekten mittels Resistografie und Ultraschallecho unter bestimmten Voraussetzungen möglich. Die digitale Radiografie liefert sichere Aussagen.

Resistografie
Die Anwendbarkeit des Verfahrens wird von der Bauteilgeometrie und bestehenden Pilzschäden begrenzt. Um die Fraßgänge als Einbruch des Bohrwiderstandes im Bohrprofil detektierten zu können, bedarf es einer Bestimmung des Frühholzniveaus. Spätholz ist härter und schwerer als Frühholz. Dieser bestehende Dichteunterschied zwischen dem Früh- und Spätholz wird durch das Bohrwiderstandsmessprofil abgebildet. Gleichzeitig bedarf es bei der Festlegung des Frühholzniveaus zusätzlich einer Beachtung des Alterstrendes [25], einer Verringerung der Jahrringbreite mit zunehmenden Alter des Baumes. Bei den Nadelhölzern Fichte und Kiefer befinden sich die breitesten Jahrringe im juvenilen Bereich (Zentrum des Stammes).
Die Anwendung des Verfahrens zur Detektion innerer Fraßschäden bleibt Kanthölzern größerer Dimension vorbehalten. Für kleine Querschnitte ist das Verfahren eher ungeeignet, da auf kurzen Bohrwegen gesundes und geschädigtes Holz nicht sicher unterschieden werden.

Ultraschallecho

Bei Bauteilen im eingebauten Zustand, zum Beispiel Deckenbalken einer Einschubdecke, bietet das Verfahren Anwendungsmöglichkeiten zur Schadensfeststellung. Da es sich um ein Echoverfahren handelt, ist nur eine einseitige Zugänglichkeit am Bauteil erforderlich. Ein weiterer Vorteil des Verfahrens ist, dass auf ein Koppelmittel und damit eine Verunreinigung der Holzoberfläche verzichtet werden kann. Unregelmäßig geformte Oberflächen, plastisches Schmuckwerk, profilierte und geschnitzte Oberflächen entziehen sich, trotz gefedert gelagerter Prüfköpfe, der Anwendung des Ultraschallechoverfahrens. Für das Array aus Punktkontaktköpfen ist eine weitgehend ebene Auflagerfläche erforderlich. Ebenso ist eine Mindestgröße der Probe notwendig, um ein Prüfkopfarray anwenden zu können. Bei einer Prüffrequenz von 55 KHz beträgt die Wellenlänge im Holz 2,5 cm. Daher sollte das zu prüfende Holzbauteil mindestens eine Kantenlänge von 5,0 cm aufweisen. Alternativ zum Prüfkopfarray ist prinzipiell die Anwendung von Einzelpunktkontaktprüfköpfen bei schmalen Holzproben möglich.

Die teilweise fehlende Detektion des Befalls durch *Ptilinus pectinicornis* an den Rotbuchenhölzern ist vermutlich mit der Biologie des Insekts zu erklären. Das Fraßmehl der Larven wird im Gegensatz zu den beiden anderen Schädlingen in den Fraßgängen zu einem festen soliden Docht gestopft. Damit erscheint der Fraßgang nicht als Hohlstelle. Auch die Larven von *Anobium punctatum* verstopfen die Gänge mit Bohrmehl, das aber im Allgemeinen nicht so zusammengepresst wird. Die Lokalisierung des Schadens ist dann aufgrund der Hohlräume eher möglich. Noch günstiger ist die Situation bei *Xestobium rufovillosum*. Die im Durchmesser bis 4 mm großen Larvenfraßgänge weisen nur lockeres Bohrmehl auf.

Eine Lokalisierung von Insektenbefall bei beginnender Fäule ist derzeit nicht möglich, da die beginnende Fäulnis zu einer Absorption der Schallsignale führt. Umfangreich Untersuchungen zum Einfluss von Insektenbefall auf Transversalwellen sind bisher noch nicht durchgeführt worden.

Zusätzlich sind Risse im Holz zu beachten, da es wie bei allen akustischen Verfahren am Riss parallel zur Oberfläche wie der Bauteilrückwand zur Totalreflexion kommt [15] und daher der Bereich hinter dem Riss nicht mehr untersucht werden kann.

Digitale Radiografie

Die Anwendung radiografischer Methoden ist ein geeigneter Weg zur zerstörungsfreien Prüfung von Holz, wobei neue digitale Bildaufnahmetechniken nicht nur den Röntgenfilm samt Entwicklung in einer Dunkelkammer ersetzen, sondern auch mit niedrigeren Strahlendosen auskommen und mittels digitaler Bildbearbeitung Schädigungen besser erkennen lassen. [22] Röntgenstrahlung wird gelegentlich unter Laborbedingungen zur Erfassung der Larvendichte in kultivierten Holzproben eingesetzt. Bereits in älterer Literatur finden sich mehrere Hinweise, dass Röntgenstrahlung zum Auffinden holzbohrender Larven eingesetzt wurde. [12], [6] Auch zum Überwachung der Entwicklung von *Anobium punctatum* - [8] und *Xestobium rufovillo-*

sum – Larven [4] eignet sich die Röntgentechnik. Generell lassen sich aber kleiner Larven schlechter abbilden als größere Tiere. Für eine Abtötung der Larven durch Röntgenstrahlung reichen die eingesetzten Strahlendosen nicht aus. [24]
Mit der Anwendung einer batteriebetriebenen, mobilen Röntgenblitzröhre und digitaler Bildaufnahmetechniken wird ein Einsatz auch außerhalb des Labors möglich. Ein aufwendiger Transport der zu untersuchenden Gegenstände aus den Bauwerken in das Gebäude ist nicht mehr unbedingt möglich. Die damit verbundenen Verringerungen an Untersuchungskosten und auch die wesentlich geringeren Strahlenschutzabstände im Vergleich zur stationären Röhre lassen zukünftig eine breitere Anwendung in der Denkmalpflege vermuten.

Literatur

[1] Becker, G.: *Beobachtungen über Schädlichkeit, Fraß und Entwicklungsdauer von Anobium punctatum De Geer („Totenuhr").* Z. Pflanzenkrankheiten (Pfl.path.) Pflanzenschutz 50 (3/4) 1940, S.159-172

[2] Becker, G.: *Materialschädlinge.* In K. Heinze (Hrsg.): Leitfaden der Schädlingsbekämpfung, Band IV, Vorrats- und Materialschädlinge (Vorratsschutz), Stuttgart, Wiss. Verlagsgesellschaft mbH 1983, S. 269-330

[3] Becker, G.: *Ökologische und physiologische Untersuchungen über die holzzerstörenden Larven von Anobium punctatum De Geer.* Z. Morph. Ökol. Tiere 39/1942, S. 98-152

[4] Belmain, S., Simmonds, M., Blaney, W.: *Life cycle and feeding habits – Beetle behaviour in buildings and boxes.* In: Ridout, B.: Timber, The EC Woodcare Project: Studies of the behaviour, interrelationship and management of deathwatch beetles in historic buildings 4/2001, p. 6-14

[5] Belmain, S., Simmonds M., Ridout B.: *The Death-Watch Beetle – Accommodated in all the best Places.* Pesticide Outlook Dec./2000, p. 233-237

[6] Bletchly, J. D. and Baldwin, W. J.: *The use of X-rays in studies of wood-boring insects.* In: Wood 1962, p. 485-488

[7] Cymorek, S.: *Beiträge zur Kenntnis der Lebensweise und des Schadauftretens holzzerstörender Insekten.* Zeitschrift angew. Entomologie 55/1964, S. 84-93

[8] Cymorek, S.: *Methoden und Erfahrungen bei der Zucht von Anobium punctatum (De Geer).* In Holz als Roh- und Werkstoff 33/1975, S. 239-246

[9] Cymorek, S.: *Schadinsekten in Kunstwerken und Antiquitäten aus Holz in Europa.* Symposium Holzschutz. In: Forschung und Praxis, Desowag-Bayer Holzschutz GmbH, 1982, S. 37-56

[10] Cymorek, S.: *Über das Paarungsverhalten und zur Biologie des Holzschädlings Ptilinus pectinicornis L. (Coleoptera, Anobiidae).* Verhandlung XI. Internationaler Kongress Entomologie, Wien 1960, Band II/1962, S. 335-339

[11] Fisher, R. C.: *Studies of the Biology of the Death-Watch Beetle, Xestobium rufovillosum De G.* Annals of Applied Biology: An international journal of the AAB. 24/1937, p. 600-613

[12] Fisher, R. C. and Tasker, H. S.: *The detection of wood-boring insects by means of X-rays.* Annals of Applied Biology 28/1940, p. 92-100

[13] Gilfillan, J. R., Gilbert, S. G.: *Development of a technique to measure the residual strength of woodworm infested timber.* Construction and Building Materials 15/2001, p. 381-388

[14] Görlacher, R., Hättich, R.: *Untersuchung von altem Konstruktionsholz: Die Bohrwiderstandsmessung.* Holzbau-Statik-Aktuell 2/1992, Sonderausgabe des Informationsdienstes Holz, S. 10-14

[15] Hasenstab, A.: *Integritätsprüfung von Holz mit dem zerstörungsfreien Ultraschallechoverfahren.* Dissertation an der Technischen Universität Berlin 2005, 107 pp.

[16] Haustein, T., von Laar, C., Noldt, U.: *Situation des Holzschädlingsbefalls in historischen Gebäuden Mecklenburgs – Insektenmonitoring.* In: Noldt, U., Michels, H. (Hrsg.) 2007, Holzschädlinge im Fokus – Alternative Maßnahmen zur Erhaltung historischer Gebäude. Beiträge der Internationalen Tagung im LWL-Freilichtmuseum Detmold/Westfälisches Landesmuseum für Volkskunde 28.-30. Juni 2006, S. 73-81

[17] Haustein, T., von Laar, C., Noldt, U.: Holz zerstörende Insekten in Bauwerken und an Kulturgut - Insektenmonitoring in Mecklenburg-Vorpommern. *Z. Der Bausachverständige 1/2006, S. 26-29*

[18] Hickin, N. E.: *The Woodworm Problem.* The Rentokill Library, Hutchinson & Co. LTD, London, Second edition 1972, 123 pp.

[19] Lefroy, H. M.: *The treatment of the deathwatch beetle in timber roofs.* Journal of the Royal Society Arts 72: 3720 (1924: Mar. 7), p. 260-270

[20] Noldt, U.: *Holzzerstörende Insekten - Befallsmerkmale, Monitoring, Langzeituntersuchungen und Begleitung von Bekämpfungsmaßnahmen in historischen Gebäuden.* ForschungsReport 2/2006, hrsg. vom Senat der Bundesforschungsanstalten im Geschäftsbereich des Bundesministeriums für Ernährung, Landwirtschaft und Verbraucherschutz Bonn 2006, S. 33-37

[21] Noldt, Dr. U.: *Info-Karten zu holzzerstörenden Insekten.* Hamburg: Bundesforschungsanstalt Forst- und Holzwirtschaft 2003, 6 pp.

[22] Osterloh, K., Hasenstab, A., Zscherpel, U., Goebbels, J., Ewert, U.: *Nondestructive Testing of wood by Radiography.* In: Proceedings Matest 2005, Croatian Society of Non-Destructive Testing, p. 108-119

[23] Pinniger, D. B., Child, R.E.: *Woodworm - a Necessary Case for Treatment? New Techniques for the Detection and Control of Furniture Beetle.* Wildey, K.B (ed.): Proceedings 2nd International Conference on Insect Pests in the Urban Environment, Edinburgh, Scotland, 7-10 July 1996, p. 353-359

[24] Unger, A., Schniewind, A. P., Unger, W.: *Conservation of Wood Artifacts*. Springer-Verlag Berlin Heidelberg New York 2001, 578 pp.

[25] Von Laar, C.: *Wie sicher lassen sich Holzschäden über Bohrwiderstandmessungen ermitteln?* In: 17. Hanseatische Sanierungstage Messen und Sanieren, Kühlungsborn 2006, S. 7-23

Nachverfestigendes zementgebundenes Material für die Sanierung gerissener Betonoberflächen

C. Wagner
Leipzig

Zusammenfassung

Dieser Beitrag gibt einen kurzen Einblick in die durchgeführten Untersuchungen sowie in die Ergebnisse der Masterarbeit des Autors mit dem Titel „Nachverfestigendes zementgebundenes Material für die Sanierung gerissener Betonoberflächen". Gegenstand dieser Arbeit ist eine hochduktiler mit Kunststofffasern bewehrter Mörtel, welcher auf Grund seines einzigartigen bruchmechanischen Verhaltens hervorragend für die Sanierung gerissener Betonflächen geeignet ist. Diese speziellen Materialeigenschaften sowie deren experimentelle Bestimmung werden im Folgenden diskutiert. Weiterhin erfolgen Erläuterungen zu ausgewählten Bauteilversuchen und experimentellen Ergebnissen hinsichtlich einer späteren Anwendung als rissüberbrückender Sanierungsmörtel. Abschließend werden zwei durchgeführte Pilotprojekte beschrieben und die gesammelten Erfahrungen dargelegt.

Einleitung

Diese Masterarbeit beschäftigt sich mit einem faserbewehrten zementgebundenen Mörtel mit der Bezeichnung Strain-Hardening-Cementitious-Composites (SHCC). SHCC beschreibt ein Material, welches dehnungsverfestigende Eigenschaften aufweist. Unter Dehnungsverfestigung (strain hardening) versteht man den Anstieg der Spannung bei zunehmender Dehnung nach dem Erreichen der Erstrisszugfestigkeit. Das bedeutet, dass die Zugspannungen über den Riss hinweg übertragen werden und sich infolge des Spannungsanstieges weitere Risse bilden können. Auf diese Art und Weise entsteht eine Vielzahl an Rissen mit sehr geringer Rissweite, wodurch Dehnungen bis zu 5 % realisiert werden können, bevor es zu einer Risslokalisierung kommt. Ermöglicht wird dieses bruchmechanische Verhalten durch die Zugabe von 2,0 Vol.-% PVA-Fasern, welche aufgrund ihrer besonderen mechanischen und chemischen Eigenschaften diese Gruppe der faserbewehrten zementgebundenen Materialien so interessant machen. Ein Mörtel ohne derartige Fasern erreicht eine Bruchdehnung von gerade einmal 0,01 %. Eine in der Literatur sehr häufig gezeigte Spannungs-Dehnungs-Kurve von einem SHCC ist im Bild 1 dargestellt. Es zeigt zum einen die hohe Duktilität dieses Materials und zum anderen das einzigartige Bruchbild mit den sehr geringen Rissweiten unter Zugbeanspruchung. Diese geringen Rissweiten deuten eine ausgezeichnete Dauerhaftigkeit an. In zahlreichen Pilotprojekten weltweit kommt SHCC als Sanierungsmaterial zum Einsatz.

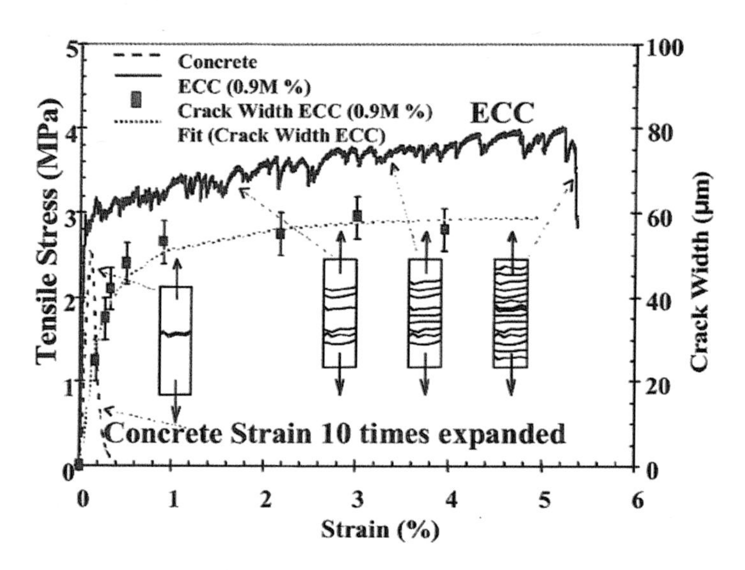

Bild 1: Typische Spannungs-Dehnungskurve von SHCC (ECC) im Vergleich mit der Rissweite [1]

Die Bezeichnung ECC, welche für Engineered Cementitious Composites steht, ist die ursprüngliche Bezeichnung für SHCC. Victor C. Li, Professor an der Universität von Michigan, Ann Arbor, und Direktor der Advanced Civil Engineering Materials Research Laboratory, entwickelte diesen einzigartigen Werkstoff in den 90er Jahren und prägte in den darauf folgenden Jahren den Begriff ECC. Seit den letzten Jahren bevorzugt man allerdings die Bezeichnung SHCC, da diese das Materialverhalten direkt beschreibt.

Experimentelles Programm. Rezepturentwicklung

Im Rahmen der Masterarbeit war es eine zentrale Aufgabe, eine Rezeptur zu entwickeln, welche die besonderen mechanischen Eigenschaften eines SHCC realisiert. Hierbei stand die Minimierung des Fasergehaltes, das Erreichen einer hohen Duktilität, die Förderung einer multiplen Rissbildung und die Verbesserung der Verarbeitbarkeit bei einer praktischen Anwendung im Vordergrund. Weiterhin wird eine Dehnungsverfestigung des Materials angestrebt, welche charakteristisch für SHCC ist. Für die Dauerhaftigkeit ist eine multiple Rissbildung mit geringen Rissöffnungen der einzelnen Risse wünschenswert. Ein in der Literatur ([2], [3]) häufig angegebener Schwellenwert für die Rissöffnung liegt bei ca. 50 µm Rissöffnung. Bis zu diesem Wert wird davon ausgegangen, dass keine schädigenden Flüssigkeiten, bzw. Gase in das Material eindringen können. In Tabelle 1 sind zwei ausgewählte SHCC-Rezepturen zusammengefasst. Diese führten zu den besten Ergebnissen hinsichtlich der o.g. Ziele.

Tabelle 1: Rezepturen des hochduktilen Mörtels

Rezeptur	Zement	Wasser	Sand 0.1-0.5	Quarz-mehl	SFA	SP	Zusatz Mc
SHCC 6	1,00	1,10	0,40	1,00	2,30	0,04	0,015
SHCC 7	1,00	1,20	0,00	1,00	2,30	0,04	0,015

Zentrische Zugversuche

Der klassische zentrische Zugversuch, wie er an der HTWK Leipzig seit Jahren durchgeführt wird, ist im Bild 2 links zu sehen. Der große Vorteil dieses Aufbaus liegt in den zwei hochfesten Betonstutzen, welche ähnliche mechanische Eigenschaften wie die Probe aufweisen. Mit den Eigenschaften sind vorrangig der Elastizitätsmodul und die Querdehnzahl gemeint. Die Zugfestigkeit ist höher als bei einem normalen Beton, um ein Versagen der Stutzen unter Zug zu vermeiden. Durch die Weiterentwicklung der Rezeptur kam es jedoch immer häufiger zu Misserfolgen bei der Prüfung. Ein Grund hierfür war die Verbesserung der Nachverfestigung des Materials und die zunehmende Zugfestigkeit, welche vereinzelt einen Bruch der hochfesten Betonstutzen zur Folge hatte. Einen weiteren Grund für Misserfolge stellt der Rückgang des Elastizitätsmoduls der SHCC Mischung dar. Hierdurch kam es zu einer Querdehnungsbehinderung an den Klebeflächen und somit zu Spannungskonzentrationen, welche zu einem frühzeitigen Versagen in der Nähe der Probenendflächen führten. Zur Lösung dieses Problems wurden die Stutzen entfernt.

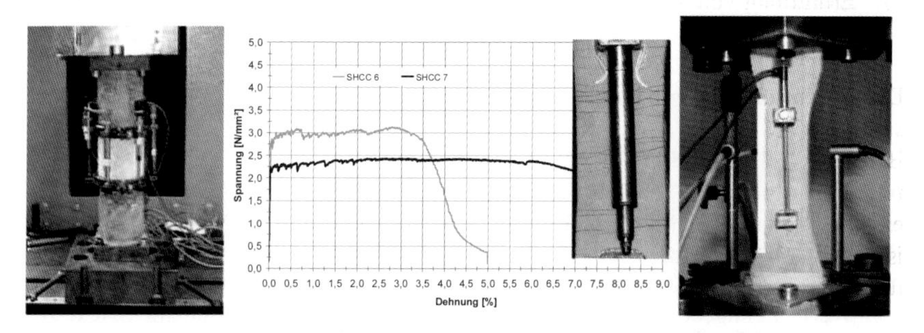

Bild 2: Herkömmlicher Versuchsaufbau für ZZV (links), Spannungs-Dehnungs-Beziehung von zwei SHCC Rezepturen (mittig) und optimierter Versuchsaufbau mit Knochenform (rechts)

Die fehlenden Stutzen verhindern die Verwendung von Proben mit konstanten Querschnitten, da diese gegen Stahlplatten geklebt werden und somit eine große Behinderung der Querverformung vorliegt. Um die daraus resultierenden Spannungskonzentrationen zu verringern, wurden nun Proben in Knochenform hergestellt und geprüft (Bild 2 rechts). Die Spannungs-Dehnungs-Kurven aus diesem neuen Versuchsaufbau und mit den oben vorgestellten Rezepturen sind im Bild 2 mittig dargestellt.

Bauteilversuche

Für den Einsatz eines SHCC-Mörtels im Rahmen einer Sanierungsmaßnahme wurden Stahlbetonbalken aus Normalbeton vorgeschädigt und anschließend mit einer Schicht aus SHCC saniert. Das Ziel dieser Versuche bestand darin, die Wirkungsweise und die Effektivität der auf die vorgeschädigten Stahlbetonkonstruktion aufgebrachten Beschichtung aus SHCC beurteilen zu können. Es sollte gezeigt werden, inwieweit eine Sanierungsschicht aus SHCC in der Lage ist, bestehende Risse zu überbrücken, und ob durch multiple Rissbildung die Rissweiten an der Oberfläche begrenzt werden. Diese Rissbreitenbegrenzung gewährleistet eine erhöhte Dauerhaftigkeit und verspricht somit eine Steigerung der Lebensdauer einer Stahlbetonkonstruktion.
Das experimentelle Programm beinhaltet die Vorschädigung von 6 Stahlbetonbalken, die anschließende Sanierung und die erneute Belastung dieser Balken. Hierbei wurden folgende Untersuchungen durchgeführt:

1) Beurteilung des Verformungsverhalten der sanierten Stahlbetonbalken
2) Beurteilung der Rissentwicklung im Stahlbeton und in der Sanierungsschicht
3) Untersuchung der Rissweiten in den einzelnen Phasen der Belastung mittels Fotoanalyse
4) Variation der Schichtdicke der Beschichtung
5) Ermittlung von Verbundeigenschaften zwischen SHCC und der angerauten Betonoberfläche.

Die Stahlbetonbalken haben eine Länge von 70,0 cm und einen rechteckigen Querschnitt mit einer Breite von 15,0 cm und einer Höhe von 12,0 cm. Um während der Belastung ein ausgeprägtes Rissbild zu erhalten, wurde nur geringfügig Längsbewehrung in die Zugzone eingelegt. Das erforderliche ausgeprägte Rissbild resultiert aus einer Vorbelastung der Stahlbetonbalken. Der Versuchsaufbau für die Vorbelastung ist im Bild 3 und für die Belastung mit einer Sanierungsschicht aus SHCC im Bild 4 dargestellt.

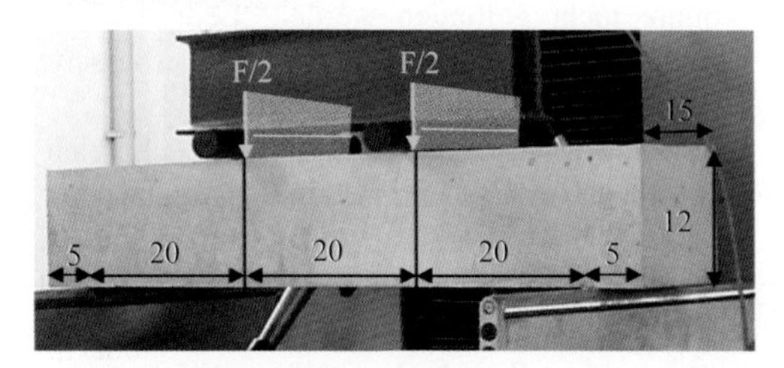

Bild 3: Aufbau des Vier- Punkt- Biegeversuchs für die Vorbelastung der Stahlbetonbalken

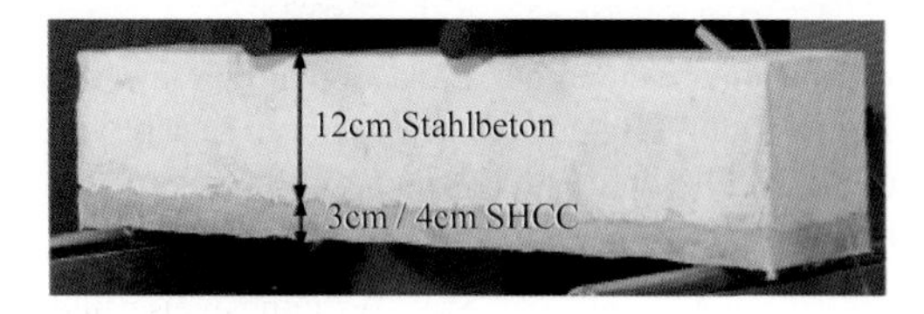

Bild 4: Sanierter Stahlbetonbalken vor der Versuchsdurchführung

In Bild 5 sind die Ergebniskurven der geprüften Balken, sortiert nach den Schichtdicken der Sanierungsschicht, abgebildet. Die Kurven zeichnen sich durch drei maßgebende Bereiche aus. Im ersten Bereich verhalten sich die Kurven relativ steif, bis dann bei ca. 10 – 15 kN die ersten Risse in der Sanierungsschicht entstehen. Ab dieser ersten Rissbildung flachen die Kurven leicht ab und steigen bis zu einem Punkt, an dem keine nennenswerte Lasterhöhung mehr stattfindet. Innerhalb dieses zweiten

Bereiches entsteht der Großteil der Risse, wie die Rissauswertung ergeben hat. Der dritte Bereich folgt mit einem sehr lang gezogenen Spannungsplateau. Dieses Plateau beinhaltet vorrangig die Rissöffnung der bereits entstandenen Risse. Nur vereinzelt konnten neue Risse beobachtet werden.
Des Weiteren sind zwei Vergleichskurven in die Diagramme eingefügt. Die etwas heller dargestellte graue Kurve zeigt die Vorschädigung eines ausgewählten Stahlbetonbalkens, die dunkelgraue Kurve bildet einen Vorversuch zu diesem Sanierungsfall ab. Die Vorschädigung weist ein deutlich weicheres Verhalten auf und bleibt weit unter dem Kraftmaximum der sanierten Balken. Am direkten Vergleich mit der alten Sanierungskurve lässt sich sehr gut die Verbesserung des Sanierungsmörtels zeigen. Die zuvor verwendete Rezeptur ermöglichte nur Dehnungen von 0,8 – 1,0 %. Mit der neuen SHCC-Mischung und den damit zusammenhängenden verbesserten duktilen Eigenschaften sind größere Verformungen möglich, ohne dass ein Lastabfall eintritt. Das letztendliche Versagen der Balken hängt vorrangig mit dem Plastizieren und Versagen der Längsbewehrung zusammen (Bild 5). Ein gravierender Unterschied zwischen den zwei Schichtdicken konnte nicht gefunden werden. Lediglich das Spannungsplateau bei der 4 cm dicken SHCC-Schicht zeigte geringfügig verbesserte Werte im Vergleich zur dünneren Sanierungsschicht.
Die Aufzeichnung der Rissweiten im SHCC ist technisch schwierig, da sehr viele Risse im SHCC mit sehr geringen Rissweiten entstehen. Ein Verfahren, welches eine Auflösung von mindestens 20 µm gewährleistet, ist somit notwendig. Geeignet ist eine Risskamera, die diese geringen Rissweiten erfasst und auswertet. Ein Beispiel für ein Rissfoto ist in Bild 6 oben dargestellt. Dieses Bild gehört zum Balken sB_4cm_2 und zeigt den Rissfortschritt unter dem Riss 4. Die weiße gestrichelte Linie deutet den Winkel der Auffächerung an. Mit der Fotoanalysesoftware wurde dieser Winkel bestimmt. Weiterhin wurden die Rissweiten und die Abstände der einzelnen Risse voneinander gemessen. Für den Balken sB_4cm_2 ist im Bild 6 unten der Zusammenhang zwischen dem Beanspruchungszustand des Balkens und den jeweiligen Rissöffnungen dargestellt. Die Beschriftung „Betonriss“ beschreibt die Risse vor der Sanierung und die Bezeichnung „SHCC“ beschreibt die Risse in der Sanierungsschicht. Die jeweilige Nummerierung steht für einen Rissbereich. Der direkte Vergleich der Rissöffnungskurven zeigt den Erfolg der Sanierung. Während sich die vorhandenen Risse im Beton weiter öffnen, entstehen im SHCC viele kleine Risse mit einer sehr geringen Rissöffnung von unter 50 µm. Von den vielen Rissen im SHCC wurde stets der Größte ausgewertet. In allen Versuchen konnte beobachtet werden, wie wirkungsvoll die bestehenden Risse überbrückt werden konnten. Ein Zeichen hierfür war die Bildung neuer Risse im Stahlbetonbalken. Ein weiteres, für SHCC typisches Verhalten, ist bei der Entlastung zu beobachten. Ein Großteil der Risse schließt sich wieder vollständig. In einigen Bereichen konnten selbst mit einer Risslupe keine Risse mehr festgestellt werden.

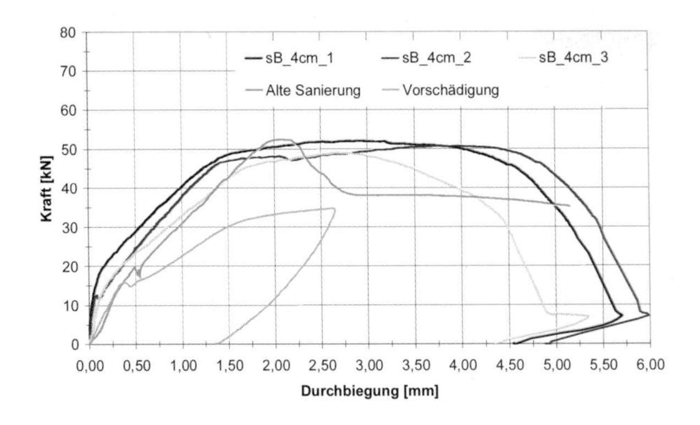

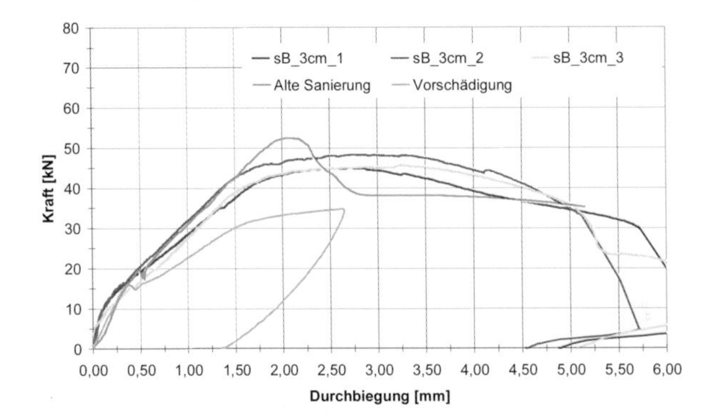

Bild 5: Kraft-Durchbiegungs-Diagramme der Balken mit 4 cm SHCC (oben) und der Balken mit 3 cm SHCC (unten)

Erste eigene Einsatzerfahrungen Sanierung einer gerissenen Stahlbetonplatte

Aufbauend auf den zuvor geschilderten Bauteilversuchen wurde der zu untersuchende Sanierungsmörtel auch unter realen Bedingungen getestet. Hierfür stellte die Bilfinger Berger AG eine Probefläche in einer Tiefgarage in Berlin zur Verfügung. Bei dieser Probefläche handelte es sich um zwei Stellplätze mit einer Gesamtfläche von 20 m². Die Stahlbetonplatte der Tiefgarage wies in vielen Bereichen eine starke Rissbildung auf. Auch im Bereich der Probefläche verlief ein sehr ausgeprägter Riss. Im Vorfeld wurden an diesem Riss Messungen durchgeführt, welche die temperaturabhängigen Rissbewegungen dokumentierten. Diese Messungen erfolgten über einen Zeitraum von 12 Monaten und ergaben eine Rissbewegung von 0,1 mm/K. Ziel dieser Sanierung war eine wirkungsvolle Überbrückung der bestehenden Risse, um die Beanspruchungen für die abschließende Beschichtung so gering wie möglich zu halten.

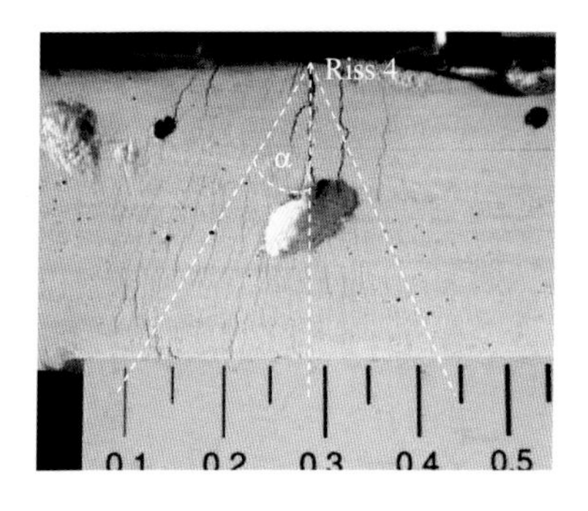

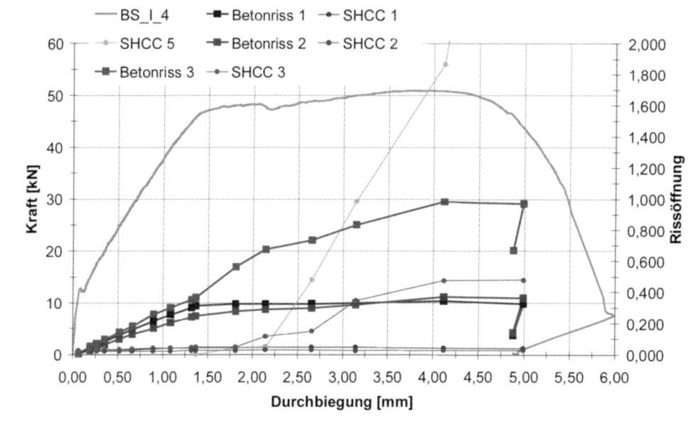

Bild 6: Rissausbreitung im SHCC (oben) und Kraft- Durchbiegungs-Kurve des sB_4cm_2 in Verbindung mit der Entwicklung der Rissöffnungen (unten)

Für die Sanierung kamen zwei Rezepturvarianten zur Anwendung. Mit jeder Rezeptur wurde ein Streifen von 2 m Breite und 5 m Länge saniert. Die Dicke der Sanierungsschicht betrug 25 mm. Der sanierte Bereich wurde über einen Zeitraum von fünf Monate beobachtet. In dieser Zeit gab es durch den sehr kalten Winter 2005/06 große Temperaturänderungen. Es ist davon auszugehen, dass durch die großen Temperaturdifferenzen enorme Bewegungen in der sanierten Stahlbetonplatte stattfanden.
Am Ende des Beobachtungszeitraumes erfolgte eine letzte Begehung der Fläche. Bei dieser Begehung konnten trotz intensivster Suche keine Risse an der Oberfläche der Sanierungsschicht festgestellt werden. Die Beurteilung dieses Ergebnisses ist jedoch nicht einfach, denn es kann keine fundierte Aussage über die tatsächlichen Beanspruchungen getroffen werden. Grundsätzlich ist diese praktische Anwendung als voller Erfolg zu sehen. Die gewonnen Erkenntnisse, gerade im Hinblick auf die Verarbeitung sowie der Rissüberbrückenden Wirkung, dienen als Grundlage für weitere Praxisanwendungen.

Sanierung von Schachteinfassungen im Bereich einer Tankstelle

Die zweite im Rahmen dieser Arbeit durchgeführte Praxisanwendung zeigt einen weiteren Anwendungsbereich für SHCC. Es handelt sich hierbei um die Sanierung von Schachteinfassungen im Bereich einer firmeninternen Tankstelle der Baufirma Dr. Waldenburger. Im Bereich dieser Tankstelle verkehren eine Vielzahl verschiedenartiger Baufahrzeuge einschließlich Kettenbagger und Autokran, welche eine sehr unterschiedliche und sehr hohe Belastung zur Folge haben. Diese hohen Belastungen spiegeln sich an Hand der Schäden an den Anschlussbereichen von Revisionsschächten wieder (Bild 7 links). In regelmäßigen Abständen müssen diese Anschlussbereiche saniert werden. Die Ursachen für eine derartige Schädigung können zum einen vertikale Verformungen (Setzungen) des Schachts infolge der hohen Auflast sein und zum anderen horizontale Verformungen infolge Temperaturänderungen oder Bremskräften sein. Diese Randbedingungen stellen eine ausgezeichnete Praxisanwendung für das hochduktile Material SHCC dar. Es ist zu erwarten, dass die auftretenden Verformungen durch die multiple Rissbild im SHCC aufgenommen werden können und die Bildung von unzulässig großen Rissen verhindert werden kann. Durch die Begrenzung der Rissbreite wird das Eindringen von Schadstoffen verhindert bzw. verzögert, wodurch eine erhöhte Dauerhaftigkeit gewährleistet werden kann.

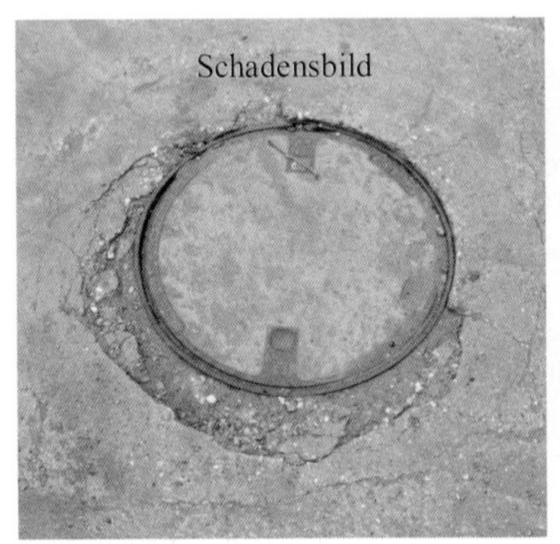

Bild 7: Schachtanbindung vor der Sanierung (links) und 4,5 Monate nach der Sanierung (rechts)

Die Sanierung umfasste drei Schachtanbindungen in dem genannten Tankstellenbereich. Eine Schachtanbindung wurde mit einem Referenzmörtel (PCC-Mörtel) saniert, um später Vergleiche ziehen zu können.

Die vorläufige Auswertung hat ergeben, dass die Rissverläufe bei beiden verwendeten Materialien die selben sind. Es gibt aber deutliche Unterschiede bei der Rissanzahl und der Rissweite. So konnten an der mit einem PCC-Mörtel sanierten Schachtanbindung nur ein ringförmiger Riss und wenige Radialrisse festgestellt werden. Diese zeigten allerdings im Vergleich zum SHCC deutlich größere Rissweiten, was sich natürlich negativ auf die Dauerhaftigkeit auswirkt. Hingegen lies sich bei den mit SHCC sanierten Schächten eine Vielzahl an Rissen mit sehr geringer Rissweite feststellen.

Fazit

Die entwickelte Mischungszusammensetzung realisiert Bruchdehnungen bis zu 5,0 % und zeigt ein sehr ausgeprägtes multiples Rissbild mit sehr kleinen Rissabständen sowie geringen Rissöffnungen.
Mit den durchgeführten Untersuchungen konnte die Wirksamkeit einer Sanierungsschicht aus SHCC nachgewiesen werden. Die gemessenen geringen Rissöffnungen sowie die hohe Anzahl und die gute Verteilung der Risse zeigen die günstigen Eigenschaften dieses Materials. Es hat sich auch gezeigt, dass durch die gute Überbrückung der bestehenden Risse sogar neue Risse im Stahlbeton entstanden sind und somit gewisse Tragreserven aktiviert wurden. Die Auswertung hat ergeben, dass eine 3 cm starke SHCC-Schicht in der Lage ist, Rissbewegungen von 0,6 mm zu überbrücken, ohne dass es zu einer Risslokalisierung im SHCC kommt. Die Rissweiten im SHCC bewegen sich in diesem Fall um die 50 μm und stellen dadurch die Dauerhaftigkeit der Konstruktion sicher. Auch für zusätzliche Beschichtungssysteme, wie z.B. ein Epoxydharz, verspricht diese ausgezeichnete Rissüberbrückung eine geringere Beanspruchung und somit eine erhöhte Lebensdauer.
Hinsichtlich des Einsatzes für konstruktive Bauteile sind allerdings noch weiterführende Untersuchungen notwendig. Einen großen Stellenwert haben hierbei Untersuchungen zum Kriechen des Materials.
Abschließend lässt sich sagen, dass das Material SHCC hervorragend für die Sanierung gerissener Betonoberflächen geeignet ist. Es bietet aufgrund seiner spezifischen Eigenschaften einen dauerhaften Schutz der sanierten Konstruktion.

Literatur

[1] Li, M., and Li, V. C.: *"Behavior of ECC/Concrete Layered Repair System under Drying Shrinkage Conditions"*; Journal of Restoration of Buildings and Monuments, Vol. 12, No. 2, 2006, pp143-160.

[2] Lepech, M., Li, V. C.: *"Water Permeability of Cracked Cementitious Composites";* Paper 4539 of Compendium of Papers CD ROM, ICF 11, Turin, Italy, March20-25, 2005.

[3] Wang K., Jansen D.C., Shah S.P. and Karr A.F.: *„Permeability study of cracked concrete";* Cement and Concrete Research 27 (1997). pp. 381-393

Brandschutztechnische Beurteilung eines denkmalgeschützten Gebäudes unter Anwendung ingenieurmäßiger Nachweismethoden am Beispiel des Neuen Schlosses in Stuttgart

R. Galster
Konstanz

Zusammenfassung

Die Bau- und Kulturdenkmale bergen einen Teil der Geschichte unserer Vorfahren. Dies zu erhalten ist für uns gleichermaßen Bedürfnis und Verpflichtung. Der gesellschaftlich richtige Umgang mit den Denkmalen ist im Denkmalschutzgesetz beschrieben. Die Denkmale werden auf verschiedene Art und Weise geschützt und gepflegt. Jedes ist ein Unikat und bedarf auf der Grundlage langjähriger Erfahrungen der Experten ein eigenes Schutz- und Pflegekonzept. Ein wichtiger Baustein in diesem Konzept und eine wesentliche Voraussetzung zur Erhaltung dieser Denkmäler ist u.a. der Brandschutz.
Obwohl Brandschutz und Denkmalschutz das gleiche Ziel, den Schutz der Baudenkmäler, verfolgen, sind deren Maßgaben hinsichtlich der erforderlichen Schutzmaßnahmen ganz verschieden, ja sie schließen sich oft gegenseitig aus. Ziel dieser Diplomarbeit ist es, einen Teilbereich (Staatsministerium) des Kulturdenkmals Neues Schloss Stuttgart aus dem Blickwinkel des Brandschutzes zu betrachten, spezifische Brandgefahren aufzuzeigen, notwendige, aber machbare und vertretbare vorbeugende Brandschutzmaßnahmen sowie anlagentechnische und organisatorische Vorkehrungen zu erläutern und eine Risikoabschätzung durch ingenieurmäßige Nachweisverfahren in dem historischen und unter Denkmalschutz stehenden Bauwerk zu beschreiben. Nicht zuletzt soll diese Arbeit Vorteile der modernen Nachweisverfahren aufzeigen und diese beschreiben.
In den letzten Jahrzehnten wurden im Bereich Brandschutz große wissenschaftliche Fortschritte gemacht, die zu einem Prozess des Umdenkens geführt haben. Der Brandschutz wird nicht mehr allein auf Grundlage von bauaufsichtlichen und normativen Vorschriften geregelt, sondern es besteht die Möglichkeit, die Einhaltung des gewohnten Sicherheitsniveaus durch die Anwendung von Ingenieurmethoden im Rahmen von schutzzielorientierten Brandschutzkonzepten nachzuweisen. Diese Ingenieurmethoden bieten in Verbindung mit den neueren baurechtlichen Festlegungen (z.B. Industriebaurichtlinie, Eurocodes) neue Möglichkeiten für eine angepasste brandschutztechnische Auslegung von Gebäuden.

Aufgabenstellung

Das Staatsministerium ist im mittleren Teil des Neuen Schlosses in Stuttgart untergebracht. Im Zuge baulicher Maßnahmen (Sanierung Mittelbau) wird der Brandschutz in diesem Teilbereich aufgerüstet, um das Leben und die Sicherheit der Nutzer im Gebäude entsprechend § 3 (1) Landesbauordnung von Baden –Württemberg nicht zu gefährden. Bei dem zu beurteilenden Objekt handelt es sich um einen Sonderbau nach § 38 (2) LBO "Bauliche Anlagen und Räume besonderer Art oder Nutzung". Hier sind Vorkehrungen zu treffen, die über das übliche Maß hinausgehen.
Mit der Erstellung der Objektbezogenen Brandschutzkonzeption sollen die notwendig werdenden brandschutztechnischen Maßnahmen geklärt werden. Dieses betrifft insbesondere den Bereich der Abweichungen von technischen Forderungen des Baurechts [§ 56 LBO]. In diesem Zusammenhang sind die Anforderungen zu überprüfen, welche aufgrund der Einstufung des Staatsministeriums als Versammlungsstätte gestellt werden müssen. Die Einstufung als Versammlungsstätte wird erforderlich, da in verschiedenen Räumlichkeiten entsprechende Veranstaltungen stattfinden sollen.
Eine dem Baurecht entsprechende Risikoabschätzung ist durch das Objektbezogene Brandschutzkonzept aufzuzeigen. Hierbei werden die bei einer Flucht relevanten physikalischen Größen wie Rauchdichte und Temperatur mittels Brandsimulation sowie der für die Flucht benötigte Zeitraum über eine Entfluchtungssimulation nachgewiesen.
Ziel der Objektbezogenen Brandschutzkonzeption ist es zu zeigen, unter welchen Bedingungen das Staatsministerium im Sinne heutiger Sicherheitsstandards genutzt werden kann. Als Beurteilungsgrundlage dienen die Ergebnisse der durchgeführten Simulationsnachweise.
Im Rahmen der Erarbeitung der brandschutztechnischen Bewertung sind folgende Punkte zu klären:

- Ermittlung der zulässigen Brand- bzw. Rauchabschnitte in Verbindung mit der Sicherstellung und gefahrlosen Nutzung der baulichen Rettungswege.
- Prüfung der Notwendigkeit anlagentechnischer und organisatorischer Brandschutzmaßnahmen zur Sicherstellung eines geordneten Betriebsablaufes.
- Ermittlung der Räumungsdauer des Gebäudes respektive der Zeitdauer, bis die Nutzer einen gesicherten Bereich erreicht haben. Als gesicherter Bereich wird der Außenbereich definiert. Es wird eine mikroskopische Entfluchtungsberechnung durchgeführt.
- Nachweis der für den Menschen bei der Flucht akzeptablen Umgebungsverhältnisse im Bereich der Rettungswege. Die Berechnung erfolgt am dreidimensionalen Feldmodell.

Die Anforderungen an den Schutz eines Baudenkmals vor Auswirkungen eines Brandes lässt sich aus dem Denkmalschutzgesetz ableiten. Der Eigentümer bzw. Besitzer von Kulturdenkmälern ist verpflichtet, diese nicht nur nach denkmalpflegerischen Grundsätzen zu erhalten, zu pflegen, instand zu halten, sondern vor Gefahren zu schützen und soweit möglich der Öffentlichkeit zugänglich zu machen. Brandschutztechnische Anforderungen, die zum Schutz der Nutzer in einem Denkmal gestellt werden, sind dagegen im Baurecht (Landesbauordnung und subsidiäre Vorschriften) aufgelistet und verankert. Konflikte mit den Zielen des Denkmalschutzes sind nicht immer auszuschließen, bei richtiger Auslegung der rechtlichen Vorschriften und genügend brandschutztechnischem Sachverstand jedoch zu vermeiden. Erfahrungsgemäß setzen sich bauordnungsrechtliche Belange allzu oft gegen denkmalpflegerische Aspekte durch. Bei Überlegungen zur Ertüchtigung des Brandschutzes oder zur generellen Renovierung eines historischen Gebäudes sind zunächst Festlegungen über die zu erreichenden Schutzziele unter Einbeziehung aller Beteiligten zu treffen. Dabei sind Akzeptanzkriterien unter Berücksichtigung der zur Verfügung stehenden Finanzmittel für die einzelnen Schutzziele festzulegen. Aufgrund der besonderen Art der denkmalgeschützten Gebäude wird es zur Erreichung jedoch Sondermaßnahmen und spezielle Gesamtkonzepte geben müssen. Der Schwerpunkt für den Brandschutz bei Baudenkmälern wird sowohl beim Personenschutz als auch beim Kulturgutschutz liegen. Um all diese Schutzziele erreichen zu können, greifen im Idealfall die verschiedenen Maßnahmen wie z.B. die ingenieurmäßigen Nachweisverfahren oder auch bauliche Maßnahmen ineinander.

Objektbeschreibung

Das Neue Schloss war einst Ort der Repräsentation einer Monarchie. Heute residieren darin Finanz-, Kultus und das Staatsministerium. Darüber hinaus nutzt es die Landesregierung für Repräsentationszwecke. Architektonisch gilt die Barockresidenz als herausragendes Beispiel aus den großen Epochen der europäischen Schlossbaukunst. Herzog Carl Eugen von Württemberg war es, der die dreiflügelige Anlage in Anlehnung an das berühmte Schloss von Versailles von den Architekten Leopoldo Retti, Philippe da la Guepière und R.F.H. Fischer sowie Nikolaus Friedrich von Thouret errichten ließ. Die Bauzeit erstreckte sich von 1746 bis 1807. [1] Die ersten 200 Jahre waren geprägt von komplexen Vorprojekten, langwierigen, verzögerten Bauetappen und ständigen Veränderungen der Innenausstattungen.

Das Innere des Schlosses bot schließlich einen Überblick der Dekorationskunst vom Rokoko über das Empire und den Klassizismus bis zum Historismus mit Neu-Renaissance-Anklängen und dem Neu-Rokoko. Das Schloss wurde im Zweiten Weltkrieg fast völlig zerstört und in den Jahren 1958 bis 68 wiederaufgebaut.

Das Staatsministerium wird heute in der Hauptsache als repräsentatives Gebäude des Landes Baden-Württemberg genutzt. Die Veranstaltungen finden ausschließlich im Erdgeschoss sowie im 1. Obergeschoss statt. Die Gesamtfläche der Aufenthaltsräume dieser Geschosse beträgt ca. 1.400 m². Hinsichtlich der Nutzerzahl sind im Erdgeschoss und im 1. Obergeschoss je nach Veranstaltung unterschiedliche Personenzah-

len zu veranschlagen. Deshalb wird die Bemessung der Rettungswege in Anlehnung an die Vorgaben der Versammlungsstättenverordnung und die Angaben des Bauamtes durchgeführt.
In Bezug auf diese Daten wurde eine maximale Nutzerzahl von ca. 2.100 Personen im Bereich des Staatsministeriums festgelegt. Um Abweichungen von den Vorgaben der VStättVO rechnerisch nachweisen zu können, wird für das Neue Schloss eine Berechnung mit dem computergestützten Individualmodell ASERI [2] durchgeführt.
Die bauliche Anlage des Neuen Schlosses wurde überwiegend in Massivbauweise mit gemauerten Außenwänden und Stahlbetonrippendecken errichtet. Aufgrund des Wiederaufbaus des Schlosses in den 60er Jahren finden sich beim Schloss äußerst stabile Tragstrukturen. Die Dachkonstruktion wurde in Stahlbetonbauweise geschalt und ausgeführt. Der mittlere Teil des Staatsministeriums weist eine Länge von 63,50 m auf (siehe Tabelle 1). Im 1. Obergeschoss befinden sich die repräsentativen Räume des Schlosses. Dies sind unter anderem die Aeneasgalerie, der Gardesaal, der Marmorsaal und der Speisesaal.

Tabelle 1: Nutzung der Hauptgeschosse

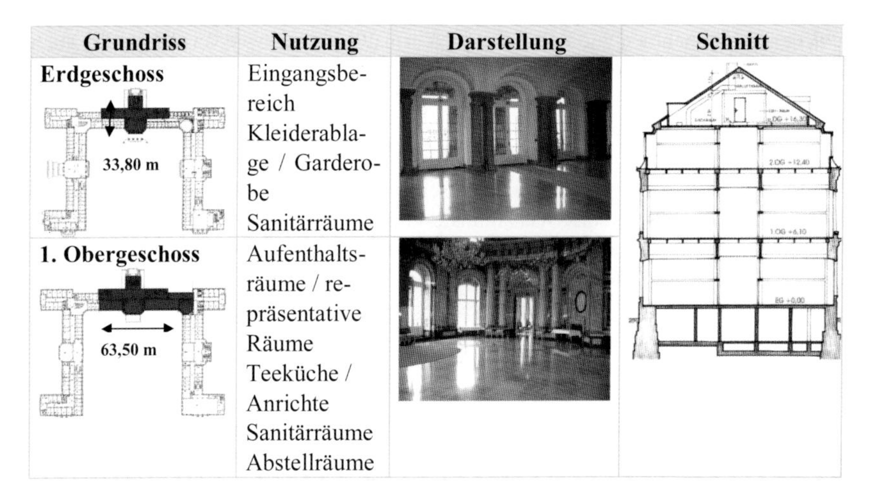

Grundriss	Nutzung	Darstellung	Schnitt
Erdgeschoss 33,80 m	Eingangsbereich Kleiderablage / Garderobe Sanitärräume		
1. Obergeschoss 63,50 m	Aufenthaltsräume / repräsentative Räume Teeküche / Anrichte Sanitärräume Abstellräume		

In den nachfolgenden Grundrissen ist das gesamte Schloss dargestellt. Die bewerteten Bereiche sind rot markiert. In der Tabelle 1 sind ausschließlich die Hauptgeschosse aufgezeigt.
Das Staatsministerium kann von zwei Seiten her erreicht werden. Zum einen über den Hauptzugang im Ehrenhof, zum anderen über die Ausgänge im Schlosspark (Bild 1, links). Zur Entfluchtung des Gebäudes sind in den nicht zu ebener Erde liegenden Geschossen zwei Treppenräume vorhanden. Der erste Treppenraum ist im Kultusmi-

nisterium geführt, der weitere Treppenraum stellt die repräsentative Haupttreppe im Staatsministerium dar (siehe Bilder 1). Um eine zügige Personenbewegung zu gewährleisten, verlangt das Baurecht eine bestimmte Ausbildung der Rettungswege z.B. Mindestbreiten, Gestaltung der Wegführung und dgl., so dass die Gebäudenutzer innerhalb der zu erwartenden Evakuierungszeit gefahrlos von ihrem Aufenthaltsort bis zu den Ausgängen gelangen können. Um dem Baurecht Rechnung zu tragen, wird ein ingenieurmäßiger Nachweis durchgeführt. Mit diesem Nachweis kann die Rettungswegsituation bewertet werden. In Bezug auf den Denkmalschutz ist zu beachten, dass die bestehenden Notausgangstüren möglichst nicht verändert werden.

Bild 1: Notausgangstür Haupttreppe (links), Haupttreppe Obergeschoss (mitte) Haupttreppe Erdgeschoss (rechts)

In den Treppenräumen werden an die Trennwände und an die Türen, welche den ersten baulichen Rettungsweg darstellen, besondere Anforderungen gestellt. Dabei soll für eine ausreichende Zeit der Rettungsweg gegen Feuer und Rauch geschützt werden. Der Haupttreppenraum verbindet das Erdgeschoss mit dem 1. Obergeschoss. Es besteht im Erdgeschoss keine Abtrennung zum Eingangsbereich (Bild 1 rechts). Ein Einbau von Rauchschutztüren mit selbstschließender Eigenschaft im Bereich der Steinstützen (Erdgeschoss) wäre beispielsweise eine Maßnahme dieser baurechtlichen Anforderung.

Aus Sicht des Denkmalschutzes ist es aber nicht vertretbar, den Treppenraum abzuschotten. Aufgrund der brandschutztechnischen Trennung des Rettungsweges zu anderen Nutzungseinheiten, der Minimierung der Brandlast in diesem Bereich sowie des Evakuierungsnachweises kann diese Abweichung kompensiert werden.

Des Weiteren besitzen die Verbindungstüren vom Gardesaal zum Haupttreppenraum im 1. OG (Bild 1, mitte) keine selbstschließende Eigenschaft im Sinne des § 14 LBOAVO.

Durch das Sicherheitspersonal können die Türen im Bedarfsfall geschlossen und somit diese Abweichung kompensiert werden.

Im Sinne der VStättVO sind Anforderungen an die bauliche Durchbildung von Dämmstoffen und Wandbekleidungen innerhalb des Gebäudes zu stellen. Die Wandbekleidungen in den Zimmern des Ministerpräsidenten sind aus brennbaren Materialien. Die Decken und Wände sind in den meisten anderen Räumen sonst mit Stuck-

putz verziert. Durch eine spezielle Brandmeldeanlage (Rauchansaugsystem) kann eine frühzeitige Brandentstehung bemerkt und somit eine Ausbreitung des Feuers verhindert werden. Dieses Rauchansaugsystem (ein Ventilator saugt ständig Luft über ein Rohrleitungsnetz an und detektiert bei Rauch) wird ohne große Veränderung der Bausubstanz in die bestehenden Abluftkanäle eingelegt.
Zur Begrenzung der zusammenhängenden Flächen bei ausgedehnten Gebäuden sieht die LBO für Baden-Württemberg die Bildung von Brandabschnitten in Abständen von maximal 40 m vor. Diese Maßnahme soll einerseits bei einem potenziellen Schadensereignis die Personen in anderen Nutzungsbereichen möglichst lange vor den Auswirkungen des Brandes schützen. Des Weiteren wird der Feuerwehr durch die Unterteilung des Gebäudes die Arbeit bei der Brandbekämpfung erleichtert. Das Schadensereignis kann dann im Regelfall im Bereich der Brandwand eingegrenzt werden. Die Trennwände zu den beiden Seitenflügeln dienen zur brandschutztechnischen Abtrennung der Nutzungseinheiten. Aus Sicht des Denkmalschutzes ist es nicht vertretbar, die bestehende Grundrissstruktur des Erdgeschosses und die des 1. Obergeschosses in Form einer Brandwand zu verändern, deshalb wird das Staatsministerium in diesem Bereich als zusammenhängender Brandbekämpfungsabschnitt eingeteilt.

Ingenieurmäßige Nachweisverfahren

Dem Brandschutzwesen stehen heute diverse Methoden zur ingenieurmäßigen Überprüfung der Sicherheit in Gebäuden zur Verfügung. Zur Abschätzung, über welchen Zeitraum eine raucharme Schicht für die flüchtenden Personen sichergestellt werden muss, sind Betrachtungen der Evakuierungszeit notwendig. Hierfür existieren verschiedene Ansätze wie z.B. Handrechnungen, hydraulische Modellrechnungen oder mikroskopische Entfluchtungsanalysen, zu denen auch die Simulationssoftware ASERI gehört. ASERI ist ein auf Grundlagen des individuellen menschlichen Verhaltens basierendes rechnergestütztes Modell zur Beschreibung der Personenbewegung. Es lässt sich sowohl auf die Bewegung einzelner Individuen als auch zur Simulation umfangreicher Personenströme anwenden. Es werden wesentliche Verhaltensaspekte (Reaktions- und Verzögerungszeiten, Wahl des Fluchtweges, Verhalten bei Staubildung) durch probabilistische Ansätze beschrieben. [3] Die Gebäudegeometrie wird in ASERI strukturiert eingegeben (Bild 2). Das Gebäude setzt sich aus verschiedenen Ebenen bzw. Stockwerken zusammen, die durch Treppen oder Rampen miteinander verbunden sind (Bild 3).
Um realistische Evakuierungszeiten ermitteln zu können, müssen mehrere Szenarien durchgespielt werden. Aufgrund der stochastischen Berechnungsweise werden für jedes Evakuierungsszenario 10 Rechenläufe durchgeführt, so dass dann die entsprechenden Abweichungen und Streuungen ermittelt werden.

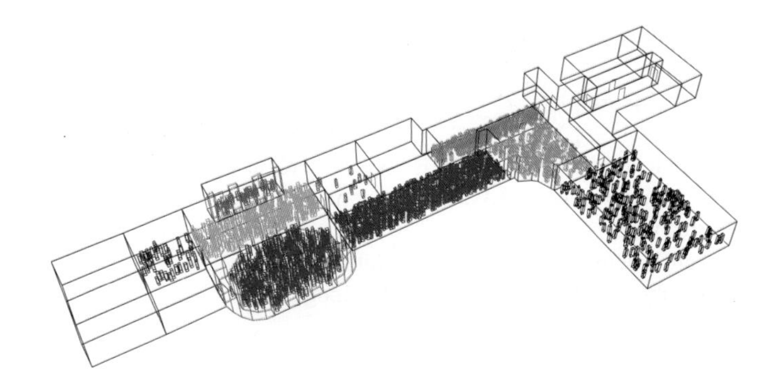

Bild 2: Obergeschoss als 3D-Darstellung mit Aseri [2]

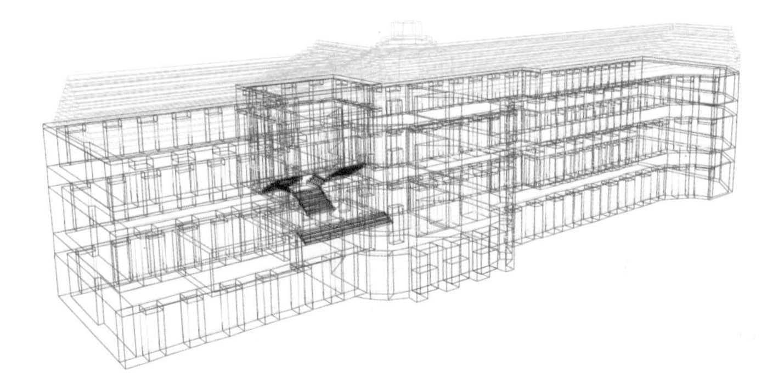

Bild 3: Modell Brandsimulationsprogramm Kobra- 3D [4]

Für den Evakuierungsnachweis wurden die nachfolgenden Evakuierungsszenarien (Tabelle 2) durchgespielt.
Bei allen Szenarien liegt die Annahme zugrunde, dass die sich in dem Schloss befindenden Personen das Gebäude über die nächstgelegenen Rettungswege verlassen. Die Reaktionszeit der Personen wird mit 180 Sekunden angenommen. Als Grundlage für die Nachweisverfahren wurden unterschiedliche Personenverteilungen innerhalb des Gebäudes berücksichtigt. Anhand der großen Personendichte in den einzelnen Besucherräumen wird den Vorgaben der VStättVO Rechnung getragen. Charakteristisch für solche Entfluchtungssimulationen ist die Modellierung von verschiedenen Personengruppen, die unterschiedliche Gehgeschwindigkeiten aufweisen. In den Bilder 4a und 4b sind die Personenbewegungen bei unterschiedlichen Zeitschritten deutlich erkennbar. Die Punkte stellen Personen dar.

Tabelle 2: Evakuierungsszenarien

Sz.	Modellannahme	Personenverteilung	Evakuierungszeit
1	Empfang mit Belegung des Speisesaals (Sitzreihen), Evakuierung (260 Personen) über alle Rettungswege	Nutzerstruktur: inhomogen	308 Sekunden
2	Stehempfang mit Belegung verschiedener Räume, Evakuierung (450 Personen) über alle Rettungswege	Nutzerstruktur: inhomogen	330 Sekunden
3	Stehempfang mit Belegung verschiedener Räume, Evakuierung (450 Personen) mit Ausfall des Rettungsweges Haupttreppe	Nutzerstruktur: inhomogen	540 Sekunden
4	Neujahrsempfang, Evakuierung des Gesamtgebäudes (2.100 Personen) über alle Rettungswege	Nutzerstruktur: inhomogen	720 Sekunden

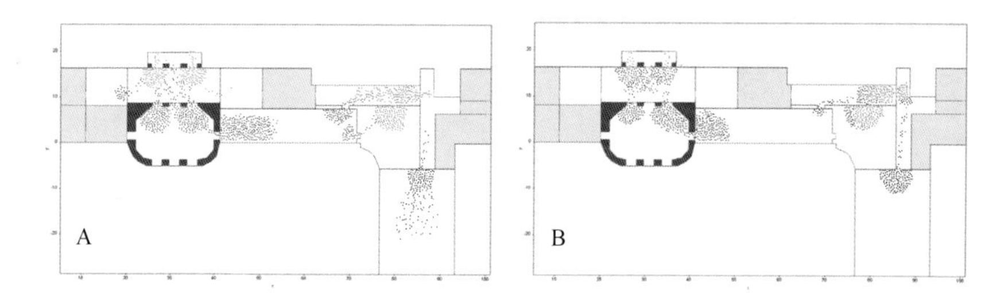

Bild 4: Personenverteilung OG, t = 190 sec (A), Personenverteilung OG, t = 210 sec(B)

Einen weiteren Bereich bei den ingenieurmäßigen Nachweisverfahren stellen die rechnergestützten Entrauchungsnachweise dar. Diese Verfahren zur Darstellung von Bränden basieren im Wesentlichen auf zwei Modellansätzen, dem Zonenmodell und dem Feldmodell, wobei der Feldmodellansatz die wesentlich komplexere Berechnungsform mit sich bringt. Fundamentale physikalische Gesetze (die Erhaltungssätze für Masse, Energie und Impuls) bilden die Basis des Feldmodellansatzes. [4] Er ist daher in besonderem Maße zur Behandlung komplexer Brandszenarien unter expliziter Berücksichtigung geometrischer Besonderheiten geeignet. Die Ausbreitung von Rauch und Wärme hängt damit im Wesentlichen nur noch von den Anfangs- und Randbedingungen des untersuchten Brandszenariums (vor allem die Stärke und Lage der Brandquelle sowie der baulichen Gegebenheiten und der Ventilationsbedingungen) ab. Bei der rechnerischen Umsetzung des Feldmodellansatzes wird ein dreidimensionales Raster -

das Rechengitter - so in ein, das betreffende Gebäude bzw. den betreffenden Abschnitt umschließendes Raumvolumen gelegt, dass es alle Bereiche ausfüllt. Es ergibt sich damit bei diesem Lösungsansatz eine grundsätzliche Verwandtschaft zu den in der Tragwerksplanung angewendeten Finite-Element-Modellen.
Dieser Entrauchungsnachweis dient zur Untersuchung der Rettungswegsituation bei einem Brandereignis. Es werden zwei Brandszenarien betrachtet. Beim ersten Szenarium sind keine Entlastungsöffnungen vorhanden, dagegen sind beim zweiten Szenarium die Fenster im Haupttreppenraum als Entlastungsöffnungen angesetzt. Rauch- und Wärmeabzugsöffnungen übernehmen bezüglich des Personenschutzes die Aufgabe, die Rettungswege möglichst lange nutzbar zu halten. Aufgrund der Temperaturverhältnisse sammeln sich die Rauchgase unterhalb des oberen Raumabschlusses. Der thermische Auftrieb wird bei Rauchabzugsöffnungen genutzt, um den Rauch abzuführen. Für das Nachweisverfahren der Entrauchung werden verschiedene Brandszenarien durchgeführt. Zur Verdeutlichung der Rettungswegsituation des Staatsministeriums wurden insgesamt zwei Brandszenarien untersucht.
In den anschließenden Schnitten (Bilder 5 oben und 5 unten) ist der Rettungsweg Haupttreppe bei den Zeitschritten 6 min und 10 min dargestellt. Anhand der Darstellung der optischen Dichte (der verschiedene Farbtöne von gelb bis blau zugeordnet wurden) ist erkennbar, dass trotz Entlastungsöffnungen im Treppenraum der Rettungsweg nach 10 min verraucht ist (siehe blauer Bereich Bild 5 unten). Somit müssen geeignete Maßnahmen getroffen werden, um das Brandrisiko im Erdgeschoss vom Rettungsweg abzuschotten.

Wichtigste Ergebnise der Arbeit

Die Brandszenarien haben gezeigt, dass bei den üblichen Veranstaltungen die Rettungswege passierbar bleiben. Bei einem Schadensereignis im Bereich der Garderobe im Erdgeschoss werden jedoch im Vergleich zum Extremszenarium Neujahrsempfang (siehe Tabelle 2) die im Zuge der Schutzzieldefinition gesetzten Grenzwerte erreicht (Bild 5 unten). Somit wird eine Abschottung unter denkmalgeschützten Aspekten, z.B. spezielle Türanfertigungen, jedoch mit Zustimmung im Einzelfall des Garderobenbereichs sinnvoll. Durch diese Maßnahme kann eine sichere Begehung der Haupttreppe gewährleistet werden. Des Weiteren wurde durch die Brandsimulation ersichtlich, dass wenn der Garderobenbereich abgetrennt wird, die Entrauchung im Treppenraum nicht erforderlich ist. Dadurch kann auf eine aufwändige Umwandlung der barocken Fenster in Rauchabzugsöffnungen verzichtet werden. Weitere bauliche Veränderungen müssen nicht ausgeführt werden, da im gesamten Erdgeschoss keine weiteren Brandlasten vorhanden sind (Bild 1 rechts).
Der durchgeführte Evakuierungsnachweis hat gezeigt, dass die sich im Gebäude befindenden Personen bei der gegebenen Rettungswegsituation das Gebäude zügig verlassen können. Aufgrund dieser Simulationsergebnisse ist festzustellen, dass die Räumung des Staatsministeriums und somit der Personenschutz als gesichert angese-

hen werden können. Nennenswerte Stauungen sind in den Standardszenarien 1 und 2 nicht zu verzeichnen. Das Szenarium 3, welches mit dem Ausfall der Haupttreppe ein baurechtlich grundsätzlich nicht abzudeckendes Sonderszenarium darstellt, zeigt auf, dass sogar bei einer solch ausgeprägten Staubildung nach t = 540 sec das Gebäude vollständig geräumt ist. Das zweite Extremszenarium, der Neujahrsempfang (2.100 Personen), stellt eine hohe Anforderung an das Sicherheitspersonal dar. Nur bei einem richtigen Verhalten der Sicherheitskräfte in Verbindung mit einer Brandmeldeanlage und der internen Alarmierung kann eine vollständige Räumung nach 12 Minuten gewährleistet werden. Geringe Anstauungen sind vertretbar, wenn diese temporär auftreten und danach wieder zügig abfließen.

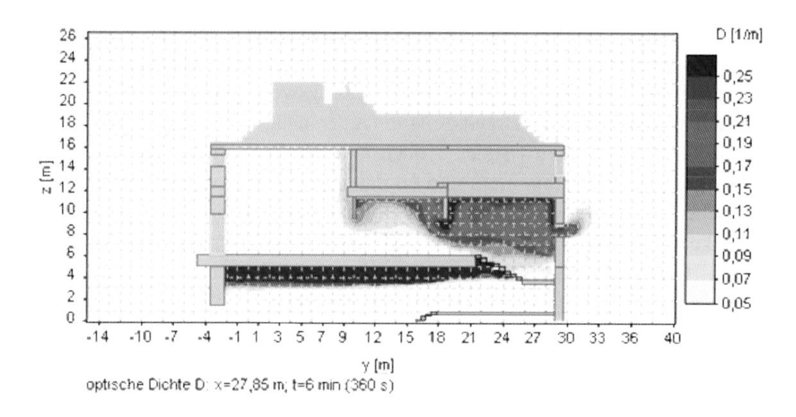

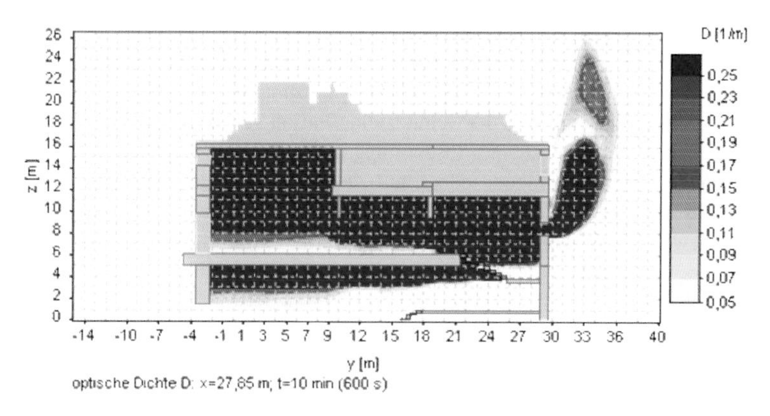

Bild 5: Optische Dichte im Gebäudeschnitt x=27,85 m, t = 360 sec (oben), Optische Dichte im Gebäudeschnitt x=27,85 m, t = 600 sec (unten)

Fazit

Baudenkmäler bedürfen baulicher, technischer und organisatorischer Schutzmaßnahmen gegen Brandentstehung und Brandausbreitung. Um die baulichen und abwehrenden Brandschutzmaßnahmen aufeinander abstimmen zu können, sind organisatorische Maßnahmen erforderlich.
Historische Objekte ohne wirksame Brandschutzmaßnahmen können im Brandfalle vor Feuerauswirkungen und insbesondere vor Rauch- und Rußeinwirkungen auf das Kulturgut nicht geschützt werden. Da Brandschutzmaßnahmen im Baudenkmal immer nachträgliche Maßnahmen sind (d.h. am bestehenden Bauwerk), müssen sie schutzzielorientiert geplant und ausgeführt werden. Die Hauptschutzziele im Baudenkmal sind der Personenschutz und der Kulturgutschutz. Es sind im Baudenkmal nur solche Maßnahmen sinnvoll und denkmalverträglich, die technisch ausführbar und im Brandfalle wirksam sind und gleichzeitig den Denkmalcharakter nicht zerstören. Ist das nicht möglich, so ist entweder die Nutzung des Baudenkmals oder das Sicherheitsniveau anzupassen. Die brandschutztechnische Ertüchtigung eines Baudenkmals sollte grundsätzlich im Rahmen einer Gesamtbetrachtung erfolgen. Dadurch kann - wie im Fall des Neuen Schlosses in Stuttgart - mit Hilfe moderner Nachweisverfahren und daraus resultierender geringer baulicher Veränderungen ein optimierter Sicherheitsstandard erreicht werden.

Literatur

[1] Fleck, W.-G., Talbot, Franz Josef: *Neues Schloss Stuttgart*, Veröffentlichungen der Deutschen Burgenvereinigung e. V. (1997)
[2] I.S.T Integrierte Sicherheits-Technik GmbH, Frankfurt, *Benutzerhandbuch zur Aseri Software*, (12.12.2002)
[3] RIMEA- Projekts, *Richtlinie für Mikroskopische Entfluchtungsanalysen*, (13.03.2006)
[4] I.S.T Integrierte Sicherheits-Technik GmbH, Frankfurt, *Benutzerunterlagen zur Kobra Software*, (Stand Juni 2006)

Produkte und Verfahren - Schutz, Weiterentwicklung und Umgehung von Patenten

B. Grabnitzki
Wismar

Zusammenfassung

Die zunehmende Verkürzung der Lebenszyklen innovativer Produkte und Verfahren zwingt Unternehmen bei Verringerung der personellen Kapazitäten zu immer kürzeren Entwicklungszeiten bei gleichzeitiger Erhöhung des Komplexitätsgrades der Produkte und Verfahren. Mit der qualitativ neuen Entwicklungsmethodik und Denkmethodik LOGOS – Logikorientierte Innovations- und Schutzrechtsstrategie – lassen sich Neuentwicklungen und Weiterentwicklungen von Produkten und Verfahren in der Einheit von Technik und Recht – von Erfindung und Patent logisch ableiten und schutzrechtlich sichern.
LOGOS ist eine Entwicklungsmethodik, mit der man aus Patenten, Offenlegungsschriften und Gebrauchsmustern sowie aus realisierten Produkten und Verfahren die höheren Entwicklungsmerkmale, Erfindungsmerkmale bereits vor Beginn der Entwicklung ableiten kann, die dann in der Höherentwicklung von Produkten und Verfahren enthalten sein müssen, um hierfür ein Schutzrecht, ein Patent zu bekommen.
LOGOS ist eine Innovationsmethodik mit einem geschlossenen Innovationskreis und einem offenen Innovationszyklus, mit der neue Ideen, neue Lösungen bis hin zu Erfindungen logikorientiert und widerspruchsfrei im Zwanglauf generiert werden.

1 Einleitung

Die rasante Verkürzung der Produktlebenszyklen zwingt Unternehmen auch zu immer kürzeren Entwicklungszeiten bei gleichzeitiger Erhöhung des Innovationsgrades ihrer Produkte und Verfahren. Neue Ideen und Lösungen nicht zu suchen, sondern logikorientiert und zwangsgeführt zu generieren und bis auf Erfindungshöhe zu entwickeln, wird zum strategischen Fokus für innovative Unternehmen.
Systematische und strukturierte Produkt- und Verfahrensentwicklung nach objektiven Entwicklungsgesetzen durchgängig und logisch auf die nächst höheren Entwicklungsstufen zu heben, wird durch die qualitativ neue Entwicklungsmethodik LOGOS zwangsweise erreicht.
LOGOS, die logikorientierte Innovations- und Schutzrechtsstrategie, gewährleistet die Darstellung des Zusammenhangs der Einheit von Technik und Recht - von Entwickeln, Erfinden und Patentieren.

2 Einführung

Bekannt sind weit über einhundert Kreativitäts- und Entwicklungsmethoden, die für jeweils unterschiedliche Aufgabenstellungen mehr oder weniger gut lehrbar, erlernbar und einsetzbar sind.
Was aber muss eine qualitativ neue, sich deutlich von den anderen Methoden abhebende ganzheitliche Methodik haben, was diese nicht haben?
Ausgehend vom viel zitierten aber bisher nicht konsequent und durchgängig angewandten Gesetz der Einheit und Wechselwirkung von Gegensätzen bildet diese Gesetzmäßigkeit die Grundlage der neuen Entwicklungsmethodik.
Um Doppelentwicklungen zu vermeiden, diese liegen weit über ein Drittel der Patentanmeldungen, muss bei Entwicklungen immer vom höchsten Stand der Technik ausgegangen werden. Ausgehend von dem in Patenten beschriebenen höchsten Stand der Technik als Startpunkt der Entwicklung, sollen aus der Herstellung der Einheit der Gegensätze in Form von Gegensatz-Paaren, die für die Entwicklung höheren Merkmale bereits vor Beginn der Entwicklung abgeleitet werden, die dann in der Höher- oder Weiterentwicklung des Produktes oder Verfahrens enthalten sein müssen, um hierfür ein Schutzrecht, ein Patent, zu bekommen. Es soll hier insbesondere die Entwicklung auf Neuheit und Erfindungshöhe herausgehoben und dargestellt werden, denn Neuheit und Erfindungshöhe sind Voraussetzungen für Höher- und Weiterentwicklungen von Produkten und Verfahren sowie zur Patentumgehung von Fremdpatenten als auch Patentierungen von Eigenentwicklungen zu Eigenpatenen. LOGOS wird seit über zwanzig Jahren in Seminaren und Inhouse-Schulungen gelehrt und bei technischen Patentumgehungen und schutzrechtlichen Patentverletzungen erfolgreich eingesetzt.

3 Dichtigkeitsprüfung von Joghurtbechern

Ein Hersteller von Befüllungsanlagen sah sich durch das Patent -Becherfüllwerk für Nahrungs- und Genussmittel, insbesondere für Molkereiprodukte- in seiner Wettbewerbsfähigkeit stark eingeschränkt. Eine Lizenznahme wurde ausgeschlossen, so dass eine Patentumgehung dieses störenden Fremdpatentes der Konkurrenz in Auftrag gegeben wurde.

3.1 Patentschrift

Die Patent-Analyse beginnt mit der Erfassung der bibliographischen Daten (Bild 1) eines Patentes, einer Offenlegungsschrift oder eines Gebrauchsmusters und deren Patenansprüche (Bild 2).

Vom Fremd-Patent: DE 37 16 095 C1 zum Eigen-Patent ?

- Wie komme ich mit reiner Logik systematisch zu neuen Lösungen ?
- Wie komme ich von der Patent-Recherche zur Patent-Analyse ?
- Was ist „Erfindungshöhe“ und wie komme ich gezielt dorthin ?
- Wann liege ich im Schutzumfang rechtswirksamer Patente ?
- Woran und wohin wird bei den Wettbewerbern gearbeitet ?
- Wie kommt man systematisch zu neuen Produktideen ?
- Wie kommt man vom Fremdpatent zum Eigenpatent ?

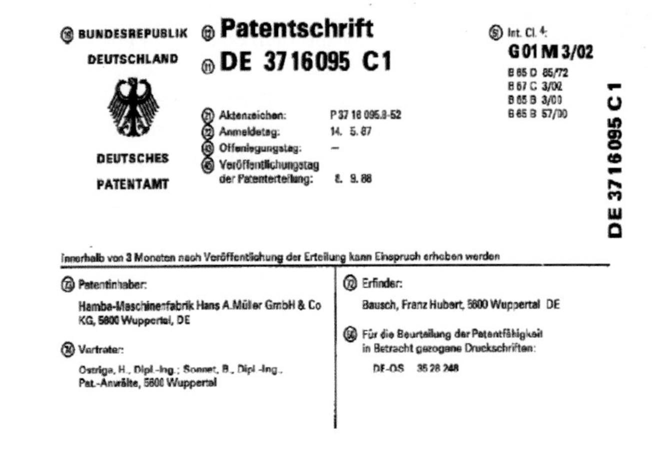

(19) BUNDESREPUBLIK DEUTSCHLAND

DEUTSCHES PATENTAMT

(12) Patentschrift

(11) DE 3716095 C1

(51) Int. Cl. 4:
G 01 M 3/02
B 65 D 85/72
B 67 C 3/02
B 65 B 3/00
B 65 B 57/00

(21) Aktenzeichen: P 37 16 095.8-52
(22) Anmeldetag: 14. 5. 87
(43) Offenlegungstag: –
(45) Veröffentlichungstag der Patenterteilung: 8. 9. 88

DE 3716095 C1

Innerhalb von 3 Monaten nach Veröffentlichung der Erteilung kann Einspruch erhoben werden

(73) Patentinhaber:
Hamba-Maschinenfabrik Hans A.Müller GmbH & Co KG, 5600 Wuppertal, DE

(74) Vertreter:
Ostriga, H., Dipl.-Ing.; Sonnet, B., Dipl.-Ing., Pat.-Anwälte, 5600 Wuppertal

(72) Erfinder:
Bausch, Franz Hubert, 5600 Wuppertal DE

(56) Für die Beurteilung der Patentfähigkeit in Betracht gezogene Druckschriften:
DE-OS 35 28 248

Bild 1: Patent-Deckblatt

Patentansprüche

1. Becherfüllwerk für Nahrungs- und Genußmittel, insbesondere für dünnflüssige bis pastöse Molkerei- und Fettprodukte od.dgl., mit einem umlaufend geführten Fördermittel, welches quer zur Förderrichtung in Reihen angeordnete Becheraufnahmen für die Becher trägt, die außerdem parallel zur Förderrichtung angeordnete Bahnen bilden und mit ihnen ausgerichtete Arbeitsstationen, insbesondere eine Becher-Zuführstation, eine Deckel-Auflegestation, eine Deckel- Siegel- bzw. Schweißstation, eine Dichtigkeitskontroll-Station sowie eine Becher-Entnahmestation in zeitlich gleichen Vorschubtakten aufeinanderfolgend durchlaufen, wobei die Dichtigkeitskontroll-Station jeweils einen auf die geschlossenen Deckel aufsetzbaren Signal-Taster sowie mit diesem in Wirkverbindung stehende, den Becherinhalt gegen die Deckelunterseite drückende Verdrängungsmittel aufweist, **dadurch gekennzeichnet,** daß die Verdrängungsmittel aus unterhalb des die Becheraufnahmen (14) bildenden Zellenbretts (13) angeordneten hin- und herbeweglich antreibaren Druckflächen (35, 36) bestehen, welche bei jeweils auf der Deckeloberseite (D_o) aufsitzendem Signaltaster (31) die Becherwandung (*M*) rückstellbar verformen.

Bild 2: Patentansprüche

Die allgemeinen Angaben sind insbesondere für die Erarbeitung von Innovation- und Schutzrechtsstrategien von Bedeutung.
Der Schutzbereich eines Patentes wird durch den Inhalt seiner Ansprüche bestimmt. In den Patentansprüchen sollen alle die Merkmale einer Erfindung aufgeführt sein, die zur Lösung der gestellten Aufgabe erforderlich sind. Da jeder Patentanspruch nur in einem Satz formuliert sein darf, kommt der Formulierung der Patentansprüche eine überragende Bedeutung zu. Hierbei ist der unabhängige erste auch der Hauptanspruch. Dieser Hauptanspruch muss so formuliert sein, dass er mit nur wenigen und allgemeinen Merkmalen alle weiteren in den Unteransprüchen formulierten Merkmale mit trägt. Für eine technische Patentumgehung sind folglich die unabhängigen Ansprüche, wie hier nur der Patentanspruch 1, der Hauptanspruch, zu umgehen.

3.2 Funktions-Analyse und Technisches Ideal

Die Funktions-Analyse ist einer der wichtigsten Schritte einer Patent- und/oder auch einer Produkt-Analyse zur Neuentwicklung, Höher- und Weiterentwicklung sowie einer technischen Patentumgehung. Die exakte Bestimmung der Funktion und dessen

Umkehrung die dieses Patent oder Produkt realisiert, sowie deren Einordnung in die gesamte Funktions-Struktur ist hierbei ein ganz wesentlicher erster Schritt.
Zielsetzung von Entwicklungen ist es, vorrangig an der technischen Umsetzung der Hauptfunktion zu arbeiten und sich nicht zu sehr auf die technische Realisierung von Unterfunktionen zu konzentrieren, denn in der höheren Funktion ist die niedere enthalten, nicht aber umgekehrt (Bild 3) wie auch im Technischen Ideal (Bild 4) dargestellt.

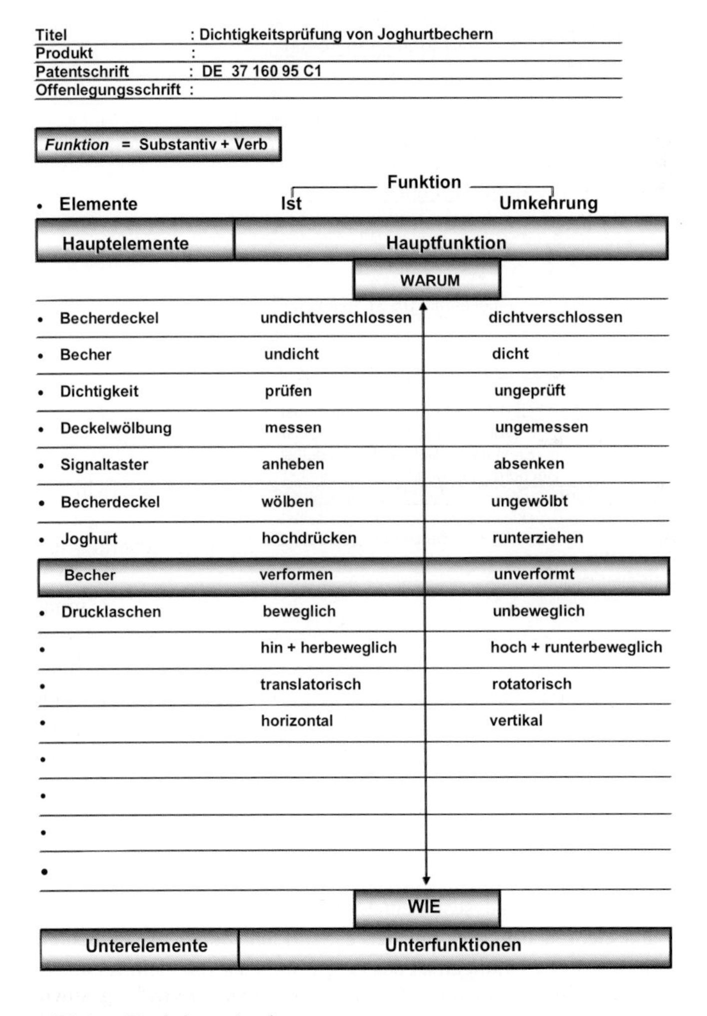

Bild 3: Funktions-Analyse

Das „Technische - Ideal"

Bei der **Produktentwicklung** ist das **„Technische Ideal"** dann erreicht, wenn zur **Realisierung** dieser **Funktion** **„keine Technik"** mehr eingesetzt werden muss, d.h. die **Funktion** sich **„von selbst"**, auf **„natürliche"** Weise, also **ohne „künstlich"** geschaffene **Elemente**, allein durch **naturgesetzliche Kräfte**, durch **Effekte** realisiert.
Die **Zielrichtung** der **Entwicklung** ergibt sich folglich aus der **Formulierung** der **Ziel-Funktion** mit den Worten **„von selbst"**, der „**Technischen Ideal- Funktion.**"
Das **Ideal** ist aber nicht als einmalige und absolut höchste Zielstellung zu verstehen, sondern gilt immer nur für die **jeweilige Funktion**. Für jede **höhere Funktion** in der **Funktionshierarchie** gibt es folglich auch ein **„Höheres Ideal"** wie auch **umgekehrt** für eine **untergeordnete Funktion** ein **„Niederes Ideal"** existiert.

Beispiel: Dichtigkeitsprüfung von Joghurtbechern: **DE 37 16 095 C1**

Funktion	Hauptfunktion **Warum** ↑	**Technisches - Ideal**
Dichtigkeit prüfen		Dichtigkeit prüft sich „von selbst"
Deckelwölbung messen		Wölbung misst sich „von selbst"
Signaltaster anheben		Signaltaster hebt sich „von selbst"
Becherdeckel wölben		Becherdeckel wölbt sich „von selbst"
Becher verformen	**Ist-Funktion**	Becher verformt sich „von selbst"
Drucklaschen bewegen		Drucklasche bewegt sich „von selbst"
...... hin- + herbewegen	↓ **Wie** Unterfunktion	.... hin- + herbeweglich „von selbst"

Bild 4: Technisches Ideal

Das Technische Ideal ist Ziel und Endpunkt der Entwicklung von Produkten und Verfahren für die jeweilige Funktion. Das Technische Ideal stellt im übertragenen Sinne die höchstentwickelte, nicht mehr zu verbessernde, die ideale technische Lösung dar, d.h. die Funktion realisiert sich von selbst.

3.3 Merkmal-Analyse

Das Formblatt für die Merkmal-Analyse ist ein Einheitsformular für alle Produkte, Verfahren, Patente und Gebrauchsmuster mit den 3 Schritten: Zerlegen, Umkehren und Klassifizieren. Für alle Entwicklungen ist das Gegensatz-Paar die kleinste unteilbare Einheit. Alle Gegensatz-Paare sind eine VON – BIS Einheit, d.h. außerhalb dieser beiden Gegensätze auf der gleichen Ebene kann nichts mehr sein, folglich können alle weiteren Varianten nur feiner sein und zwischen diesen beiden Endpunkten, den Gegensätzen liegen. Die Merkmal-Analyse (Bild 5) kann sowohl aus den Patentansprüchen als auch wie hier aus den Figuren der technischen Lösung entnommen werden (Bild 6).

Titel	: Dichtigkeitsprüfung von Joghurtbechern
Produkt	:
Patentschrift	: DE 37 16 095 C1
Offenlegungsschrift	:

• Elemente – Kennzeichen	Merkmale Ist		Umkehrung	Rang
Funktion : Becher	verformen	–	unverformt	
Wirkprinzip :	mechanisch	–	magnetisch	
• Drucklasche				
– Bewegung	beweglich	–	unbeweglich	1
•	translatorisch	–	rotatorisch	2
–	drücken	–	ziehen	3
•	außen	–	innen	5
–	diskontinuierlich	–	kontinuierlich	
•		–		
– Anordnung	gegenüber	–	nebeneinander	
•	quer	–	längs	6
–	mittig	–	außermittig	
•		–		
– Anzahl	mehrere	–	eine	
•		–		
– Lage	horizontal	–	vertikal	4
•		–		
– Verbindung	lose	–	fest	
•		–		

Bild 5: Merkmal-Analyse

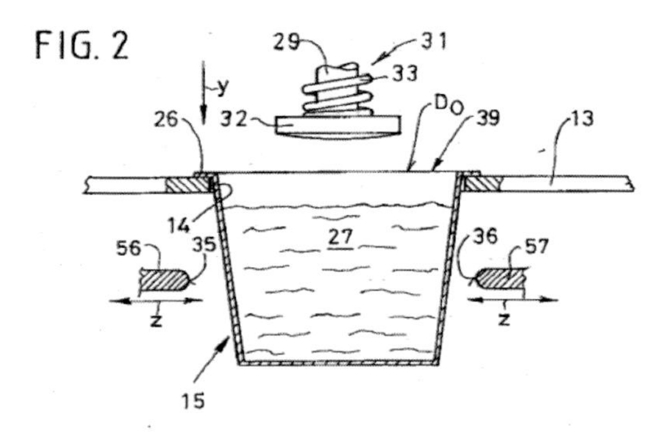

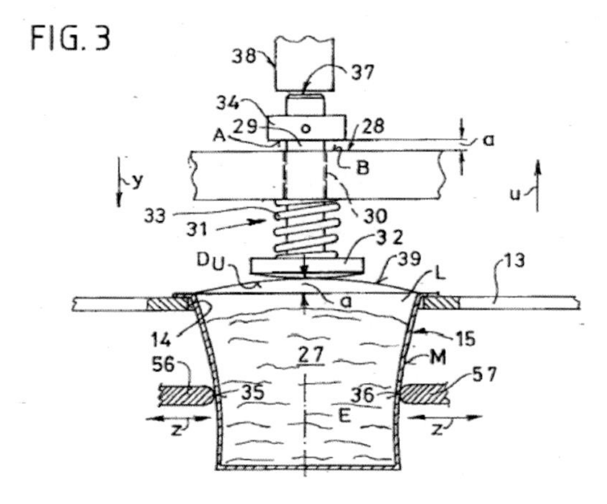

Bild 6: Joghurtbecher verformen

In diesem Formular der Merkmal-Analyse sind beginnend mit dem Titel der Patentschrift, über die Patentnummer alle Informationen zur technischen Lösung der Erfindung, wie

- Funktion der patentierten Erfindung
- Elemente zu deren Realisierung
- das eingesetzte Wirkprinzip
- die verwendeten Kennzeichen
- sowie die Merkmale der Erfindung

aufgeführt. Da es zu jedem Merkmal immer auch ein umgekehrtes Merkmal gibt, wird dieses in die Spalte Umkehrung eingetragen und bildet somit ein Merkmal-Paar.

Aus der Stellung der Merkmale in den Patentansprüchen erfolgt nun von den sechs wesenskennzeichnenden Merkmalen eine Rangfolgebestimmung von 1 bis 6. Die im Titel formulierte Zielsetzung -Dichtigkeitsprüfung von Joghurtbechern- wird hier aber nur indirekt und zwar über die patentierte technische Lösung zur Realisierung der Funktion Becher verformen mit dem wesenskennzeichnenden Merkmal im Hauptanspruch ...hin und her beweglich.... erzielt.
Dies ist auch das Haupt-Merkmal der patentierten technischen Lösung.

3.4 LOGOS Pyramide

Die LOGOS Pyramide ist das Einheits-Struktur-Modell für die Synthese aller Produkte, Verfahren, Patente und Gebrauchsmuster. Wenn also aus der exakten Analyse der Figuren die Erfindung zutreffend beschrieben ist, so muss dann auch umgekehrt die Kombination der wesentlichen Merkmale der Erfindung in der Pyramide zwangsläufig zur gleichen Ausgangsfigur führen (Bild 7).

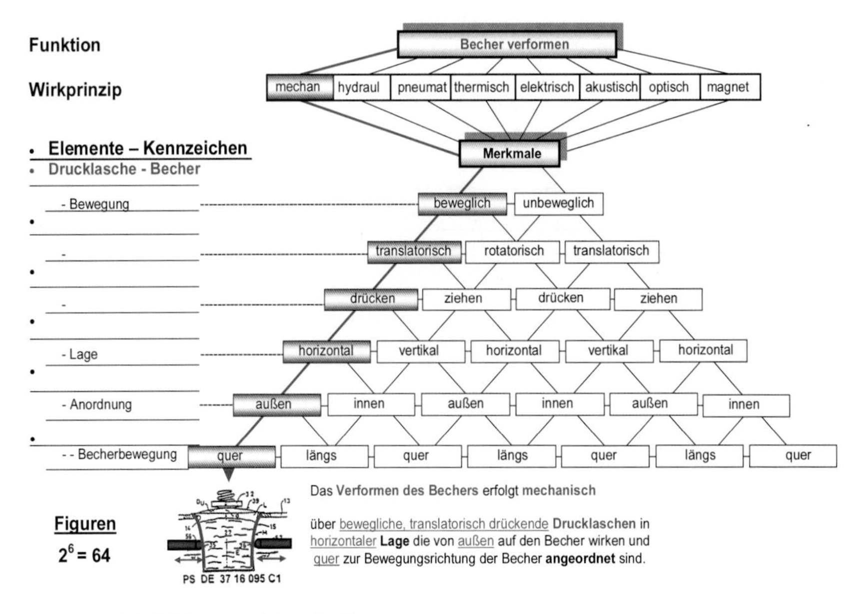

Bild 7: LOGOS Pyramide – ist Lösung

Bei der Höher- und Weiterentwicklung aus dem Stand der Technik ist der linke Ast in der Pyramide immer der Ist-Ast, die Ist-Lösung. Jede Variation auch mit nur einem umgekehrten, gegensätzlichen Merkmal muss dann zwangsläufig auch zu einer, wenn vielleicht auch nur unwesentlichen Änderung, führen und damit unter dem jeweiligen

Ast der Pyramide eine mit einem oder mehreren anderen Merkmalen versehene andere Figur zur Folge haben. So lassen sich aus nur einer Ist-Lösung in der LOGOS Pyramide insgesamt 63 unterschiedliche neue Varianten im Zwanglauf generieren. Für eine Patentumgehung sind die Merkmale des Hauptanspruchs zu umgehen. Das Hauptmerkmal ist hier die Beweglichkeit der Drucklasche zur notwendigen Becherverformung und damit Wölbung des Becherdeckels als Maß der Dichtheit nach der Versiegelung. Für die Entwicklung von Lösungsvarianten, die zu einem Patent führen, sind die drei Prüfkriterien

- Neuheit
- Erfindungshöhe
- gewerbliche Anwendbarkeit

zu erfüllen. Alle Varianten unter dem Merkmal beweglich führen nur zu einer möglichen Modifizierung der bekannten Lösung, nicht aber zu einer technischen Patentumgehung. Alle Varianten mit dem umgekehrten Merkmal unbeweglich wären neu und auch erfinderisch, denn das Gegenteil von dem zu machen, was die Fachwelt tut, ist einerseits neu und andererseits auch der weiteste Abstand vom Stand der Technik; folglich für den Fachmann nicht nahe liegend und hat damit auch Erfindungshöhe. Sollte nun eine Becherverformung mit unbeweglichen Drucklaschen möglich sein, so ist auch das dritte Prüfkriterium, die gewerbliche Anwendbarkeit, erfüllt (Bild 8).

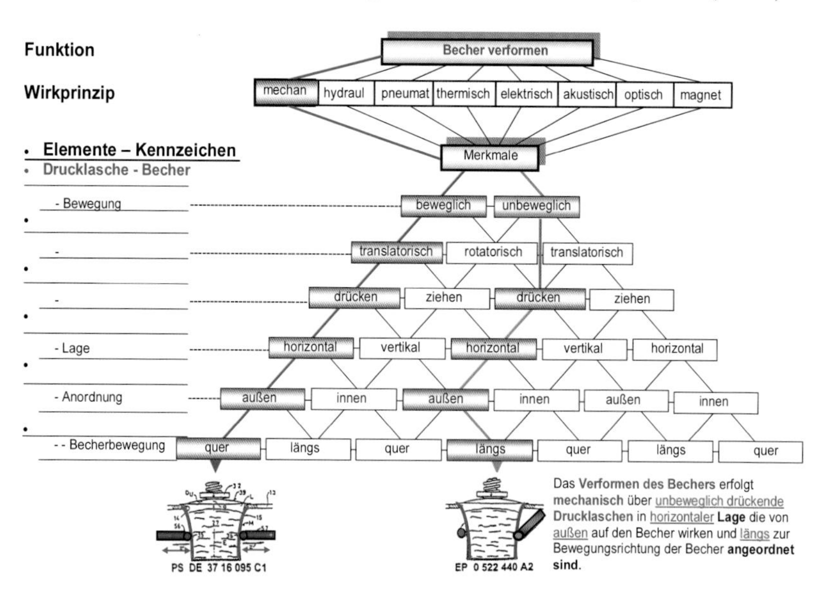

Bild 8: LOGOS Pyramide – Technische Patentumgehung

3.5 Patentanmeldung

Nach der Erarbeitung weiterer Varianten wurde diese technische Lösung dann dem Auftraggeber präsentiert. Dieser war sehr erstaunt, aber wie es schien nicht besonders glücklich darüber und zog die bereits angearbeitete Erfindungsbeschreibung zu sich und nahm dann über eine Anwaltskanzlei die Patentanmeldung selber vor. Diese Patentanmeldung hat ein Prioritätsdatum vom 02.07.1991 und ein Erscheinungsdatum der Offenlegungsschrift vom 07.01.1993, also wie üblich erscheint die Veröffentlichung 18 Monate nach dem Anmeldetag.
Da man innerhalb von 12 Monaten ab Prioritätsdatum, also ab 02.07.1991, Auslandsanmeldungen mit der gleichen Priorität vornehmen kann, wurde unter der Patentnummer: EP 0 522 440 am 02.07.1992 eine Europäische Patentanmeldung vorgenommen mit den benannten Vertragsstaaten: CH, DE, DK, ES, GB und LI.
Warum aber wurden aus diesen beiden Offenlegungsschriften keine rechtsbeständigen Patente?
Für die DE 41 21 867 A1 wurde kein Prüfungsantrag auf Erteilung eines Patentes gestellt. Dieser ist für Deutschland noch innerhalb von 7 Jahren möglich. Diese Offenlegungsschrift ist am 02.04.1997 wegen Nichtzahlung der Jahresgebühren erloschen (Bild 9).
Die Europäische Patentanmeldung EP 0 522 440 A2 wurde am 28.10.1995 vom Anmelder zurückgezogen (Bild 10).

DEUTSCHES
PATENTAMT

(12) **Offenlegungsschrift**
(10) **DE 41 21 867 A 1**

(51) Int. Cl.[5]:
G 01 M 3/36

(21) Aktenzeichen: P 41 21 867.1
(22) Anmeldetag: 2. 7. 91
(43) Offenlegungstag: 7. 1. 93

DE 41 21 867 A 1

(71) Anmelder:
Leifeld und Lemke Maschinenfabrik GmbH & Co KG, 4901 Hiddenhausen, DE

(74) Vertreter:
Busse, V., Dipl.-Wirtsch.-Ing. Dr.jur.; Busse, D., Dipl.-Ing.; Bünemann, E., Dipl.-Ing.; Pott, U., Dipl.-Ing., Pat.-Anwälte, 4500 Osnabrück

(72) Erfinder:
Fehland, Jörn; Grabnitzki, Burkhard, Dr., 2000 Hamburg, DE

Bild 9: Deutsche Offenlegungsschrift

(19) 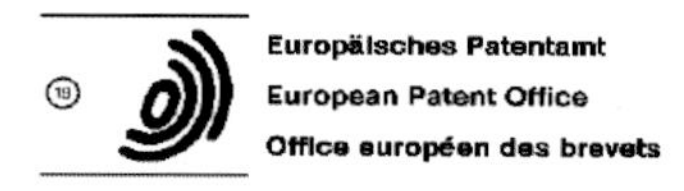

(11) Veröffentlichungsnummer: **0 522 440 A2**

(12) **EUROPÄISCHE PATENTANMELDUNG**

(21) Anmeldenummer: 92111179.5

(22) Anmeldetag: 02.07.92

(51) Int. Cl.5: **G01M 3/36**

(30) Priorität: 02.07.91 DE 4121867

(43) Veröffentlichungstag der Anmeldung: 13.01.93 Patentblatt 93/02

(84) Benannte Vertragsstaaten: CH DE DK ES FR GB IT LI

(71) Anmelder: Leifeld & Lemke Maschinenfabrik GmbH & Co. KG
Industriestrasse 77
W-4901 Hiddenhausen(DE)

(72) Erfinder: Fehland, Jörn
Ahrensburger Weg 16
W-2000 Hamburg 67(DE)
Erfinder: Grabnitzki, Burkhard, Dr.
Richardstrasse 84
W-2000 Hamburg 76(DE)

(74) Vertreter: Busse & Busse Patentanwälte
Postfach 1226 Grosshandelsring 6
W-4500 Osnabrück(DE)

(54) Vorrichtung zur Prüfung der Dichtigkeit von mit Deckeln luftdicht verschlossenen Bechern.

Bild 10: Europäische Patentanmeldung

LOGOS Methodik

Wie im Logo der LOGOS Methodik durch die 4 Bausteine dargestellt, sind für eine technische Patentumgehung bis hin zum Eigenpatent 4 Phasen erforderlich:

- Patent-Recherche
- Patent-Analyse
- Patent-Synthese
- Patent-Anmeldung

Eine LOGOS Patentumgehung unterscheidet sich in zwei Niveaustufen:

Niveaustufe 1: Vom Fremdpatent zum Eigenpatent

Die Umgehung eines Fremdpatentes mit gleichzeitiger Erlangung eines Eigenpatentes stellt die höchste Stufe einer technischen Patentumgehung dar.
In dieser Niveaustufe 1 der Patentumgehung müssen neben der Umgehung der schutzrechtlich gesicherten Merkmale des Fremdpatentes einerseits auch neue Merkmale der technischen Lösung sowie ein erfinderischer Schritt andererseits erbracht werden um ein eigenes Patent zu erhalten. Bei dieser Niveaustufe 1 der Patentumgehung setzt man sich mit der neuen und erfinderischen Lösung vor die Wettbewerber, in der Stufe 2 ohne Erfindungshöhe, bestenfalls daneben.

3.6 LOGOS Systematik

Einer der wichtigsten Schritte bei der Entwicklung ist die Zusammenfassung und Systematisierung der Ideen, Varianten und Lösungen zur Realisierung der Hauptfunktion Dichtigkeit prüfen (Bild 11).

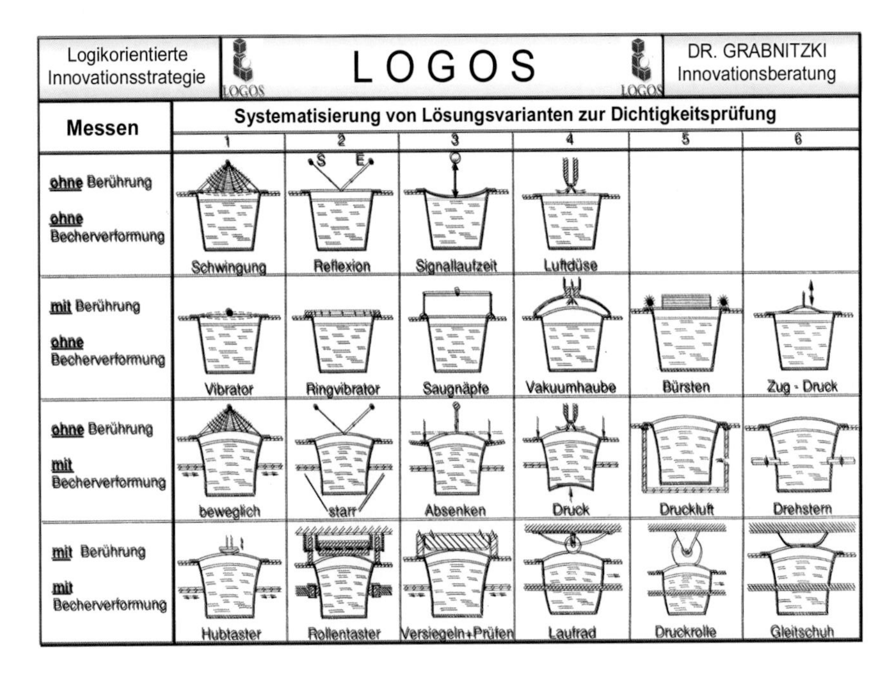

Bild 11: Lösungsvarianten zur Dichtigkeitsprüfung von Joghurtbechern

Diese Systematisierung und Strukturierung von Ideen und Lösungen zur technischen Umsetzung der Hauptfunktion bildet die Basis für die Erarbeitung von Innovationsstrategien und Schutzrechtsstrategien als notwendige Voraussetzung einer Unternehmensentwicklungs- und Unternehmenssicherungsstrategie.

Literatur

[1] Grabnitzki B.: *Patentumgehung - technisch leicht gemacht*, 240 Seiten, 110 Seiten farbig, Eigenverlag 2007

Klimatisierte denkmalgeschützte Gebäude - ein Widerspruch? Möglichkeiten des Feuchtemanagements, am Beispiel des Jagdschlosses Grunewald in Berlin betrachtet

A. C. Rahn und M. Müller
Berlin

Zusammenfassung

Der vorliegende Beitrag zeigt auf, dass eine Klimatisierung denkmalgeschützter Gebäude zum Schutz von Sammlungsgut nur eine von mehreren Möglichkeit des Feuchtemanagements ist. Wird über die Notwendigkeit einer Klimatisierung bei historischen Gebäuden diskutiert, müssen folgende Fragen gestellt werden:

- Welches Ziel soll die Klimatisierung haben?
- Welche relative Raumluftfeuchte wird gewünscht?
- Welche Schwankungsbreiten sind zulässig?
- Welche Raumlufttemperatur ist aufgrund der Nutzung sicherzustellen?

Diese Fragen müssen zwischen allen wesentlichen Beteiligten, wie dem Nutzer, den Restauratoren, den Denkmalpflegern, dem Bauphysiker und dem Haustechniker, diskutiert werden. Erst nach eingehender Diskussion und Abwägung aller Interessen kann eine Entscheidung hinsichtlich einer Klimatisierung oder einer temperaturgesteuerten Klimabeeinflussung erfolgen. Bezüglich der Wechselwirkung zwischen Raumklima und Bauteilen muss zudem im Rahmen einer bauphysikalischen Substanzanalyse die kritische zulässige relative Raumluftfeuchte in Abhängigkeit von der Außenlufttemperatur ermittelt werden. Erst hieraus können geeignete Maßnahmen abgeleitet werden.
Der Beitrag zeigt, dass es keine "Generallösung" gibt, sondern dass die jeweils am besten geeignete Möglichkeit des Feuchtemanagements in Abhängigkeit von den individuellen Randbedingungen gefunden werden muss.

1 Einleitung

Der Titel des Beitrags lautet "Klimatisierte denkmalgeschützte Gebäude - ein Widerspruch?" Der Hintergrund für diesen Titel ist, dass im Umgang mit historischen Gebäuden immer wieder das Bedürfnis nach einer Klimatisierung seitens der Nutzer geäußert und seitens der Baudenkmalpflege in Frage gestellt wird. Setzt man sich mit diesem Wunsch bzw. mit der Ablehnung dieses Wunsches auseinander, so ist die Frage zu stellen, was soll mit der Klimatisierung erreicht bzw. was soll mit der Ablehnung der Klimatisierung verhindert werden.
Der vorliegende Beitrag hat nicht zum Ziel, darzulegen, was und aus welchem Grund z. B. beim Jagdschloss Grunewald in Berlin im Rahmen einer instandsetzenden Sanierung erreicht werden sollte. Vielmehr verdeutlicht er anhand der konstruktiven Randbedingungen, die bei dem über 460 Jahre alten Jagdschloss Grunewald vorgefunden wurden, welche grundsätzlichen Möglichkeiten der Klimabeeinflussung und Wechselwirkungen zwischen Raumklima und Bauteilen bestehen. Es soll ein Überblick gegeben werden über die "Spielmöglichkeiten" im Hinblick auf eine Klimastabilisierung.

2 Welches Klima ist das richtige Raumklima?

Befassen wir uns mit dem Thema, welches Klima das richtige Raumklima ist, stellt sich eigentlich auf den ersten Blick immer nur die Frage, welche relative Luftfeuchte die richtige relative Luftfeuchte ist. Das eigentliche Problem hierbei ist die Wechselwirkung zwischen relativer Luftfeuchte und Bauteiloberflächen oder Kunstgegenständen. Aus Sicht der Nutzer, und hier insbesondere der Restauratoren, wird zum Schutz des Sammlungsgutes grundsätzlich eine nahezu konstante relative Luftfeuchte über den Jahreszyklus gewünscht. Neben der Hilbertschen Ausgleichskurve [1] sind bei der Definition der gewünschten Grenzwerte oftmals die AMEV-Richtlinien [2] Grundlage, wobei sicherlich auch eine differenziertere Betrachtung in Abhängigkeit vom Sammlungsgut, das es zu schützen gilt, möglich ist.
Mit Blick auf das Baudenkmal sollte in denkmalpflegerischer Hinsicht die relative Luftfeuchte während der Wintermonate so niedrig wie möglich sein. Hohe relative Luftfeuchten können Kapillarkondensation, die zu Schimmelpilzbildung führt, bzw. Tauwasserbildung verursachen. Problematisch kann zudem sein, wenn das Baudenkmal durch bauschädliche Salze kontaminiert ist. In diesem Fall sind besondere Maßnahmen hinsichtlich einer Klimatisierung notwendig. [3]
Wenngleich der Widerspruch bezüglich der relativen Raumluftfeuchten zwischen den Anforderungen der Restauratoren und der Baudenkmalpflege auf den ersten Blick unüberbrückbar erscheint, gibt es Möglichkeiten, um diesen Konflikt zu lösen.

3 Was sind normale Klimaschwankungen?

Von Restaurierungsstudenten wird oft die Frage gestellt, was man alles braucht, um das Raumklima zu messen, und wie man das macht. Hierauf erfolgt stets die gleiche Gegenfrage: Wieso wollen Sie messen und was wollen Sie mit den Messergebnissen anfangen? Die Antwort ist im Regelfall: Ich möchte wissen, wie kalt und feucht es im Winter und wie warm und feucht es im Sommer (z. B. in einer Kirche) werden kann. Darauf erfolgt wiederum die Frage: Wie lange wollen Sie messen? 1 Jahr, 2 Jahre, 3 Jahre, oder so lange, bis es einen richtig kalten Winter gibt, oder so lange, bis es einen richtig warmen Sommer gibt? Die Irritation ist stets groß, da die Fragen doch alle ins Schwarze treffen. Damit möchten wir nicht die Notwendigkeit von Messungen in Frage stellen. Vielmehr soll darauf aufmerksam gemacht werden, dass man nicht zwingend immer messen muss, um eine Orientierung über Klimaentwicklungen zu haben, sondern sich lediglich mit der Beziehung zwischen Temperatur und Feuchte auseinandersetzen muss.
Betrachten wir hierzu einmal die wesentlichen Einflussparameter auf unser Raumklima:

- Wärmeleistung durch Beheizung
- Wärmeabgabe durch Menschen
- Wärmeabgabe durch interne Wärmelasten
- Feuchteleistung infolge Befeuchtung
- Feuchteabgabe des Menschen
- Luftwechsel mit der Außenluft

Weitere Einflussfaktoren wie solare Erwärmung usw. seien im vorliegenden Fall außer Acht gelassen.
Grundsätzlich lässt sich somit folgendes Fazit ziehen: Ist die Wärmeleistung null, d. h. handelt es sich um ein unbeheiztes Gebäude, muss grundsätzlich erst einmal davon ausgegangen werden, dass das Raumklima dem Außenklima folgt, wobei in Abhängigkeit von einigen Parametern eine Dämpfung der Klimaamplitude eintritt. Zu den Parametern gehören die Speicherfähigkeit der Bauteile, die solare Erwärmung und der Luftwechsel.
Ist eine Wärmeleistung durch Beheizung gegeben, ist also das Gebäude beheizt oder temperiert, muss davon ausgegangen werden, dass durch die Erwärmung der infolge des Luftwechsels in den Raum einströmenden Außenluft während der Wintermonate extrem niedrige relative Raumluftfeuchten vorherrschen können.
Für eine vereinfachte Betrachtung hat Klopfer im Lehrbuch der Bauphysik [4] eine sehr hilfreiche Gleichung aufgestellt, die eine vergleichsweise einfache Ermittlung der sich in einem Raum einstellenden relativen Luftfeuchte in Abhängigkeit von den einzelnen Einflussparametern lässt.

$m_{zu} + m_d = m_{ab}$

m_{zu}: von außen in den Raum einströmende Feuchtemenge [g/h]
m_d: im Raum produzierte Feuchtigkeitsmenge [g/h]
m_{ab}: abfließender Wasserdampfstrom infolge des Lüftungsvorgangs [g/h]

$$m_{zu} = LWZ \cdot V \cdot \varphi_a \cdot c_{sa} \cdot \frac{T_a}{T_i} \quad [g/h]$$

LWZ: Luftwechselzahl [h^{-1}]
V: Luftvolumen [m^3]
φ_a: relative Luftfeuchte der Außenluft [%]
c_{sa}: Wasserdampfkonzentration der Außenluft im Sättigungszustand [g/m^3]
T_a: absolute Außenlufttemperatur (auf den absoluten Temperatur-Nullpunkt bezogen) [K]
T_i: absolute Raumlufttemperatur (auf den absoluten Temperatur-Nullpunkt bezogen) [K]

$$m_{ab} = LWZ \cdot V \cdot \varphi_i \cdot c_{si} \quad [g/h]$$

c_{si}: Wasserdampfkonzentration der Raumluft im Sättigungszustand [h/m^3]
φ_i: relative Luftfeuchte der Raumluft [%]

Löst man diese Gleichung nach der relativen Raumluftfeuchte φ_i auf, so ergibt sich folgende Gleichung für die relative Raumluftfeuchte, die sich in Abhängigkeit von dem Außenluftwechsel und der im Raum produzierten Feuchte einstellt.

$m_{zu} + m_d = m_{ab}$

$$LWZ \cdot V \cdot \varphi_a \cdot c_{sa} \cdot \frac{T_a}{T_i} + m_d = LWZ \cdot V \cdot \varphi_i \cdot c_{si}$$

$$\varphi_i = \varphi_a \cdot \frac{c_{sa}}{c_{si}} \cdot \frac{T_a}{T_i} + \frac{m_d}{LWZ \cdot V \cdot c_{si}}$$

Die notwendigen Angaben zu den Wasserdampfkonzentrationen in der Luft im Sättigungszustand in Abhängigkeit von der Temperatur können der Tabelle 1 entnommen werden.

Tabelle 1: Wasserdampfkonzentration in der Luft im Sättigungszustand in Abhängigkeit von der Temperatur

Θ [°C]	c_s [g/m³]	Θ [°C]	c_s [g/m³]	Θ [°C]	c_s [g/m³]
-15	1,39	±0	4,85	15	12,8
-14	1,52	+1	5,20	16	13,7
-13	1,65	+2	5,57	17	14,5
-12	1,80	+3	5,95	18	15,4
-11	1,96	+4	6,36	19	16,3
-10	2,14	+5	6,79	+20	17,3
-9	2,33	+6	7,25	+21	18,3
-8	2,53	+7	7,74	+22	19,4
-7	2,75	+8	8,26	+23	20,6
-6	2,98	+9	8,81	+24	21,8
-5	3,23	+10	9,39	+25	23,0
-4	3,50	+11	10,0	+26	24,4
-3	3,81	+12	10,7	+27	25,8
-2	4,14	+13	11,3	+28	27,2
-1	4,49	+14	12,1	+29	28,8

Lassen Sie uns exemplarisch einen Musterraum mit den Abmessungen von 4 · 4 · 4 m also 64 m³ Raumluftvolumen betrachten. Geht man von einer Raumlufttemperatur von 20 °C, einer Außenlufttemperatur von -5 °C, einer relativen Außenluftfeuchte von 80 %, einem Luftwechsel von 0,5 h^{-1} sowie einer kontinuierlichen internen Feuchtelast von m_d = 60 g/h aus, so ergibt sich hierbei folgende relative Raumluftfeuchte:

$\Theta_i = 20$ °C; $\Theta_a = -5$ °C; $\varphi_a = 80$ %; LWZ = 0,5 h^{-1}; V = 64 m^3; m_d = 60 g/h

$$\varphi_i = \varphi_a \cdot \frac{c_{sa}}{c_{si}} \cdot \frac{T_a}{T_i} + \frac{m_d}{LWZ \cdot V \cdot c_{si}}$$

φ_a	=	80 %
c_{sa}:		Wasserdampfkonzentration im Sättigungszustand in der Luft bei $\Theta_a = -5$ °C
c_{sa}	=	3,23 g/m³
T_a:		absolute Temperatur der Außenluft bei $\Theta_a = -5$ °C
T_a	=	273,2 K - 5 K = 268,2 K
c_{si}:		Wasserdampfkonzentration im Sättigungszustand in der Luft bei $\Theta_i = 20$ °C
c_{si}	=	17,3 g/m³
T_i:		absolute Temperatur der Raumluft bei $\Theta_i = +20$ °C
T_i	=	273,2 K + 20 K = 293,2 K
m_d:		Feuchteproduktion im Raum
m_d	=	60 g/h

V: Raumvolumen
$V = 64\ m^3$
LWZ: Luftwechselzahl
$LWZ = 0,5\ h^{-1}$

$\varphi_{i,20\,°C} = 0,8 \cdot 3,23 / 17,3 \cdot 268,2 / 293,2 + 60 / (64 \cdot 0,5 \cdot 17,3) = 24,5\ \%$

Entsprechend der näherungsweisen Betrachtung nach Klopfer [4] ergibt sich bei den vorgenannten Randbedingungen eine relative Raumluftfeuchte von ca. 25 %. Diese liegt deutlich unterhalb der im Regelfall gewünschten relativen Raumluftfeuchte, die im Bereich von ca. 50 % liegt. Es müsste somit eine Befeuchtung der Raumluft bei den genannten Randbedingungen erfolgen.
Betrachten wir an einem weiteren Beispiel den Einfluss der Temperatur, indem wir nur noch von einer Raumlufttemperatur von $\Theta_i = 8\ °C$ ausgehen, aber alle anderen Parameter wie bei dem ersten Beispiel belassen. Für dieses Beispiel ergibt sich die relative Raumluftfeuchte wie folgt:

$\Theta_i = 8\ °C$
$\Theta_a = -5\ °C$
$\varphi_a = 80\ \%$
$LWZ = 0,5\ h^{-1}$
$V = 64\ m^3$
$m_d = 60\ g/m^3h$

$$\varphi_i = \varphi_a \cdot \frac{c_{sa}}{c_{si}} \cdot \frac{T_a}{T_i} + \frac{m_d}{LWZ \cdot V \cdot c_{si}}$$

$\varphi_a = 80\ \%$
c_{sa}: Wasserdampfkonzentration im Sättigungszustand in der Luft bei $\Theta_a = -5\ °C$
$c_{sa} = 3,23\ g/m^3$
T_a: absolute Temperatur der Außenluft bei $\Theta_a = -5\ °C$
$T_a = 273,2\ K - 5\ K = 268,2\ K$
c_{si}: Wasserdampfkonzentration im Sättigungszustand in der Luft bei $\Theta_i = 8\ °C$
$c_{si} = 8,26\ g/m^3$
T_i: absolute Temperatur der Raumluft bei $\Theta_i = +8\ °C$
$T_i = 273,2\ K + 8\ K = 281,2\ K$
m_d: Feuchteproduktion im Raum
$m_d = 60\ g/h$

$\varphi_{i,8°C} = 0,8 \cdot 3,23 / 8,26 \cdot 268,2 / 281,2 + 60 / (64 \cdot 0,5 \cdot 8,26) = 52,5\ \%$

Die Berechnung zeigt für den betrachteten Beispielfall, dass bei gleichen sonstigen Randbedingungen die relative Raumluftfeuchte bei natürlichem Luftwechsel sich bei einer Beheizung auf eine Raumlufttemperatur von lediglich 8 °C mehr als doppelt so hoch einstellt wie bei einer Beheizung auf eine Raumlufttemperatur von 20 °C. Somit hat das Ergebnis auch unmittelbare Auswirkung auf eine ggf. geplante Befeuchtung der Raumluft.
In bauphysikalischer Hinsicht kann zudem ausgesagt werden, dass bei gleicher relativer Raumluftfeuchte und bei Absenkung der Raumlufttemperatur auch die absolute Luftfeuchte nachhaltig gesenkt werden kann:

- absolute Raumluftfeuchte (Θ_i = 20 °C, φ = 50 %) h = 8,65 g/m³
- absolute Raumluftfeuchte (Θ_i = 8 °C, φ_i = 50 %) h = 4,13 g/m³

Die vorangehenden Erläuterungen zeigen, dass es neben einer Klimatisierung auch die Möglichkeit gibt, über eine Temperaturregelung die Luftfeuchte in einem Raum zu beeinflussen. Wenngleich die Möglichkeiten der Raumklimabeeinflussung über eine Temperaturregelung gegenüber einer Klimatisierung begrenzt sind, lässt sich die Schwankung der Raumklimaverhältnisse vermindern und der ggf. darüber hinaus notwendige Klimatisierungsaufwand minimieren. Zudem wird bei reduzierter Raumlufttemperatur und gleich bleibender relativer Raumluftfeuchte auch die Feuchtebeanspruchung für die raumumschließenden Bauteile deutlich gemindert.
Steuert man eine derartige Temperaturregelung des Weiteren intelligent in Abhängigkeit von der Außenlufttemperatur, der Außenluftfeuchte und der relativen Raumluftfeuchte, so ist ein vergleichsweise einfaches Feuchtemanagement möglich, das sich auch mit einfachen Maßnahmen zur Unterstützung des Luftwechsels kombinieren lässt.

4 Wie trifft man die richtige Entscheidung?

Die einleitende Frage dieses Abschnitts lässt sich vom Grundsatz her relativ kurz und knapp beantworten: Es gibt keine richtige Entscheidung, es gibt nur eine Entscheidung, und die Möglichkeiten hierfür sind vielfältig. Es gilt, einen Prozess einzuleiten, der von allen Beteiligten getragen werden muss. Hierbei ist zu klären, ob und in welchem Umfang eine Raumklimastabilisierung erfolgen soll und welche Konsequenzen dies im Hinblick auf die technische Gebäudeausrüstung hat.
Als Grundlage für eine derartige Auseinandersetzung ist eine bauphysikalische Analyse erforderlich. Diese ist notwendig, da es nicht nur um die Frage geht, wie kann das Raumklima stabilisiert werden, sondern wie können bei einer Klimastabilisierung Schäden an Bauteilen verhindert werden?
Schäden an Bauteilen können auftreten, da das Raumklima in steter Wechselwirkung mit den Bauteilen steht. Sofern man die natürlichen, über den Jahreszyklus auftretenden Klimaschwankungen beeinflusst, beeinflusst man zwangsweise auch das Wechselspiel zwischen Raumklima und Bauteil. In Abhängigkeit vom wärmeschutztechnischen Standard hat jedes Bauteil eine "technische Grenze", d. h. es lässt sich für jedes

Bauteil in Abhängigkeit von der Außenlufttemperatur und der Raumlufttemperatur die kritische relative Raumluftfeuchte ermitteln, ab der es zu Schäden kommen kann. In diesem Zusammenhang ist zu beachten, dass alle Bauteile miteinander in Wechselwirkung stehen und durch die Veränderung eines der Bauteile sich Nachteile in der Wechselwirkung ergeben können. Dies soll an einem Beispiel verdeutlicht werden, nämlich dem Ersatz eines traditionellen Kastendoppelfensters durch ein isolierverglastes Einfachfenster im Altbau.
Der Austausch von Kastendoppelfensterkonstruktionen gegen isolierverglaste Einfachfenster ist eine übliche Sanierungsweise bei Baumaßnahmen im Bestand. Hierbei kommen entweder isolierverglaste Einfachfenster mit gleichem wärmeschutztechnischen Standard oder mit wesentlich besserem wärmeschutztechnischen Standard zur Ausführung. Unabhängig vom wärmeschutztechnischen Standard der Fenster, der hier unbeachtet bleiben soll, hat der Austausch von Kastenfenstern gegen isolierverglaste Einfachfenster eine wesentliche, nachhaltige bauphysikalische Wirkung. Betrachtet man Bild 1, wird relativ rasch ersichtlich, wo das eigentliche Problem liegt, nämlich im Bereich des Fensteranschlusses. Das heute übliche isolierverglaste Einfachfenster hat eine wesentlich geringere Bautiefe als das traditionelle Kastenfenster.

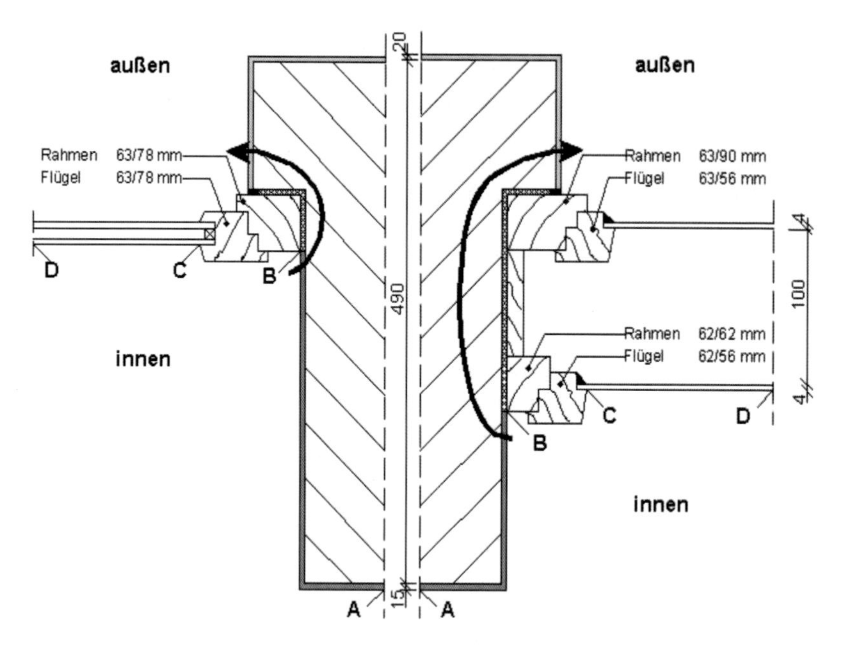

Bild 1: Gegenüberstellung des Fensteranschlusses von Kastenfenster und isolierverglastem Einfachfenster

Damit wird auch der Wärmeübertragungsweg von innen nach außen wesentlich kürzer, womit im unmittelbaren Leibungsanschluss der wärmeschutztechnische Standard vermindert wird. Die Konsequenz ist eine Absenkung der raumseitigen Oberflächentemperaturen, mit der nicht immer, aber doch oftmals festgestellten Folge, dass es im Fensteranschlussbereich zu Schimmelpilzbildung oder Tauwasseranfall kommt. Durch die bauliche Veränderung kann die Verglasung im Regelfall nicht mehr ihrer Aufgabe als natürlicher Indikator für unzulässige Raumklimaverhältnisse nachkommen. [6]
Dieses sehr einfache Beispiel zeigt auf, dass, unabhängig davon, ob man eine Baumaßnahme bei einem historischen, denkmalgeschützten Gebäude betrachtet oder eine einfache Baumaßnahme am Bestand, stets, wenn Maßnahmen an der "wärmeschützenden Gebäudehülle" oder an der technischen Gebäudeausrüstung vorgenommen werden, eine bauphysikalische Betrachtung notwendig wird.

5 Beispielbetrachtungen anhand des über 460 Jahre alten Jagdschlosses Grunewald in Berlin

Das Jagdschloss Grunewald (Bild 2) ist der älteste erhaltene Schlossbau im Berliner Stadtgebiet. Erbaut wurde das Jagdschloss im Stil der Frührenaissance nach den Plänen des Baumeisters Caspar Theiss in den Jahren 1542 bis 1543. Das Schloss befindet sich am idyllisch gelegenen Grunewaldsee und diente, wie der Name schon sagt, u. a. als Jagdschloss. Der Weg zum Jagdschloss führte über einen mit Baumstämmen hergestellten Damm, der den Namen "Kurfürstendamm" erhielt und heute Berlins Flaniermeile darstellt.

Bild 2: Jagdschloss Grunewald in Berlin

Das Jagdschloss Grunewald soll für den vorliegenden Beitrag exemplarisch im Hinblick auf den wärmeschutztechnischen Standard und die hieraus resultierenden relativen Grenzluftfeuchten betrachtet werden. Hierzu wollen wir zwei Wärmebrücken auswählen, die Wandkante und einen Fensteranschluss. Bild 3 stellt beide Wärmebrücken dar.

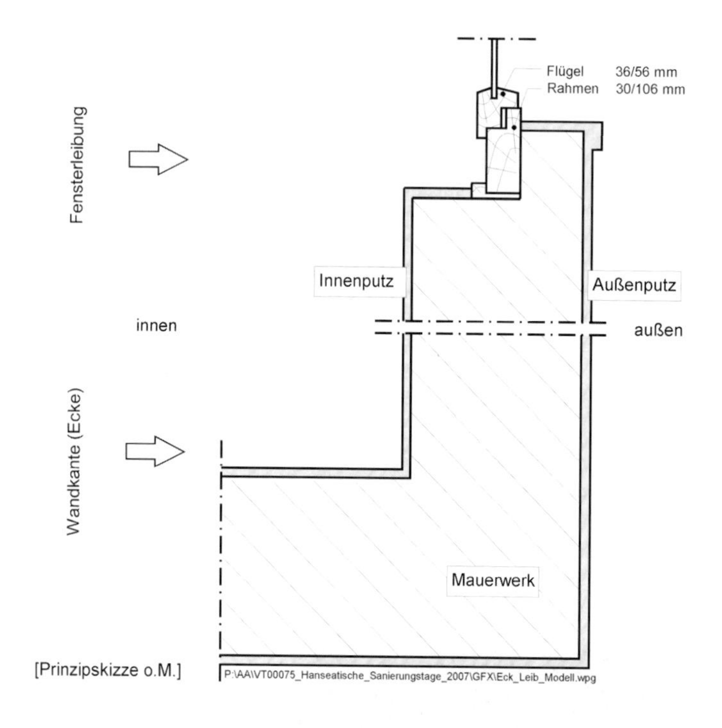

Bild 3: Prinzipskizze der Wärmebrücken Wandkante und Fensterleibungsanschluss

Das Temperatur- und Wärmestromverhalten wurde für die beiden Wärmebrücken rechnerisch untersucht. Die Ergebnisse der Berechnungen sind dem Bild 4 zu entnehmen. Bild 4 zeigt den Oberflächentemperaturverlauf beider Wärmebrücken für eine Raumlufttemperatur von Θ_i = 20 °C und eine Außenlufttemperatur von Θ_a = -15 °C. Neben dem Temperaturverlauf lässt sich den Ergebnisdarstellungen auch die relative Grenzluftfeuchte und die bewertete relative Grenzluftfeuchte [5] entnehmen. Die relative Grenzluftfeuchte gibt hierbei die relative Luftfeuchte an, ab der es auf der jeweiligen Bauteiloberfläche zu Tauwasseranfall kommen kann. Die bewertete relative Grenzluftfeuchte gibt an, ab welcher relativen Luftfeuchte ein Feuchtepotenzial vorliegt, bei dem es zu Schimmelpilzbildung kommen kann.

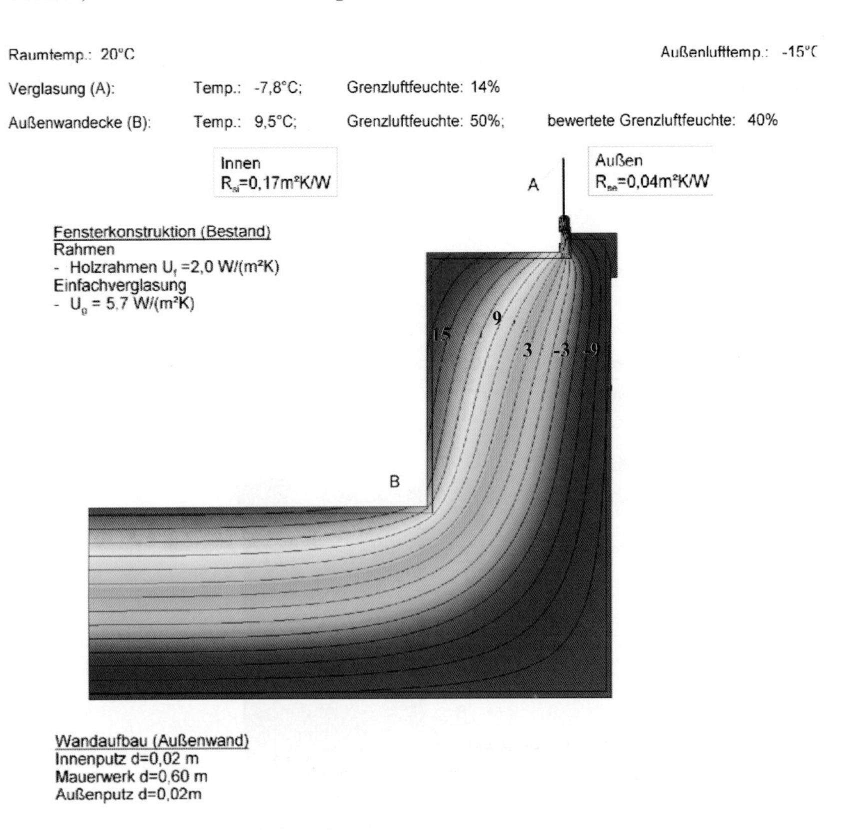

Bild 4: Ergebnisdarstellung der Wärmebrücken Wandkante und Fensterleibungsanschluss bei einer Raumlufttemperatur von 20 °C

Den Ergebnissen der Wärmebrückenbetrachtung ist zu entnehmen, dass es bei einer Raumlufttemperatur von Θ_{Li} = 20 °C im Bereich der Einfachverglasung des Fensters ab einer relativen Grenzluftfeuchte von 14 % zu Tauwasseranfall kommt. Zudem besteht im Bereich der Wandkante ab einer bewerteten relativen Grenzluftfeuchte von 40 % die der Gefahr von Schimmelpilzbildung.

Wird bei dieser Beispielbetrachtung vorausgesetzt, dass eine relative Raumluftfeuchte von 50 % für das Raumklima gefordert wird, bedeutet dies, dass wärmeschutztechnische Verbesserungsmaßnahmen sowohl für die Verglasung als auch für die Außenwandkante erforderlich wären. Hinsichtlich der hygrischen Beanspruchung für die Verglasung kann ausgesagt werden, dass unter Berücksichtigung der Angaben des Deutschen Wetterdienstes [7] im Jahresdurchschnitt an ca. 90 Tagen Tauwasseranfall vorliegen würde.

Fazit dieser bauphysikalischen Analyse ist, dass, sofern eine Raumklimastabilisierung (φ = 50 %) bei einer Raumlufttemperatur von 20 °C erreicht werden soll, die vorhandene Bausubstanz wärmeschutztechnisch zu verbessern ist.
Im Rahmen der bautechnischen Analyse wurde jedoch auch überprüft, wie sich die im Bild 3 dargestellten Wärmebrücken bei einer Raumlufttemperatur von 8 °C verhalten. Die Ergebnisse der hierzu durchgeführten Wärmebrückenberechnungen sind Bild 5 zu entnehmen.

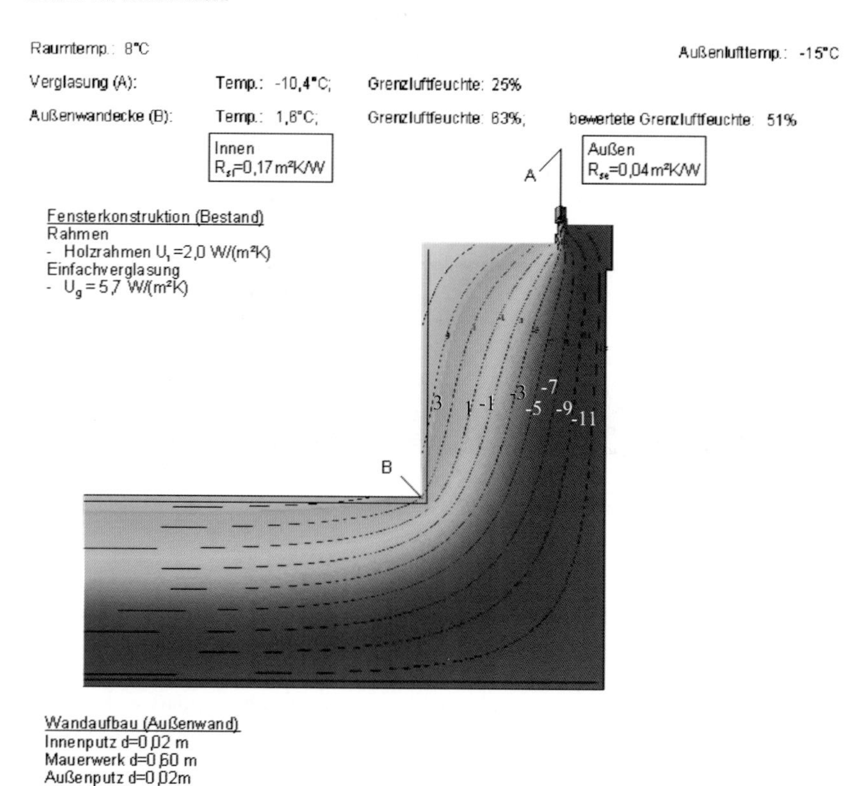

Bild 5: Ergebnisdarstellung der Wärmebrücken Wandkante und Fensterleibungsanschluss bei einer Raumlufttemperatur von 8 °C

Aus der Ergebnisdarstellung auf Bild 5 geht hervor, dass bei einer Raumlufttemperatur von Θ_{Li} = +8 °C und einer Außenlufttemperatur von Θ_{La} = -15 °C Tauwasseranfall im Bereich der Einfachverglasung des Fensters ab einer relativen Grenzluftfeuchte

von 25 % zu erwarten ist. Im Bereich der Wandkante besteht die Gefahr der Schimmelpilzbildung ab einer bewerteten relativen Grenzluftfeuchte von 51 %.
Es wird deutlich, dass zur Einhaltung einer relativen Raumluftfeuchte von 50 % für das Raumklima für den Bereich der Wandkante bei Reduzierung der Raumlufttemperatur von 20 °C auf 8 °C auf zusätzliche wärmeschutztechnische Verbesserungsmaßnahmen verzichtet werden kann. Im Bereich der Einfachverglasung besteht weiterhin eine Gefahr der Tauwasserbildung, die jedoch deutlich geringer ausfällt als bei Ansatz einer Raumlufttemperatur von 20 °C. Im Jahresdurchschnitt kann nach Angaben des Deutschen Wetterdienstes [7] Tauwasser an ca. 29 Tagen auftreten. Die Tauwassergefahr im Bereich der Verglasung lässt sich um ca. 70 % reduzieren.
Die Berechnungsergebnisse zeigen, dass durch eine Reduzierung der Raumlufttemperatur im Winter zum Einen die hygrische Beanspruchung der Bauteile und zum Anderen die Schwankungsbreite der relativen Raumluftfeuchte deutlich gemindert werden kann. Hierdurch lässt sich zum Einen die Gefahr des Tauwasseranfalls im Bereich der raumseitigen Verglasungsoberflächen mindern und zum Anderen der Aufwand wärmeschutztechnischer Verbesserungsmaßnahmen reduzieren. Wärmeschutztechnische Verbesserungsmaßnahmen sind z. B. im Bereich der Außenwände nicht mehr notwendig. Im Bereich der Verglasung kann mit vergleichsweise geringem Aufwand (z. B. Berücksichtigung einer Spar-Isolierverglasung) der wärmeschutztechnische Standard derart ertüchtigt werden, dass hier eine hygrische Beanspruchung weitestgehend auszuschließen ist.
Die Diskussion der Raumlufttemperatur bei gleichbleibender Anforderung an die Raumluftfeuchte kann im Ergebnis dazu führen, dass bauliche Maßnahmen auf ein Minimum reduziert werden können.

Literatur

[1] Hilbert, G. S.: *Sammlungsgut in Sicherheit*, Teil 2: *Lichtschutz, Klimatisierung*, Gebr. Mann Verlag 1987

[2] Arbeitskreis Maschinen- und Elektrotechnik staatlicher und kommunaler Verwaltungen - AMEV (Hrsg.), *Hinweise zur Planung und Ausführung von raumlufttechnischen Anlagen für öffentliche Gebäude. RLT-Anlagenbau 2004*, AMEV 2004

[3] Rahn, A. C., Müller, M.: "Mauerwerksdiagnostik - Was ist zu beachten?", in: H. Venzmer (Hrsg.), *Europäischer Sanierungskalender 2006*, S. 124-134, Huss-Medien 2006

[4] Klopfer, H.: "Feuchte", in: P. Lutz et al., *Lehrbuch der Bauphysik. Schall, Wärme, Feuchte, Licht, Brand, Klima*, 5. Auflage, S. 341-343, Teubner Verlag 2002

[5] Rahn, A. C., Müller, M.: "Wärmebrücken und Wärmebrückenberechnungen - Ziele, Möglichkeiten und Grenzen", in: H. Venzmer (Hrsg.), *Aktuelle Entwicklungen der Bauwerkstrockenlegung. 14. Hanseatische Sanierungstage 2003*, S. 41-52, Verlag Bauwesen 2003

[6] Rahn, A. C., Müller, M.: "Die Verglasung als natürlicher Indikator für unzulässige Raumklimaverhältnisse", in: H. Venzmer (Hrsg.), *Aktuelle Entwicklungen der Bauwerkstrockenlegung. 14. Hanseatische Sanierungstage 2003*, S. 165-175, Verlag Bauwesen 2003
[7] Deutscher Wetterdienst, *Statistische Auswertung von Außenklimadaten für die Jahre 1978 bis 2003 für den Standort Berlin-Tempelhof,* beauftragt vom Ingenieurbüro Axel C. Rahn GmbH

Flachdachsanierung aus bauphysikalischer Sicht

F. Kalwoda
Wien

Zusammenfassung

Bei der thermischen Sanierung von Flachdächern stellt sich die Frage, ob die vorhandenen Funktionsschichten Abdichtung und Wärmedämmung – auch wenn die Dämmung erhöhte Feuchtigkeit aufweist – belassen werden können. Müssen sie abgetragen werden, so fallen neben dem erhöhten Arbeitsaufwand zusätzliche Entsorgungskosten an.
Anhand von typischen Konstruktionsbeispielen wird nachgewiesen, dass in der Regel kein Abtragen vorhandener Schichten notwendig ist. Bei richtig gewähltem, zusätzlichem Schichtaufbau ergeben sich bauphysikalisch einwandfreie Konstruktionen. Die vorhandene ursprüngliche Wärmedämmung trägt zusätzlich zur thermischen Qualität des gesamten Bauteils bei. Eventuell erhöhte Feuchtigkeit in der Dämmschicht trocknet im Laufe der Zeit aus. Bei kurzfristigem Anstieg der Feuchtigkeit werden keine normgemäßen Grenzwerte überschritten.

1 Einleitung

Speziell bei der Flachdachsanierung ist es aus bauphysikalischer Sicht unumgänglich, die Konstruktion unter den gegebenen Randbedingungen in feuchtigkeitstechnischer Hinsicht möglichst realitätsnah zu beurteilen. Um die Durchfeuchtungs- und Austrocknungsvorgänge richtig erfassen zu können, reichen stationäre Berechnungsmethoden oft nicht aus. In den letzten Jahren wurden EDV-Programme entwickelt, die unter Einbeziehung einer ausreichenden Anzahl von Kriterien, Randbedingungen und Mechanismen, die die Feuchtigkeitstransportvorgänge bewirken, die Darstellung eines realitätsnahen Bildes dieser Vorgänge ermöglichen.
Im folgenden wird dies an Hand einiger Beispiele gezeigt.

2 Stationäre – instationäre Berechnungsverfahren

Die folgende Tabelle 1 erläutert die Unterschiede zwischen üblicher genormter stationärer Berechnung und einer instationären Berechnung; für letztere wurde das vom IBP Fraunhofer Institut für Bauphysik (Stuttgart) entwickelte EDV-Programm „WUFI“[1] [19] herangezogen.

Tabelle 1: Vergleich stationäre – instationäre Berechnung

Stationäres Berechnung (ÖN B 8110-2 bzw. ÖN EN ISO 13788) – „Glaserverfahren“	**Instationäre Berechnung (WUFI[1])**
• Berechnung des Wärmeverlaufes im Bauteil und damit Bestimmung von p_{sat} • Graphische Darstellung von p gegen s_d-Wert erlaubt ein direktes Ablesen der Tauwassergefährdung innerhalb eines Bauteils • Einschränkung: - nur stationäre Berechnung - nur Diffusionsprozesse - keine Koppelung der Temperatur mit Feuchtigkeit	• Berechnung des gekoppelten Wärme- und Feuchtigkeitstransportes unter Berücksichtigung - von λ-feuchtigkeitsabhängig - der Strahlungseinflüsse - der Materialfeuchtigkeit - der Niederschläge - der Diffusionsvorgänge - der Flüssigwassertransportvorgänge • kapillares Saugen • kapillare Weiterverteilung • Sorptionsfeuchtigkeitstransport • Instationäre Berechnung

[1] Wärme- Und Feuchte Instationär

3 Beispiele

3.1 Thermische Verbesserung eines konventionellen Flachdaches als „Plus-Dach"

Ein konventionelles Flachdach mit nachstehendem Aufbau sollte thermisch verbessert werden. Gleichzeitig war die altersbedingt mangelhafte Abdichtung zu sanieren. Die Fragestellung lautete, ob die vorhandenen Schichten belassen werden könnten, obwohl bei der Wärmedämmung erhöhter Feuchtigkeitsgehalt festgestellt wurde.

Aufbau von oben nach unten:

Schicht 1:	6,00 cm	gewaschener Rundkies (16/32 mm)
Schicht 2:	ca. 1,50 cm	bituminöse Abdichtung (s_d = 270 m)
Schicht 3:	6,00 cm	EPS-W 20 (λ = 0,038 W/mK, ρ = 20 kg/m³)
Schicht 4:	0,20 cm	Dampfbremse (bituminöse Abdichtung – s_d = 40 m)
Schicht 5:	i.M. 6,00 cm	Gefällebeton
Schicht 6:	4,00 cm	Aufbeton
Schicht 7:	21,00 cm	Hohlziegelkörper
Schicht 8:	1,50 cm	Innenputz (Kalk-Gips-Putz)

Die Schichten 6 und 7 sind der vereinfachte Aufbau der Ziegel-Fertigteildecke.
Bei der dynamischen Simulation ergaben sich für einen 5-jährigem Durchrechnungszeitraum in den einzelnen Schichten die in Tabelle 2 angeführten Feuchtigkeitsgehalte.

Tabelle 2: Wassergehalt der Einzelschichten des bestehenden Daches

Schicht / Material	Wassergehalt [kg/m²]			
	Anfang Rech.	Ende Rech.	Min.	Max.
Kies	10,00	13,33	6,39	24,54
Bitum. Abdichtung	0,00	0,00	0,00	0,00
EPS-W 20	0,40	2,84	0,40	2,84
Dampfbremse	0,00	0,00	0,00	0,00
Gefällebeton (i.M.)	150,00	85,36	85,36	150,84
Aufbeton	150,00	82,68	82,68	150,97
Hohlziegelkörper	100,00	29,42	28,96	100,00
Innenputz	8,00	8,46	3,99	67,90

Wie aus Tabelle 2 und der Grafik in Bild 1 ersichtlicht kommt es in der EPS-Wärmedämmung zu einer progressiven Feuchtigkeitszunahme. Auf Grund des ungünstigen Verhältnisses der s_d-Werte[2] von Abdichtung (Schicht 2) und Dampfbremse überrascht dies auch nicht.

[2] wasserdampf-diffusionsäquivalente Luftschichtdicke [in m]

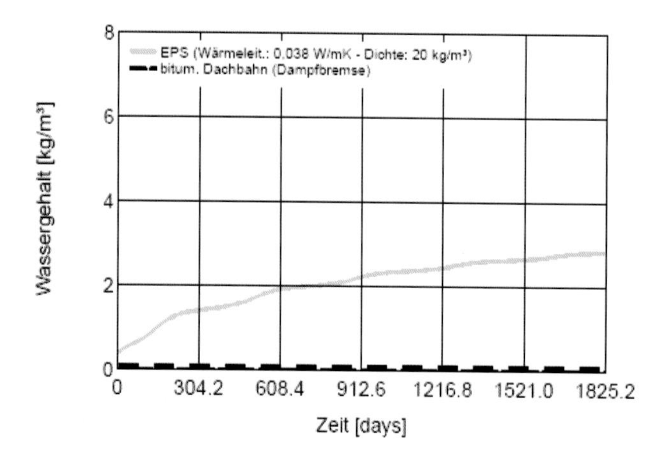

Bild 1: Wassergehalt der Schichten 3 und 4

Zur Sanierung der Abdichtung wurden die Aufbringung einer Lage Polymerbitumenbahnen (s_d = 100 m) und zur thermischen Verbesserung 14 cm extrudiertes Polystyrol (XPS-G gem. ÖNORM B 6053 [4]) vorgeschlagen. Die Kiesschicht wurde unter Zwischenschaltung eines PP-Vlieses auf die XPS-Schicht verlagert.

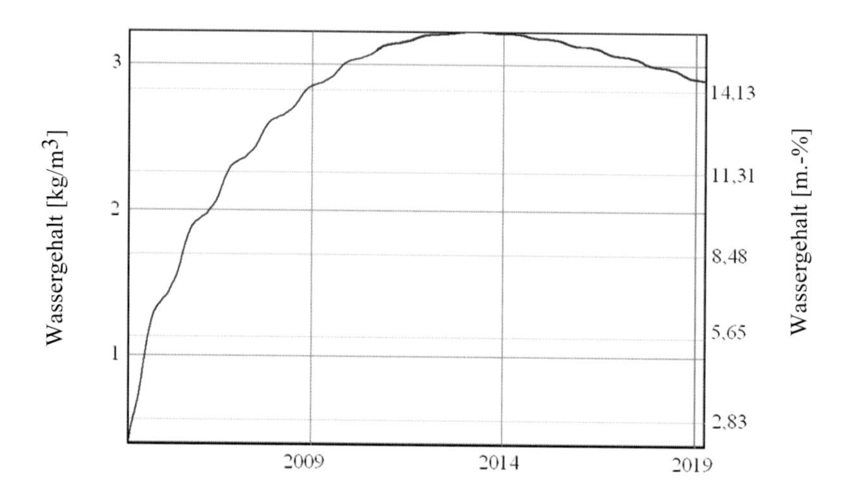

Bild 2: Wassergehalt der EPS-Dämmung über 15 Jahre

Tabelle 3: Wassergehalt der Einzelschichten des verbesserten Daches

Schicht / Material	Wassergehalt [kg/m²]			
	nach 10 Jahren		nach 15 Jahren	
	Anfang Rech.	Ende Rech.	Anfang Rech.	Ende Rech.
Kies	10,00	13,24	10,00	13,24
XPS-G gem. ÖN B 6053	0,00	1,86	0,00	1,86
Polymer-Bitumendachbahn	0,00	0,00	0,00	0,00
Bitum. Abdichtung	0,00	0,00	0,00	0,00
EPS-W 20	0,40	**3,21**	0,40	2,90
Dampfbremse	0,00	0,00	0,00	0,00
Gefällebeton (i.M.)	150,00	64,79	150,00	54,65
Aufbeton	150,00	63,39	150,00	54,34
Hohlziegelkörper	100,00	20,55	100,00	17,24
Innenputz	8,00	8,18	8,00	8,07

Die verbesserte Konstruktion wurde mittels mehrer Simulationsberechnungen über längere Zeiträume überprüft (5, 10 und 15 Jahre). In der Tabelle 3 sind die Ergebnisse der 10- und 15-jährigen Berechnungen gegenübergestellt. Dabei ist erkennbar, dass der Feuchtigkeitsgehalt in der unteren EPS-Wärmedämmschicht vorerst zunimmt; in der 15-jährigen Berechnung ist jedoch bereits eine deutliche Abnahme erkennbar. Die Grafik in Bild 2 zeigt, dass der Höhepunkt der Durchfeuchtung ungefähr im neunten Jahr erreicht ist und danach die Austrocknung beginnt. Die XPS-Zusatzdämmung pendelt sich in die natürliche Ausgleichsfeuchtigkeit ein, wobei diese – abgesehen von den witterungsbedingten Schwankungen – stabil bleibt.
In der ÖNORM B 8110-2 [6] gilt zur Vermeidung schädlicher Kondensation in Außenbauteilen unter anderem die Anforderung, dass das Kondensat in der Bauteilschicht keine solche Erhöhung des Feuchtigkeitsgehaltes verursacht, dass der Wärmedurchlasswiderstand des Bauteils um 10 % oder mehr verringert wird. Im vorliegenden Fall findet nur bei einer Schicht (der EPS-Dämmung) eine Feuchtigkeitserhöhung statt.
Die Berechnungen des Einflusses der Feuchtigkeit auf die Wärmeleitfähigkeit von Baustoffen erfolgt gemäß EN ISO 10456 [9] nach folgenden Formeln:

$$F_m = e^{f_\psi \cdot (\psi_2 - \psi_1)} \quad (1)$$

$$\lambda_f = \lambda_{tr} \cdot F_m \quad (2)$$

F_m Umrechnungsfaktor für den Feuchtigkeitsgehalt
f_ψ volumenbezogener Feuchtigkeitsumrechnungskoeffizient in m³/m³, (für EPS gilt 4 m³/m³)

ψ_1 volumenbezogener Feuchtigkeitsgehalt (= u_v)
des ersten Satzes von Randbedingungen
ψ_2 volumenbezogener Feuchtigkeitsgehalt (= u_v)
des zweiten Satzes von Randbedingungen
λ_f Wärmeleitfähigkeit des feuchten Baustoffes in W/mK
λ_{tr} Wärmeleitfähigkeit des trockenen Baustoffes in W/mK

Der maximale Wassergehalt der EPS-Dämmung beträgt 3,23 kg/m³, woraus sich ein volumenbezogener Feuchtigkeitsgehalt von $u_v = \psi_2 = 0{,}00323$ ergibt. Die Wärmeleitfähigkeit erhöht sich somit von $\lambda_{tr} = 0{,}038$ W/mK auf $\lambda_f = 0{,}038\,49$ W/mK; dies bedeutet rund + 1,3 %, womit die Unschädlichkeit der Feuchtigkeitserhöhung – auch ohne Umrechnung auf den gesamten Bauteil – nachgewiesen ist.

3.2 Konventionelles Flachdach mit PUR-Dämmung: Thermische und konstruktive Verbesserung mittels EPS-Gefälleplatten

Der nachstehende Flachdachaufbau wurde der Literatur entnommen [13]: ein mangelhaftes gefälleloses Flachdach mit 4 cm Polyurethan (= PUR) gedämmt, wurde durch Aufbringen von im Mittel 11 cm EPS-Gefälleplatten und einer neuen Abdichtung konstruktiv saniert und dämmtechnisch verbessert.
Untersuchter Aufbau von oben nach unten:

Schicht 1: ca. 0,80 cm Abdichtung: 2 Lagen Polymer-Bitumendachbahnen (oberseitig beschiefert – s_d = 400 m)
Schicht 2: i.M. 11,00 cm EPS-W 20 (λ = 0,040 W/mK, ρ = 20 kg/m³)
Schicht 3: ca. 0,40 cm Ausbesserung der ursprünglichen Abdichtung: 1 Lage Polymer-Bitumendachbahnen (s_d = 200 m)
Schicht 4: ca. 1,50 cm ursprüngliche bituminöse Abdichtung (s_d = 300 m)
Schicht 5: 4,00 cm PUR-Wärmedämmung (λ = 0,025 W/mK)
Schicht 6: 0,20 cm Dampfbremse (Bitumenbahn – s_d = 100 m)
Schicht 7: 15,00 cm Stahlbetondecke

In einem 10-jährigem Untersuchungszeitraum vor Ort konnte keine nachweisliche Austrocknung festgestellt werden. Die Feuchtigkeitsgehalte zeigten sich gegenüber den beiden vorliegenden Dokumentationen des Ursprungszustandes unverändert. Die Dachhaut befand sich in gutem Zustand und war voll funktionsfähig.
Die Berechnungen bestätigen im wesentlichen die praktischen Untersuchungen; die Ergebnisse zeigen dabei, dass die Austrocknung zuerst in der unteren PUR-Dämmung erfolgt, wobei die obere EPS-Dämmung eine zusätzliche Durchfeuchtung erfährt. Aus der nachstehenden Graphik in Bild 3, die den Wassergehalt im EPS zeigt, sieht man, dass die Austrocknung nach ca. 16 Jahren beginnt.

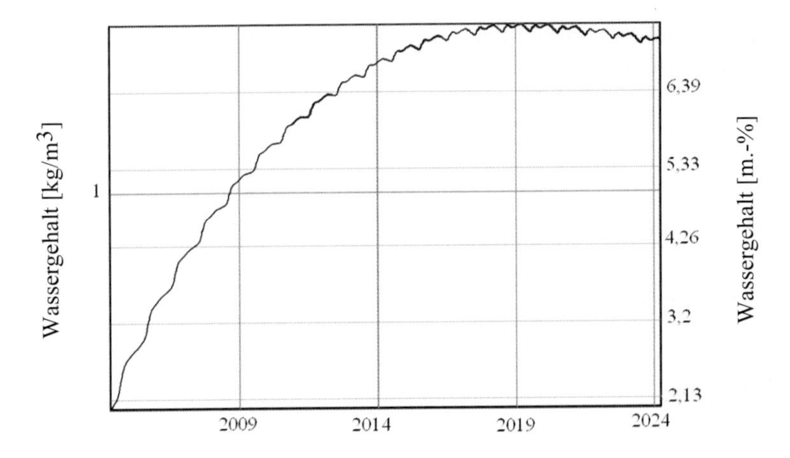

Bild 3: Wassergehalt der EPS-Dämmung über 20 Jahre

Bild 4 zeigt den Wassergehalt in der unteren PUR-Dämmung; man erkennt, dass hier die Austrocknung nach ca. 5 bis 6 Jahren beginnt.

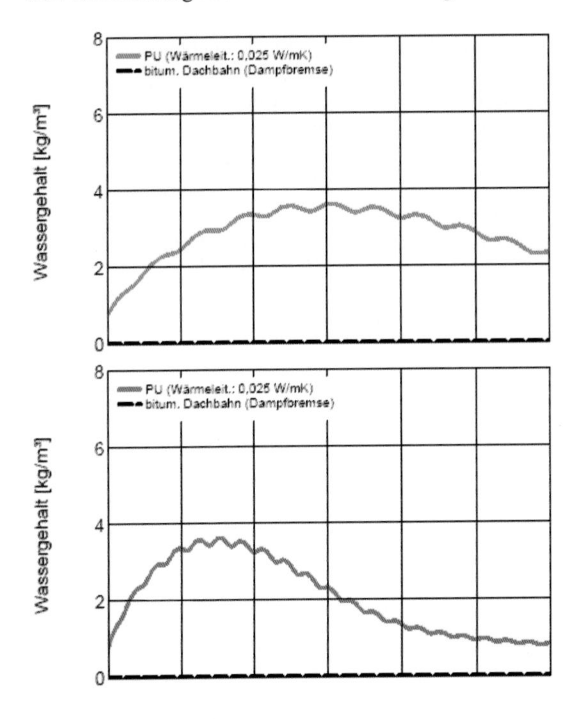

Bild 4: Wassergehalt der PUR-Dämmung über 10 und 20 Jahre

In der nachstehenden Tabelle 4 ist analog zu Tabelle 3 der Wassergehalt in den einzelnen Schichten über einen Zeitraum von 10, 15 und 20 Jahren gegenübergestellt.

Tabelle 4: Wassergehalt der Einzelschichten des Daches gemäß 3.2

Schicht / Material	Wassergehalt [kg/m²]			
		10 Jahre	15 Jahre	20 Jahre
	Anfang Rech.	Ende Rech.	Ende Rech.	Ende Rech.
Polymer-Bitumendachbahn	0,00	0,00	0,00	0,00
EPS-W 20	0,40	1,37	**1,46**	**1,42**
Polymer-Bitumendachbahn	0,00	0,00	0,00	0,00
Bitum. Abdichtung	0,00	0,00	0,00	0,00
PUR	0,80	**2,35**	**1,15**	0,85
Dampfbremse	0,00	0,00	0,00	0,00
Stahlbeton	150,00	62,45	55,63	51,91

In der Tabelle 5 sind die maximalen Feuchtigkeitsgehalte in den beiden Dämmstoffschichten aufgelistet.

Tabelle 5: Maximaler Feuchtigkeitsgehalt in den Dämmstoffschichten

		Bestand	Sanierung				
		Anfang	1 Jahr	5 Jahre	10 Jahre	15 Jahre	20 Jahre
EPS (λ=0,040 W/mK, ρ= 20 kg/m³)	Wassergeh. [kg/m³]	0,40	0,57	1,05	1,37	**1,47**	1,42
	$u_v = \psi_2$	0,00040	0,00057	0,00105	0,00137	**0,00147**	0,00142
PUR (λ=0,025 W/mK, ρ= 40 kg/m³)	Wassergeh. [kg/m³]	0,80	2,08	**3,63**	2,35	1,15	0,85
	$u_v = \psi_2$	0,00080	0,00208	**0,00363**	0,00235	0,00115	0,00085

Berechnet man wieder die Erhöhung der Wärmeleitfähigkeit der beiden Dämmstoffschichten bei der maximalen Durchfeuchtung gemäß der Formeln (1) und (2) so ergibt sich für die

- EPS-Dämmung ($u_v = \psi_2 = 0{,}00147$, $f_\psi = 4$ m³/m³): $\lambda_f = 0{,}04024$, was eine Zunahme von rund 0,6 % bedeutet, und für die
- PUR-Dämmung ($u_v = \psi_2 = 0{,}00363$, $f_\psi = 3$ m³/m³): $\lambda_f = 0{,}02527$, was einer Erhöhung von rund 1,1 % entspricht.

Man erkennt aus diesen Ergebnissen, dass auch hier keine normgemäß schädliche Durchfeuchtung vorliegt.

3.3 Flachdach gemäß 3.2 mit zusätzlicher XPS-Dämmung

Bei diesem Beispiel soll nachgewiesen werden, dass durch zusätzliches Aufbringen einer XPS-Dämmung auf die obere Abdichtung die Durchfeuchtung der darunter befindlichen Dämmstoffe reduziert werden und der Austrocknungsvorgang beschleunigt werden kann. Es wurde folgender Aufbau (von oben nach unten) berechnet:

Schicht 1: 6,00 cm Rundkies gewaschen (Ø 16/32 mm)
Schicht 2: 12,00 cm XPS-G gem. ÖN B 6053 [4]
Schicht 3: ca. 0,80 cm Abdichtung: 2 Lagen Polymer-Bitumendachbahnen (s_d = 400 m)
Schicht 4: i.M. 11,00 cm EPS-W 20 (λ = 0,040 W/mK, ρ = 20 kg/m³)
Schicht 5: ca. 1,50 cm ursprüngliche bituminöse Abdichtung (s_d = 300 m)[3]
Schicht 6: 4,00 cm PUR-Wärmedämmung (λ = 0,025 W/mK)
Schicht 7: 0,20 cm Dampfbremse (Bitumenbahn – s_d = 100 m)
Schicht 8: 15,00 cm Stahlbetondecke

Die Graphiken in den Bildern 5 und 6 zeigen (Berechnungszeitraum 15 Jahre), dass bei der EPS-Dämmung die Austrocknung bereits nach 12 Jahren und bei der PUR-Dämmung nach 4 Jahren beginnt.

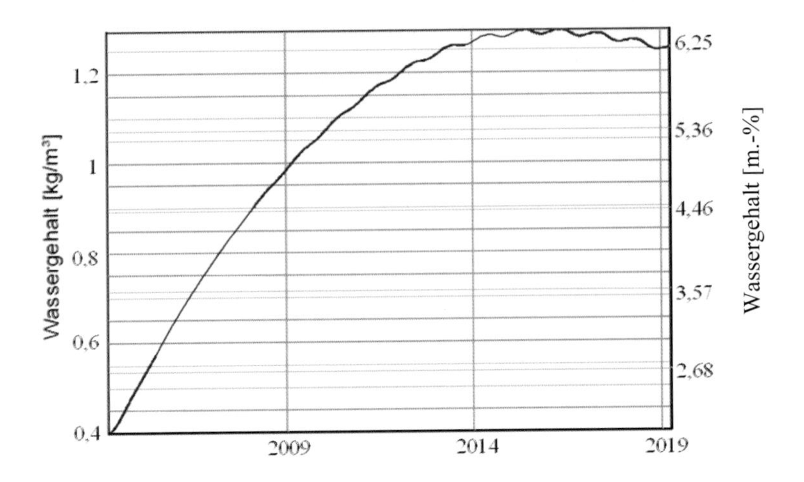

Bild 5: Wassergehalt der EPS-Dämmung

3 auf die zusätzliche Ausbesserungsabdichtung wurde wie in [13] verzichtet

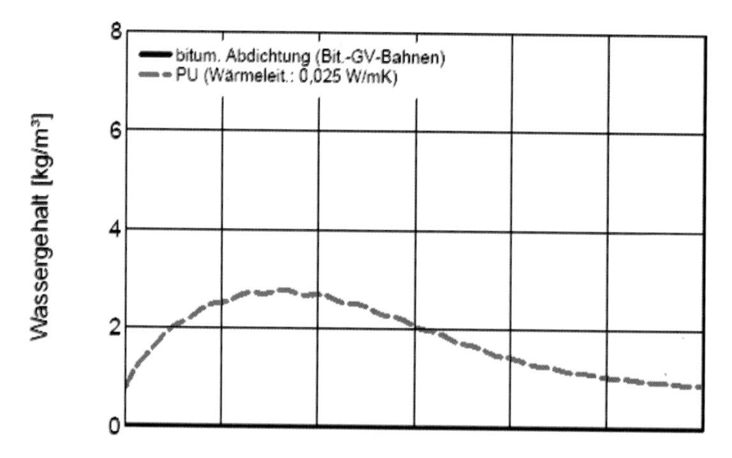

Bild 6: Wassergehalt der PUR-Dämmung

Die nachstehende Tabelle 6 zeigt wieder die maximalen Feuchtigkeitsgehalte in den beiden unteren Dämmstoffschichten. Man erkennt, dass die Durchfeuchtung in diesen durch die XPS-Zusatzdämmung tatsächlich geringer gehalten werden kann.

Tabelle 6: Maximaler Feuchtigkeitsgehalt in den Dämmstoffschichten

		Bestand Anfang	**Sanierung** 1 Jahr	5 Jahre	10 Jahre	15 Jahre	20 Jahre
EPS (λ=0,040 W/mK, ρ= 20 kg/m³)	Wassergeh. [kg/m³]	0,40	0,53	1,01	**1,28**	1,25	1,11
	$u_v = \psi_2$	0,00040	0,00053	0,00101	**0,00128**	0,00125	0,00111
PUR (λ=0,025 W/mK, ρ= 40 kg/m³)	Wassergeh. [kg/m³]	0,80	1,86	**2,79**	1,46	0,91	0,71
	$u_v = \psi_2$	0,00080	0,00186	**0,00279**	0,00146	0,00091	0,00071

Die Erhöhung der Wärmeleitfähigkeit in den beiden unteren Dämmstoffschichten bei der maximalen Durchfeuchtung, berechnet gemäß der Formeln (1) und (2), ergibt:

- EPS-Dämmung ($u_v = \psi_2 = 0{,}00128$, $f_\psi = 4$ m³/m³): $\lambda_f = 0{,}04021$; dies ergibt eine Zunahme von rund 0,5 %;
- PUR-Dämmung ($u_v = \psi_2 = 0{,}00279$, $f_\psi = 3$ m³/m³): $\lambda_f = 0{,}02521$, dies ergibt eine Erhöhung von rund 0,8 %.

Diese Ergebnisse entsprechen daher auch hier einer normgemäß unschädlichen Durchfeuchtung.

3.4 Flachdach mit zusätzlicher EPS-Dämmung und PVC-Abdichtung

Bei diesem Dach[4] wurde auf ein mit EPS gedämmtes Dach mit Bitumenabdichtung eine zusätzliche EPS-Dämmschicht appliziert und eine PVC-Abdichtung mit Gewebeeinlage aufgebracht.

Aufbau von oben nach unten:

Schicht 1:	0,18 cm PVC-Abdichtung mit Gewebeeinlage (s_d = 23,4 m)
Schicht 2:	6,00 cm EPS-W 30 (λ = 0,035 W/mK, ρ = 30 kg/m³)
Schicht 3:	ca. 1,50 cm mehrlagige bituminöse Abdichtung mit Glasvlieseinlage (s_d = 300 m)
Schicht 4:	5,00 cm EPS-W 30 (λ = 0,035 W/mK, ρ = 30 kg/m³)
Schicht 5:	0,20 cm Dampfbremse (Bitumenbahn – s_d = 100 m)
Schicht 6:	i.M. 6,00 cm Gefällebeton
Schicht 7:	15,00 cm Stahlbetondecke

Aus den Grafiken in Bild 7 und Bild 8 erkennt man, dass bei einer anfänglichen Feuchtigkeitszunahme die Austrocknung der unteren EPS-Schicht nach ca. 7 Jahren beginnt. Bei der oberen EPS-Schicht erfolgt die permanente Austrocknung nach 10 Jahren (siehe Bild 9).

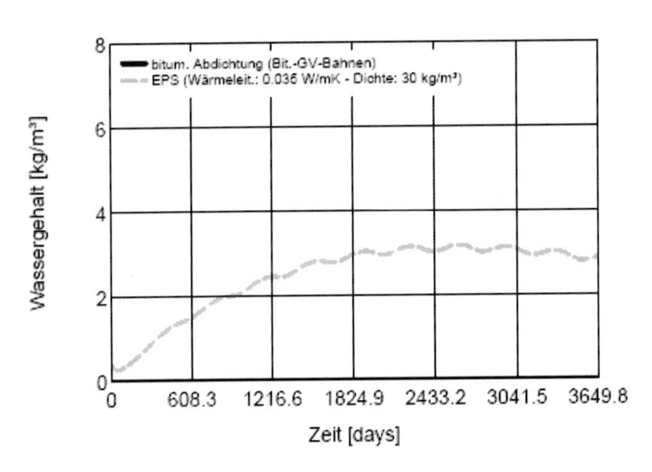

Bild 7: Wassergehalt der unteren EPS-Dämmung über 10 Jahre

[4] Aufbau aus [13]

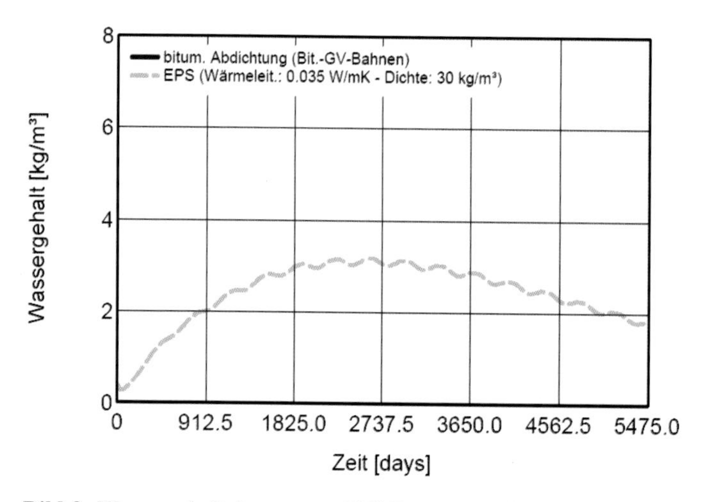

Bild 8: Wassergehalt der unteren EPS-Dämmung über 15 Jahre

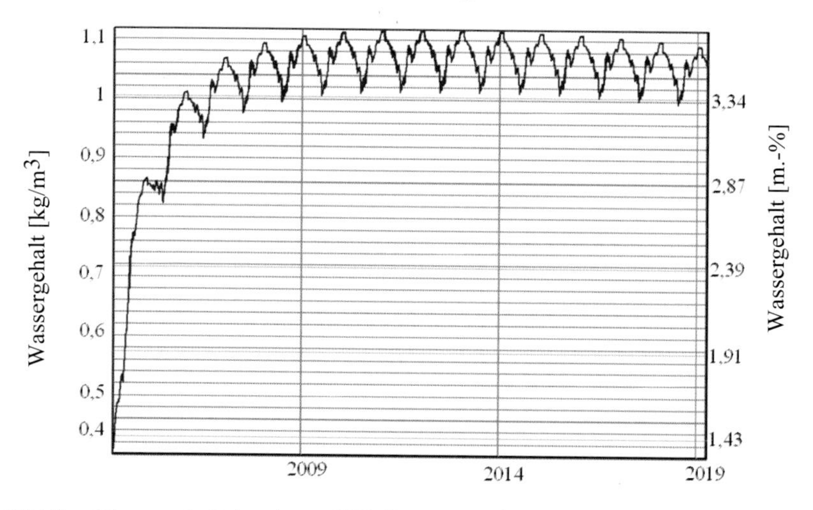

Bild 9: Wassergehalt der oberen EPS-Dämmung über 15 Jahre

Aus den in voranstehender Tabelle 7 ersichtlichen maximalen Feuchtigkeitsgehalte wurden wieder gemäß der Formeln (1) und (2) die Erhöhung der Wärmeleitfähigkeit in den beiden Dämmstoffschichten mit folgendem Ergebnis berechnet:

- EPS-Dämmung oben ($u_v = \psi_2 = 0{,}00112$, $f_\psi = 4$ m³/m³): $\lambda_f = 0{,}03516$, Erhöhung der Wärmeleitfähigkeit rund 0,4 %;

- EPS-Dämmung unten ($u_v = \psi_2 = 0{,}00319$, $f_\psi = 3$ m³/m³): $\lambda_f = 0{,}03545$, Erhöhung der Wärmeleitfähigkeit rund 1,3 %.

Auch diese Ergebnisse bedeuten eine normgemäß unschädliche Durchfeuchtung.

Tabelle 7: Maximaler Feuchtigkeitsgehalt in den Dämmstoffschichten

		Bestand	**Sanierung**				
		Anfang	1 Jahr	5 Jahre	10 Jahre	15 Jahre	20 Jahre
EPS (λ=0,040 W/mK, ρ= 30 kg/m³) oben	Wassergeh. [kg/m³]	0,40	0,87	1,08	**1,12**	1,06	1,02
	$u_v = \psi_2$	0,00040	0,00087	0,00108	**0,00112**	0,00106	0,00102
EPS (λ=0,025 W/mK, ρ= 30 kg/m³) unten	Wassergeh. [kg/m³]	0,40	1,09	2,99	**3,19**	1,85	1,17
	$u_v = \psi_2$	0,00040	0,00109	0,00299	**0,00319**	0,00185	0,00117

4 Fazit

Bei der Sanierung und thermischen Verbesserung von Flachdächern ist es im Allgemeinen nicht sinnvoll, die vorhandene durchfeuchtete Dämmschicht (inkl. der Abdichtung) zu entfernen. In der Regel ergibt sich kein normgemäß [6] schädlicher Feuchtigkeitsgehalt. Aber selbst wenn dieser überschritten wird, ist zu bedenken, dass auch eine feuchte Dämmschicht zur Gesamtdämmung beiträgt. Bei richtiger Anordnung der zusätzlichen Schichten ist langfristig in jedem Fall eine Austrocknung zu erwarten. Außerdem werden dadurch Entsorgungskosten gespart und letztlich trägt dies zur Schonung der Umwelt bei.

Literatur

[1] ÖNORM B 6000: *Werkmäßig hergestellte Dämmstoffe für den Wärme- und/oder Schallschutz im Hochbau – Arten und Anwendung*

[2] ÖNORM B 6015-2: *Bestimmung der Wärmeleitfähigkeit mit dem Plattengerät – Teil 2: Ermittlung der baustoffspezifischen Wärmeleitfähigkeit und der Referenz-Wärmeleitfähigkeit für homogene Baustoffe*

[3] ÖNORM B 6050: *Dämmstoffe für den Wärme- und/oder Schallschutz im Hochbau – Expandierter Polystyrol-Partikelschaumstoff*

[4] ÖNORM B 6053: *Dämmstoffe für den Wärme- und/oder Schallschutz im Hochbau – Extrudierter Polystyrol-Schaumstoff XPS*

[5] ÖNORM B 6055: *Dämmstoffe für den Wärme- und/oder Schallschutz im Hochbau – Polyurethan-Hartschaumstoff PUR*

[6] ÖNORM B 8110-2: *Wärmeschutz im Hochbau – Teil 2: Wasserdampfdiffusion und Kondensationsschutz*

[7] ÖNORM EN ISO 6946: *Bauteile – Wärmedurchlaßwiderstand und Wärmedurchgangskoeffizient – Berechnungsverfahren*

[8] ÖNORM EN ISO 13788: *Wärme- und feuchtigkeits-technisches Verhalten von Bauteilen und Bauelementen – raumseitige Oberflächentemperatur zur Vermeidung kritischer Oberflächenfeuchte und Tauwasserbildung im Bauteilinneren*

[9] EN ISO 10456: *Baustoffe und –produkte – Verfahren zur Bestimmung der wärmeschutztechnischen Nenn-* und Bemessungswerte

[10] ÖNORM EN 13163: *Wärmedämmstoffe für Gebäude – Werkmäßig hergestellte Produkte aus expandiertem Polystyrol* - Spezifikation

[11] ÖNORM EN 13164: *Wärmedämmstoffe für Gebäude – Werkmäßig hergestellte Produkte aus extrudiertem Polystyrolschaum* - Spezifikation

[12] ÖNORM EN 13165: *Wärmedämmstoffe für Gebäude – Werkmäßig hergestellte Produkte aus Polyurethan-Hartschaum* - Spezifikation

[13] Spilker, R., Oswald, R.: *Flachdachsanierung über durchfeuchteter Dämmschicht (Bauforschung für die Praxis,* Band 61), Stuttgart: Fraunhofer IRB Verlag 2003

[14] Künzel, H.M.: *Simultaneous Heat and Moisture Transport in Building Components.* One- and two-dimensional calculation using simple parameters. IRB Verlag 1995

[15] Holm, A., Krus, M., Künzel, H.M.: *Feuchtetransport über Materialgrenzen im Mauerwerk,* Bauinstandsetzen 2 (1996), H. 5, 375-396.

[16] Krus, M.: *Moisture Transport and Storage Coefficients of Porous Mineral Building Materials.* Theoretical Principles and New Test Methods. Fraunhofer IRB Verlag, 1996

[17] Krus, M., Künzel H.M.: *Flüssigtransport im Übersättigungsbereich.* IBP-Mitteilung 22 (1995), Nr. 270.

[18] Erhorn, H., Szerman, M.: *Überprüfung der Wärme- und Feuchteübergangskoeffizienten in Außenwandecken von Wohnbauten.* Gesundheitsingenieur 113 (1992), h. 4, S. 177-186

[19] WUFI-pro Vers. 4.01: *Programm zur Berechnung des instationären gekoppelten Wärme- und Feuchtigkeitstransports in eindimensionalen mehrschichtigen Bauteilen*

Feuchtetransport bei WU-Beton – Stand des Wissens Bauphysikalische Aspekte von Baukonstruktionen im Grundwasser

M. Friedrich
Berlin

Zusammenfassung

In dem vorliegenden Beitrag wird der derzeitige Stand der Erkenntnisse hinsichtlich der bei WU-Betonkonstruktionen zu berücksichtigenden Feuchtetransporte aufgezeigt. Wurde früher davon ausgegangen, dass ein steter Kapillartransport über Bauteilkonstruktionen aus WU-Beton erfolgt, so haben Untersuchungen aufgezeigt, dass bei ausreichend dicken Bauteilkonstruktionen ein durchgängiger Feuchtetransport nicht mehr stattfindet. Gleichwohl müssen insbesondere bei hochwertiger Nutzung rissbedingte und diffusionsbedingte Feuchtetransporte sowie die Austrocknung der Betonbauteile berücksichtigt werden. Im Rahmen des Beitrags wird hierbei auch auf die allgemeinen Anforderungen gemäß der WU-Betonrichtlinie eingegangen und praktische Empfehlungen bei durch drückendes Wasser beanspruchten WU-Betonkonstruktionen aufgezeigt.

1 Einleitung

Gründungsbauwerke aus wasserundurchlässigem Beton sind heute bei Gründungen im Grundwasser der Regelfall. Derartige Konstruktionen haben die klassische hautförmige Abdichtung, die außer einer abdichtenden Wirkung auch die Aufgabe einer Dampfsperre oder Dampfbremse erfüllt, verdrängt. Oftmals bleibt jedoch bei der Planung derartiger Konstruktionen unberücksichtigt, dass es sich bei wasserundurchlässigem Beton nicht um einen Baustoff, sondern um eine Konstruktionsart handelt. Das heißt, nur das Zusammenwirken von Betonrezeptur, rissweitenbeschränkender Bewehrung, konstruktiven Maßnahmen zur Vermeidung von Trenn- und Schalenrissen und besonderen Maßnahmen zur Abdichtung von Arbeitsfugen, Gebäudefugen und Sollrissstellen bewirkt das gewünschte wasserundurchlässige, nicht jedoch wasserdichte Bauwerk. Und hier ist man schon bei einem wesentlichen bauphysikalischen Aspekt, der bei derartigen Konstruktionen im Grundwasser zu beachten ist, nämlich dem Feuchtetransport, der durch den kapillarporösen Baustoff Beton zu erwarten ist. Der nachfolgende Beitrag zeigt hierzu den derzeitigen Stand des Wissens auf. Ebenso widmet sich der Beitrag den bauphysikalischen Aspekten, die zu berücksichtigen sind, sofern bei durch Druckwasser beanspruchten Gründungsbauwerken aus WU-Beton eine hochwertige Nutzung angestrebt wird.

2 Feuchtetransporte durch wasserundurchlässige Bauteile aus Beton

Bei wasserundurchlässigen Bauwerken aus Beton stellt sich bei Planern und Bauherren immer wieder die Frage: Kann Feuchtigkeit raumseitig anfallen und wie wasserundurchlässig bzw. -dicht sind die Bauteile des wasserundurchlässigen Bauwerks aus Beton wirklich? Diese Frage ist insbesondere immer dann von Bedeutung, wenn derartige Bauwerke eine hochwertige Nutzung erfahren sollen.
Werden wasserführende Rissbildungen, haustechnische Fehler- / Feuchtequellen und besondere nutzungsbedingte Feuchtequellen ausgeschlossen bzw. vernachlässigt, können folgende Feuchtequellen unterschiedliche Arten von Feuchtetransporten bewirken:

- Feuchte- oder Wasserbeanspruchung des Bauwerks von außen (m_K, m_D - Feuchtemenge durch kapillare Leitung und Dampfdiffusion)
- Überschusswasser im Beton (m_A - Feuchtemenge durch Austrocknung)
- Tauwasserbildung (m_T - Feuchtemenge durch Tauwasserbildung)

Der Feuchtehaushalt im Inneren des Betons steht in Wechselbeziehung mit den thermischen und hygrischen Bedingungen seiner Umgebung. Änderungen der Umgebungsbedingungen führen zu Feuchtebewegungen im Kapillargefüge des Betons, bis ein Gleichgewichtzustand erreicht ist.

Die hygrischen und thermischen Wechselwirkungen zwischen Beton und Umgebung lassen sich durch folgende Transport- und Speichermechanismen beschreiben:

- Sorption: Wassermoleküle aus der Umgebung dringen in den Baukörper ein und reichern sich dort an (Speichermechanismus)
- Diffusion: Wassermoleküle wandern aus dem Baukörper in seine Umgebung ab (Transport- / Speichermechanismus)
- Permeation: Besteht ein hygrisches Ungleichgewicht innerhalb des Körpers, so beginnt ein Ausgleichsvorgang, wobei die Poren dabei den Transportraum darstellen (Transportmechanismus)
- kapillare Leitung: Dieser Vorgang beschreibt das Aufsteigen von Flüssigkeiten in einer Kapillare, bis die durch stetige Oberflächenspannung an der Wand verursachte Kraft durch die entgegenwirkende Gewichtskraft der Flüssigkeit ausgeglichen wird (Transportmechanismus)
- Kapillarströmung: Die kapillare Strömung beruht auf den Gesetzen für laminare Strömungsvorgänge der Hydromechanik (Transportmechanismus)

Der Transport von Flüssigkeiten und Gasen im Beton wird hierbei von folgenden Parametern maßgeblich beeinflusst:

- Porosität und Porenstruktur (Anzahl, Art, Form und Größenordnung)
- Aggregatzustand und Eigenschaften des Mediums
- Wechselwirkung zwischen Baustoff und Medium (Grenzflächeneffekte)
- Antreibende Potentiale und Kräfte

Den ursprünglichen wissenschaftlichen Betrachtungen hinsichtlich des möglichen Feuchtetransports von der wasserbeanspruchten Seite zur Raumseite hin im Nutzungszustand liegen vom Grundsatz her die Betrachtungen von Kießl und Gertis [1] zugrunde. Hier wurde für kapillarporöse Baustoffe die Abhängigkeit des Feuchtetransports von drei sog. Feuchteleitkoeffizienten dargestellt. Hierbei handelt es sich um den hygrischen, den thermischen und den gesamtdruckbezogenen Feuchteleitkoeffizienten. Bei der Definition des hygrischen Feuchteleitkoeffizienten wurde zugrunde gelegt, dass bei aneinander grenzenden Kapillaren, die eine unterschiedliche Feuchtekonzentration aufweisen, das Bestreben besteht, dass die Feuchtekonzentration sich angleicht. Bei der Definition des thermischen Feuchteleitkoeffizienten wurde zugrunde gelegt, dass durch das Vorhandensein eines Temperaturgradienten auch ein Feuchtetransport bewirkt wird. Der dritte Feuchteleitkoeffizient, der sog. gesamtdruckbezogene Feuchteleitkoeffizient, berücksichtigt den Feuchtetransport, der durch einen hydrostatischen Druck (Wasserdruck) bei kapillarporösen Baustoffen bewirkt werden kann. Auf dieser Grundlage hat Cziesielski Betrachtungen zum Feuchtetransport durch Bauteile aus wasserundurchlässigem Beton durchgeführt. [2]

Cziesielski kam hierbei zu dem Ergebnis, dass z. B. bei einer Bauwerkssohle mit einer Dicke von d = 100 cm bei einer einwirkenden Wassersäule von Δh = 7,5 m eine Feuchtemenge von 4,8 g/(m^2 d) und bei einer erdberührten Außenwand mit einer Dicke von d = 35 cm und einer einwirkenden Wassersäule von Δh = 5 m eine Feuchtemenge von 13,1 g/(m^2 d) durch das Bauteil von der wasserbeanspruchten Seite zur Raumseite hin transportiert werden kann. Cziesielski wies hierbei darauf hin, dass dieser Feuchtetransport bei der Ausbildung der raumseitigen Bauteiloberflächen zu berücksichtigen ist, damit es nicht zu Schäden kommt.
Lohmeyer [3] führte gleichartige Betrachtungen durch, berücksichtigte jedoch von Cziesielski abweichende Materialkennwerte für das Feuchteverhalten des wasserundurchlässigen Betons. Wenngleich er damit bei seinen Betrachtungen zu einem deutlich geringeren Feuchtetransport kam, ergaben die Betrachtungen immer noch, dass grundsätzlich ein Feuchtetransport von der wasserbeanspruchten Seite zum Raum hin zu erwarten ist.
Da die Erfahrungen in der Praxis sehr unterschiedlich sind, griff Oswald im Rahmen der Aachener Bausachverständigentage 2004 [4] das Thema des Feuchtetransports durch Bauteile aus wasserundurchlässigem Beton als aktuelles Thema im Rahmen einer Pro-und-Kontra-Diskussion auf.
"Wassertransport in WU-Beton - Kein Problem!" war hierbei der Titel des Beitrags von Beddoe und Schießl vom Zentrum Baustoffe und Materialprüfungen der TU München. [4] Beddoe und Schießl wiesen in ihren Untersuchungen nach, dass die kapillare Steighöhe des Wassers im Beton nur anfangs nach dem Wurzel-Zeit-Gesetz von Darcy zunimmt. Je nach Porenverteilung und Wassergehalt stellt sich nach etwa einem Monat eine maximale Steighöhe zwischen 5 mm und 70 mm ein. Die Ursache für diese "Selbstabdichtung" des Betongefüges muss jedoch als noch nicht endgültig geklärt angesehen werden.
Zur Überprüfung des Einflusses der Probendicke auf den Feuchtetransport wurden unterschiedliche Feuchtemessungen durchgeführt. Zum einen erfolgte eine Betrachtung der kapillaren Wasseraufnahme und zum anderen wurde der Einfluss der relativen Raumluftfeuchte auf der vermeintlichen Verdunstungsseite und der Einfluss anstehenden Wasserdrucks überprüft.
Die Überprüfungen hinsichtlich der kapillaren Wasseraufnahme ergaben, dass ab einer Probendicke von 200 mm die kapillare Wasseraufnahme praktisch unabhängig von der Probendicke ist und von der der Luft zugewandten Oberfläche nur noch die Betoneigenfeuchte abgegeben wird. Das heißt, dass ab einer Dicke von 200 mm im Hinblick auf den Feuchtetransport lediglich die Betonaustrocknung, nicht jedoch der Feuchtetransport durchs Bauteil hindurch von Bedeutung ist.
Hinsichtlich des Einflusses der relativen Raumluftfeuchte an der Bauteiloberseite wurde festgestellt, dass ab einer Probenhöhe von 100 mm im wesentlichen nur die Eigenfeuchte abgegeben wird. Zudem ergaben die Untersuchungen, dass entgegen den Richtwerten aus der DIN 4108-4 [5] für die Wasserdiffusionswiderstandszahl

von $70 \leq \mu \leq 150$ für die betrachteten Betonproben nur eine Diffusionswiderstandszahl von rund $\mu = 15$ ermittelt werden konnte.
Im Hinblick auf den Einfluss des Wasserdrucks wurde nach dem Darcy-Gesetz folgende Formel zur Berechnung der Eindringtiefe hergeleitet:

$$h = \sqrt{t \cdot \frac{2 \cdot k \cdot H}{P}}$$

H - Eindringtiefe der Wasserfront
K - k-Wert des Betons nach Darcy
H - Druckwassersäule
T - Zeit
P - Porosität des Betons

Nach dieser Formel ist es nur eine Frage der Zeit, wann drückendes Wasser die Betoninnenseite erreicht. Neben einem Wurzel-Zeit-Verhalten lässt sich aus dieser Formel auch eine Erhöhung der Eindringtiefe nach gleicher Belastungszeit mit der Wurzel des anstehenden Wasserdrucks erwarten. Die durchgeführten Untersuchungen zeigten, dass zwar die Wassereindringtiefe tendenziell mit zunehmenden Druck steigt, aber weniger stark als nach der vorangehend hergeleiteten Formel.
Die Untersuchungsergebnisse lassen sich derart zusammenfassen, dass der Feuchtetransport in durch drückendes Wasser beanspruchten Betonbauteilen aus wasserundurchlässigem Beton durch einen luftseitigen Austrocknungsbereich von rund 80 mm Dicke und einem wasserseitigen Kapillarbereich mit einer Dicke von bis zu 70 mm beschrieben werden kann (vgl. Bild 1).

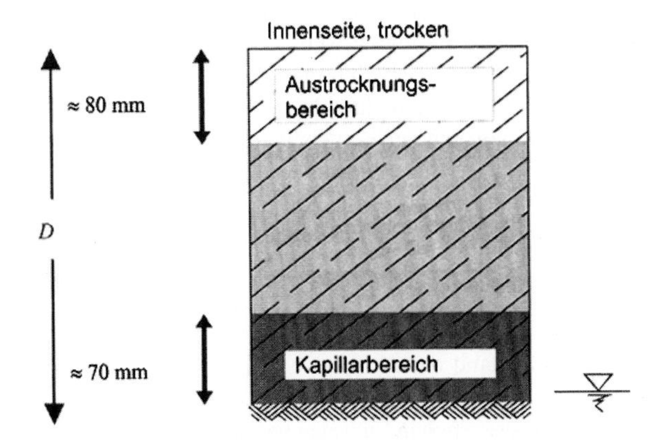

Bild 1: Arbeitsmodell für den Feuchtetransport durch Betonplatten nach [6]

Für Bauteile mit einer Dicke von D ≤ 150 mm bedeutet dies, dass sich beide Bereiche überschneiden können. Die Folge hiervon ist ein Ansteigen des Wassergehalts des Betons und ein Feuchtetransport durch den Beton.
Bei Bauteildicken von D > 150 mm ist eine Überschneidung beider Bereiche nicht gegeben. Die Folge hiervon ist, dass lediglich Eigenfeuchte auf der Innenseite verdunstet und der Feuchtetransport von außen nach innen vernachlässigbar ist. Der Feuchtetransport erfolgt hier im wesentlichen über Wasserdampfdiffusion.
Beddoe und Springenschmid [6] kommen bei ihren Untersuchungen zu dem Ergebnis, dass bei ausreichend dicken Bauteilen aus wasserundurchlässigem Beton unabhängig von der anstehenden Wasserdruckhöhe kein kapillarer Wassertransport zu berücksichtigen ist. Hierbei wird für die Bauteile eine Mindestdicke von d ≥ 200 mm empfohlen.
In gewissem Gegensatz hierzu stehen die im Rahmen der Pro-und-Kontra-Diskussion von Fechner von der TU Berlin gemachten Ausführungen. [4] Fechners Beitrag mit dem Titel "WU-Beton bei hochwertiger Nutzung: Mit Belüftung sicherer!" wies auf die Differenzen zwischen den rein rechnerisch ermittelten und den versuchstechnisch ermittelten transportierten Wassermengen hin. Die Ursache für die festgestellte Abnahme der Wasserdurchlässigkeit mit der Zeit führt er auf folgendes zurück:

- Verringerung des Porenquerschnitts infolge einer Verstopfung der Poren durch Partikel
- Verringerung des Porenquerschnitts aufgrund einer chemischen Reaktion zwischen dem Wasser und dem Zementstein
- Quellen der Kapillarwandungen.

Fechner [4] wies darauf hin, dass, wenngleich ein Kapillartransport von Wasser durch das Bauteil hindurch unabhängig vom hydrostatischen Druck und vom Schichtenaufbau nicht erfolgt, Diffusionsvorgänge nicht verhindert werden, da die Wasserdampfmoleküle durch die Kapillaren und Poren in jedem Fall transportiert werden können. Diffusionsvorgänge, die bei Bauteilen aus wasserundurchlässigem Beton im Erdreich und im Grundwasser stattfinden, sind entgegen der Betrachtung bei üblichen Außenbauteilen, wo eine Diffusion von der warmen zur kalten Seite stattfindet, vergleichsweise schwierig zu erfassen. Die Richtung der Diffusion wird nicht durch die Temperaturdifferenz bestimmt, sondern durch die Konzentrations- oder Partialdruckunterschiede des Wassers auf beiden Bauteilseiten. Das bedeutet, dass die Diffusion hier von außen nach innen gerichtet ist.
Nach Klopfer [7] kann im Mittel mit einem Diffusionsstrom von $m_D = 0{,}4\ g/(m^2d)$ im Dauerzustand und im ungünstigsten Zustand nach Lohmeyer [8] mit $0{,}5\ g/(m^2d)$ gerechnet werden. Die Menge des eindiffundierenden Wassers lässt sich unter bestimmten Voraussetzungen und Annahmen vereinfachend mit den bekannten Gesetzmäßigkeiten der Wasserdampfdiffusion entsprechend dem Glaser-Diagramm ermitteln.

$$m_D = \frac{(p_a - p_i)}{1{,}5 \cdot 10^6 \cdot \mu \cdot d_s} = \frac{\varphi_a \cdot p_{sa} - \varphi_i \cdot p_{si}}{1{,}5 \cdot 10^6 \cdot \mu \cdot (d - 0{,}07m)} \qquad \frac{g}{m^2 \cdot d}$$

m_D - Feuchtemenge infolge Wasserdampfdiffusion

p_a - Wasserdampfpartialdruck an der Wassereindringgrenze im Betonbauteil $\prod_a \cdot p_{sa}$

$\prod_a$ - relative Luftfeuchte außen (100 % = 1,0)

p_{sa} - Wasserdampfsättigungsdruck an der Wassereindringgrenze im Betonbauteil

$\prod_i$ - relative Luftfeuchtigkeit innen (z. B. 70 % = 0,7)

p_i: - Wasserdampfpartialdruck der Raumluft

$\prod_{si}$: - Wasserdampfsättigungsdruck der Raumluft

μ: - Richtwert der Wasserdampf-Diffusionswiderstandszahl $70 \leq \mu \leq 150$ nach [5] oder $\mu = 15$ nach [9]

$1{,}5 \cdot 10^6$ - feststehender Zahlenfaktor (Kehrwert des Wasserdampf-Diffusionsleitkoeffizienten)

D - Bauteildicke

d_s - d - 0,07 m ≈ Bauteildicke in m, in der die Diffusion nach innen stattfindet, d. h. abzüglich des wasserseitigen Kapillarbereichs nach [9]

Neben der Diffusion ist aber auch - wie die vorangehenden Ausführungen darlegen, die Austrocknung der "Baufeuchte" des Betons von Bedeutung. Wenngleich durch die Verwendung von Betonzusatzmitteln das sog. Überschusswasser, das zur Hydratation des Zements während der Erhärtung nicht gebraucht wird, reduziert wird, treten Austrocknungsvorgänge dennoch auf. Die Austrocknung des Überschlusswassers ist ein instationärer Vorgang, der nach Klopfer [7] z. B. mit einer Computersimulation erfasst werden kann. Entsprechend den Untersuchungen von Beddoe und Springenschmid [6] kann angenommen werden, dass es zur oberflächennahen Austrocknung des Betons bis zu einer Tiefe von t ≈ 80 mm kommt. In diesem Austrocknungsbereich von 80 mm wird erwartet, dass sich hier die Ausgleichsfeuchte einstellt.
Nach Lohmeyer und Ebeling [8] kann die infolge Überschusswasser im Beton und Austrocknung der Betonbauteile auftretende Wassermenge unter baupraktischen Bedingungen mit $m_A \leq 10$ g/(m²·d) angenommen werden. Damit ergibt sich ein Verhältnis zwischen den diffusionsbedingt anfallenden Feuchtemengen und den durch Austrocknung des Überschusswassers im Beton anfallenden Feuchtemengen von $m_D{:}m_A = 1{:}20$. Die insbesondere während des ersten Jahres nach der Herstellung beim Austrocknen der Betonbauteils austretende Wassermenge m_A kann rechnerisch unter Berücksichtigung der Betonrezeptur, dem Hydratationsgrad des Betons sowie des chemisch und physikalisch gebundenen Wassers und einer zu berücksichtigenden Ausgleichsfeuchte wie folgt rechnerisch abgeschätzt werden.

$$m_A = \frac{(z \cdot \frac{w}{z - 0{,}42}) + (\Delta H \cdot 0{,}42 \cdot z) - (\rho_{Beton} \cdot m_{Ausgleichsfeuchte})}{t} \cdot d_{Austrocknungsbereich} \qquad \frac{g}{m^2 \cdot d}$$

m_A	- Feuchtemenge infolge Austrocknung des Überschusswassers im Beton
z	- Zementgehalt
w	- Wassergehalt
w/z	- Wasserzementwert
0,42	- Zur vollständigen Hydratation des Betons erforderlicher
	- Wasserzementwert, chemisch und physikalisch gebundenes Wasser
ρ_{Beton}	- Rohdichte des Betons
H	- Hydratationsgrad (zeitabhängig) in %
ΔH	- ΔH = 100 - H in %
$m_{Ausgleichsfeuchte}$	- Ausgleichsfeuchte des Betons in Gew.-%
$d_{Austrocknungsbereich}$	- Austrocknungsbereich nach [9] auf der trockenen Innenseite mit $d_{Austrocknungsbereich} = 0{,}08$ m
t	- Zeit, z. B. t = 365, durchschnittliche Anzahl der Tage pro Jahr

Bei einer hochwertigen Nutzung und einem feuchteempfindlichen Ausbau kommt diesem Austrocknungsprozess insbesondere in den ersten beiden Jahren eine besondere Bedeutung zu.
Bei hochwertig genutzten Gründungsbauwerken muss insbesondere bei den erdberührten und grundwasserbeanspruchten Bauteilen der während der Frühjahrs-, Sommer- und Herbstmonate auftretende Wärmestromabfluss berücksichtigt werden. Dies gilt natürlich nicht nur für wasserundurchlässige Gründungsbauwerke aus Beton, sondern für Gründungsbauwerke jeglicher Bauart. Gegenüber den luftberührten und durch solare Einflüsse erwärmten Bauteilen findet insbesondere im Bereich der grundwasserbeanspruchten Bauteile auch im Sommer ein Wärmestromabfluss statt. Dieser bewirkt eine Absenkung der raumseitigen Oberflächentemperaturen im Vergleich zur Raumluft. Unter Berücksichtigung dieser Tatsache kann es außerhalb der sog. Heizperiode in Wechselwirkung mit dem Außenklima im Bereich hochwertig genutzter Gründungsbauwerke zu Raumklimasituationen kommen, die zu einer erhöhten sorptionsbedingten Bauteilfeuchte mit der möglichen Folge des Schimmelpilzbefalls und der Tauwasserbildung führen. Vor diesem Hintergrund ist es daher insbesondere im Bereich hochwertig genutzter Gründungsbauwerke notwendig, eine optionale Sommerbeheizung vorzusehen.
In einem dritten Beitrag im Rahmen der Pro-und-Kontra-Diskussion [4] berichtet Oswald über praktische Erfahrungen bei 14 untersuchten hochwertig genutzten Räumen in WU-Betonbauwerken. Bei der Auswahl der Objekte war ausschlaggebend, dass die Objekte eindeutig ständig grundwasserbeansprucht waren. Zudem war Voraussetzung, dass die Bauteile außenseitig keine zusätzlich kapillardichtenden Außenschichten aufwiesen. Eine weitere Voraussetzung war, dass die Gebäude mindestens

fünf Jahre in Betrieb sein mussten. In der Zusammenfassung seiner Untersuchung kommt Oswald zu folgenden Ergebnissen:

- Bei allen Objekten war bei einer Nutzungsdauer von mindestens neun Jahren eine höherwertige Nutzung ohne Einschränkungen möglich.
- In keinem Fall wurde trotz dampfsperrenden innerer Abdeckungen flüssiges Wasser auf der Betonoberfläche festgestellt.
- In den Räumen wurde in keinem Fall über erhöhte Luftfeuchte berichtet.
- Der Feuchtegehalt des oberflächennahen Betons lag unabhängig von der Art der Abdeckung bei fast allen Objekten bei ca. 4 M.-% und damit zwar deutlich über der Ausgleichsfeuchte, aber ebenso deutlich unterhalb der Sättigungsfeuchte.
- Weiterhin wurde festgestellt, dass eine Unterlüftung von Dämmschichten in der Regel ungünstig ist.
- Holzwerkstoffe sollten in diesen Bauteilen nicht unter dampfsperrenden Schichten eingebaut werden.

Der Stand der Erkenntnisse hinsichtlich des Feuchtetransports durch wasserundurchlässige Bauteile aus Beton lässt sich derart zusammenfassen, dass der ursprünglich als bedeutend angesehene auf den Kapillartransport zurückzuführende Feuchtetransport von der wasserbeaufschlagten Seite zur Raumseite hin ab Bauteildicken von $d \geq 20$ cm weitestgehend vernachlässigbar ist. Gleichwohl muss bei der Planung im Hinblick auf mögliche hochwertige Ausbauten ein Feuchtetransport infolge der Austrocknung von Bauteilen sowie auch der diffusionsbedingte Feuchtetransport Beachtung finden. Des weiteren ist insbesondere bei hochwertig genutzten Räumen in Gründungsbauwerken die Wechselwirkung zwischen Bauteiltemperaturen und Raumklima zu berücksichtigen.

3 DAfStb-Richtlinie - Wasserundurchlässige Bauwerke aus Beton (Ausgabe November 2003)

3.1 Vorbemerkungen

Im November 2003 wurde erstmals eine Richtlinie für die Ausführung von WU-Beton-Konstruktionen vom Deutschen Ausschuss für Stahlbetonbau herausgegeben. Die sog. "WU-Beton-Richtlinie" regelt hierbei die Bemessung und Ausführung von WU-Beton-Konstruktionen und kann als anerkannte Regel der Technik angesehen werden. Die Richtlinie wurde 2006 durch das Heft 555 des DAfStb als Erläuterung der WU-Beton-Richtlinie ergänzt.
Im nachfolgenden wird hinsichtlich der Anforderungen der WU-Beton-Richtlinie wie folgt differenziert:

- Grundlagen der WU-Beton-Richtlinie (vgl. Abschnitt 3.2)
- Trennrisse - Gewährleistung der Gebrauchstauglichkeit (vgl. Abschnitt 3.3)

3.2 Grundlagen der WU-Beton-Richtlinie

In der WU-Richtlinie [9] wird nunmehr für wasserundurchlässige Bauwerke aus Beton davon ausgegangen, dass ein Kapillartransport (kapillare Leitung und Kapillarströmung) durch die Bauteile hindurch unabhängig vom hydrostatischen Druck und vom Schichtenaufbau der Bauteile nicht erfolgt.
Dem Thema "Feuchtetransport" widmet sich die WU-Richtlinie [9] in unterschiedlichen Abschnitten. Die Richtlinie differenziert zu allererst zwischen zwei Beanspruchungsklassen. Die Beanspruchungsklasse 1 gilt für Bauwerke, die durch drückendes, nichtdrückendes und zeitweise aufstauendes Sickerwasser beansprucht werden. Die Beanspruchungsklasse 2 gilt für die Fälle, bei denen lediglich eine Beanspruchung durch Bodenfeuchte oder nichtstauendes Sickerwasser zu erwarten ist.
Neben den Beanspruchungsklassen berücksichtigt die Richtlinie noch sog. Nutzungsklassen. Für Bauwerke oder Bauteile der Nutzungsklasse A ist ein Feuchtetransport in flüssiger Form (Wasserdurchtritt durch den Beton durch Fugen, Arbeitsfugen und Sollrissquerschnitte, durch Einbauteile und Risse) nicht - auch nicht temporär - zulässig, d. h. feuchte Stellen auf der Bauteiloberfläche als Folge von Wasserdurchtritt sind durch in der Planung vorzusehende Maßnahmen auszuschließen. Falls zusätzlich zu diesen Anforderungen die Bauteiloberflächen ohne Tauwasserbildung, trockenes Raumklima oder beides gefordert werden, müssen in der Planung entsprechende raumklimatische (z. B. Heizung, Lüftung zur Abführung der Baufeuchte) und bauphysikalische Maßnahmen (z. B. Wärmeschutz zur Vermeidung von Oberflächentauwasser) vorgesehen werden.
Für Bauwerke oder Bauteile der Nutzungsklasse B sind feuchte Stellen auf der Bauteiloberfläche, temporär wasserführende Risse bis zur Selbstheilung und Risse mit längerfristig feuchten Rissufern durchaus zulässig. Das heißt, es wird im Gegensatz zur Nutzungsklasse A nur eine begrenzte Wasserundurchlässigkeit gefordert. Feuchtstellen dürfen in Bereichen von Trennrissen, Sollrissquerschnitten, Fugen und Arbeitsfugen vorhanden sein. Feuchtstellen sind im Sinne dieser Definition feuchtebedingte Dunkelverfärbungen, ggf. auch die Bildung von Wasserperlen an diesen Stellen, nicht jedoch solche Wasserdurchtritte, die mit auf der Bauteiloberfläche angesammelten Wassermengen verbunden sind. Falls für die Nutzungsklasse B ein trockenes Raumklima gefordert wird, sind wiederum die Anforderungen der Nutzungsklasse A zu berücksichtigen.
Eine klare Definition, welche Raumnutzung welcher Nutzungsklasse zuzuordnen ist, enthält die Richtlinie nicht. Leider sind hier auch den Erläuterungen zur WU-Beton-Richtlinie (Heft 555) keine eindeutigen Hinweise zu entnehmen. Gleichwohl muss die Entscheidung, welche Nutzungsklasse zu berücksichtigen ist, vom Bauherrn getroffen werden. Das heißt, der Planer muss den Bauherrn über die unterschiedlichen Nutzungsklassen, deren "gewöhnliche" Zuordnung und deren Vor- und Nachteile informieren, damit der Bauherr die Entscheidung treffen kann, welche Qualität sein Bauwerk aufweisen soll! Durch die WU-Betonrichtlinie wird die durch die Bean-

spruchungsklasse und Nutzungsklasse definierte Qualität zu einem wesentlichen Beschaffenheitsmerkmal.

3.3 Trennrisse - Gewährleistung der Gebrauchstauglichkeit

Den Ausführungen des Abschnitts 2 konnte der Stand des Wissens hinsichtlich der (baustoffbedingten) Feuchtetransporte durch wasserundurchlässige Bauteile aus Beton entnommen werden. Wasserführende Trennrisse wurden bei diesen Betrachtungen ausdrücklich nicht berücksichtigt. Da, wie bereits erwähnt, Stahlbetonkonstruktionen als "gerissene Bauweise" einzuordnen sind, gehören Rissbildungen und somit vom Grundsatz her auch wasserführende Rissbildungen zur Bauart von WU-Betonkonstruktionen.
Im nachfolgenden wird die Situation einer WU-Beton-Konstruktion betrachtet, bei der die Anforderungen der Nutzungsklasse A (hochwertige Nutzung) zu erfüllen sind und die Beanspruchungsklasse 1 vorliegt und ein Feuchtedurchtritt über Trennrisse somit vermieden werden muss. Bei Nutzungsklasse A und Beanspruchungsklasse 2 ist auch bei vorliegenden Trennrissen kein kapillarer Feuchtedurchtritt zu erwarten, da die hierfür notwendige Wasserbeanspruchung nicht vorliegt. Bei der Nutzungsklasse B (untergeordnete Nutzung) sind grundsätzlich auch Feuchtetransporte über Rissbildungen zulässig. Gleichwohl darf es hier nicht zu Pfützenbildungen oder ablaufendem Wasser auf der raumseitigen Bauteiloberfläche kommen.
Zur Erfüllung der Anforderungen der Nutzungsklasse A sind bei einer Beanspruchungsklasse 1 (drückendes Wasser, nichtdrückendes Wasser, zeitweise aufstauendes Sickerwasser) Feuchtstellen auf der Bauteiloberfläche durch Wasserdurchtritt sowie wasserführende Risse - auch temporär - auszuschließen.
Zur Gewährleistung der Gebrauchstauglichkeit im Hinblick auf die Vermeidung bzw. Begrenzung von Rissen durch die gesamte Dicke wasserundurchlässiger Bauteile unterscheidet die WU-Richtlinie grundsätzlich drei Entwurfsgrundsätze:

(a.) Vermeidung von Trennrissen durch konstruktive, betontechnische und ausführungstechnische Maßnahmen (Bauweise ohne unkontrollierte Trennrisse)
(b.) Begrenzung der Trennrissbreiten unter Ausnutzung der Selbstheilung der Risse (Bauweise mit beschränkter Rissbreite)
(c.) Begrenzung der Trennrissbreite nach den Anforderungen der DIN 1045-1 an die Dauerhaftigkeit in Kombination mit Dichtungsmaßnahmen (Bauweise mit zugelassenen Trennrissen)

Um den Anforderungen der Nutzungsklasse A zu genügen, muss berücksichtigt werden, dass auch bei der Vorgehensweise nach dem Entwurfsgrundsatz a - Vermeidung von Trennrissen durch konstruktive, betontechnische und ausführungstechnische Maßnahmen - unerwartet auftretende wasserführende Trennrisse nicht mit an Sicherheit grenzender Wahrscheinlichkeit zu verhindern sind.

Bei dem Entwurfsgrundsatz b - Begrenzung der Trennrissbreiten unter Ausnutzung der Selbstheilung der Risse - ist zu berücksichtigen, dass die Wahrscheinlichkeit der Einhaltung von rechnerischen Rissbreiten mit abnehmender rechnerischer Rissweite in einem erheblichen Umfang abnimmt. Untersuchungen zur Wahrscheinlichkeit der Einhaltung von rechnerischen Rissweiten ergaben, dass bei einem Rechenwert der Rissbreite von w_k = 0,30 mm die Wahrscheinlichkeit der Einhaltung dieser Rissbreite ca. 90 % beträgt. Bei einem Ansatz der rechnerischen Rissbreite mit w_k = 0,10 mm hingegen ist die Wahrscheinlichkeit der Einhaltung der Rissbreite am Objekt mit nur noch mit ca. 70 % zu erwarten. Somit können Trennrisse, deren Breite über dem entwurfsmäßig festgelegten Wert liegt, nicht ausgeschlossen werden. Für Trennrisse, deren Breite im Bereich des entwurfsmäßig festgelegten Werts liegt, ist zu berücksichtigen, dass die Selbstheilung des Betons erst durch entsprechend anstehendes Wasser und einen temporären Wasserdurchtritt aktiviert wird. Der Wasserdurchtritt und der damit einhergehende Selbstheilungseffekt des Betons kann hierbei mehrere Wochen betragen.
Dem Entwurfsgrundsatz c liegt zugrunde, dass hier ebenfalls die Trennrissbreite begrenzt wird, jedoch planmäßig Dichtmaßnahmen vorgesehen werden.
Somit gilt für alle vorbenannten Entwurfsgrundsätze, dass für unerwartet entstandene Trennrisse bzw. für Trennrisse, deren Breite über dem entwurfsmäßig festgelegten Wert liegt, planmäßig Dichtmaßnahmen vorzusehen sind.
Undichtheiten, hervorgerufen durch wasserführende Trennrisse, werden in der Regel planmäßig durch raumseitige Injektion abgedichtet. Das Füllen von Rissen erfolgt hierbei mit abdichtenden Stoffen nach der DAfStb-Richtlinie "Richtlinie für Schutz und Instandsetzung von Betonbauteilen" Teil 2. Die Injektion ist hierbei vielfach in mehreren Durchgängen durchzuführen bzw. nach einem angemessenen Zeitraum zu wiederholen.
Bei innenseitig durch Oberflächenschichten und /oder Einbauten verdeckten WU-Baukörpern wird der Aufwand für die nachträgliche, innenseitige Beseitigung von Undichtheiten erfahrungsgemäß weniger durch den unmittelbaren Verschluss der Leckstelle als vielmehr durch die Arbeiten bestimmt, die notwendig werden, um die Leckstelle zu orten und für Abdichtungsarbeiten zugänglich zu machen.
Im Zusammenhang mit dem Feuchtetransport bzw. mit den bei der Planung zu berücksichtigenden möglichen Maßnahmen sind auch folgende Ausführungen der WU-Richtlinie [3] zu berücksichtigen:

WU-Bauwerke ermöglichen auf einfache Weise die nachträgliche Abdichtung von Undichtheiten, wenn die Zugänglichkeit gegeben ist. Nach den Entwurfsgrundsätzen des Abschnitts 7 aus Gründen der Nutzungsanforderungen werden Trennrisse in Kauf genommen und erforderlichenfalls planmäßig vorgegebene Abdichtungsmaßnahmen ergriffen werden sollen, sind die Zugänglichkeiten in der Planung mit verhältnismäßigem Aufwand zu ermöglichen. Dies schließt auch die Berücksichtigung der Folgen ggf. später auftretender Einwirkungen ein. Dies gilt insbesondere dann, wenn die zugrunde gelegte Beaufschlagung mit Feuchte oder Wasser bis zum Beginn der Nutzung noch nicht ansteht.

Der WU-Richtlinie ist diesbezüglich zu entnehmen, dass die raumseitige Zugänglichkeit der wasserbeaufschlagten Außenbauteile durch Festlegungen in der Planung mit verhältnismäßigem Aufwand zu ermöglichen ist. Was noch als "verhältnismäßiger Aufwand" anzusehen ist, muss im Einzelfall entschieden werden. Es geht dabei um das Abwägen des zusätzlichen Aufwands für die Sicherstellung einer leichteren Zugänglichkeit mit den möglichen späteren Kosten der Mängelbeseitigung.
Den Erläuterungen zur WU-Richtlinie vom Deutschen Ausschuss für Stahlbeton [11] ist hierzu folgender Wortlaut zu entnehmen:

So wird im Regelfall das Aufnehmen eines kleinflächigen Werksteinbelags oder schwimmenden Estrichs und üblichen Trockenbau-Wandbekleidungen in einem Wohnhauskeller nicht als "unverhältnismäßiger Aufwand" zu bewerten sein. Die aufwendige Demontage eines größeren Aggregats oder die Entfernung umfangreicher Installationen, die ggf. sogar mit Betriebsunterbrechungen verbunden sind und daher weitere hohe Folgekosten erzeugen, wird als "unverhältnismäßig hoher Aufwand" angesehen.

Diese Passagen beinhalten ein hohes Maß an Verantwortung, das bei dem Planer liegt. Sie legt nämlich fest, dass, sofern z. B. eine Druckwasserbelastung erst zu einem späteren Zeitpunkt eintritt und bei absehbar schweren Schäden infolge möglicher Leckagen, der Planer auf die möglichst einfache Zugänglichkeit der inneren Bauteiloberfläche zu achten hat. Hieraus ließe sich nach Oswald [4] der Schluss ziehen, dass im Schadensfall eine schwere Zugänglichkeit der Innenoberfläche als Planungsmangel gewertet werden kann. Oswald geht sogar soweit, dass er meint, dass insbesondere bei einer sehr hochwertigen Nutzung bzw. bei einem hohen Schadensrisiko ggf. doch "Schwarze Wannen" im Vergleich zur Weißen Wannen, auch unter dem Aspekt der Haftungsfolgen, vorteilhafter sein können.
Eine wesentliche Planungsaufgabe bei der Errichtung wasserundurchlässiger Bauwerke aus Beton ist somit die (bauphysikalische) Festlegung und Beurteilung von Abdichtungsmaßnahmen unter Berücksichtigung der vereinbarten Nutzung bzw. Nutzungsklasse einschließlich der Beurteilung der Zugänglichkeiten zur Durchführung planmäßig zu berücksichtigender nachträglicher Abdichtungsmaßnahmen. Dies schließt auch die Berücksichtigung der Folgen ggf. später auftretender Einwirkungen ein, insbesondere dann, wenn die zugrundegelegte Beaufschlagung mit Feuchte oder Wasser bis zum Beginn der Nutzung noch nicht ansteht.
Die Ausführungen verdeutlichen, dass im Zusammenhang mit der "Gefahr" auftretender wasserführender Trennrisse bauphysikalisch sinnvolle Abdichtungsmaßnahmen in Abhängigkeit von der vorgesehenen Nutzung und dem Inventar festzulegen sind. Die Überprüfung, Festlegung und Beurteilung von Abdichtungsmaßnahmen be-

schränkt sich hierbei nicht nur auf die Raumbereiche, die ohnehin einen leicht erkennbaren hochwertigen Ausbau erfahren sollen, sondern auch auf die Bereiche, in denen technische Gebäudeausrüstung installiert werden soll. Ein Großteil der technischen Gebäudeausrüstung befindet sich vielfach in den druckwasserbeanspruchten Untergeschossen von Gebäuden. Die Installationen erfolgen hierbei auch planmäßig an den druckwasserbeanspruchten Außenwänden und unmittelbar auf der Bauwerkssohle, so dass die Einsehbarkeit und Zugänglichkeit der Bauteile nachhaltig eingeschränkt wird.
Zur Sicherung der Gebrauchstauglichkeit werden somit vielfach zusätzliche Maßnahmen zur Vermeidung wasserführender Trennrisse bzw. zur Vermeidung von Folgeschäden notwendig. Hierbei kann grundsätzlich wie folgt differenziert werden:

- Zusätzliche außenseitige Abdichtungsmaßnahmen
- Zusätzliche raumseitige Abdichtungsmaßnahmen
- Raumseitige Anordnung von Vorsatzschalen / Doppelböden
- Anordnung von raumseitigen Entwässerungen
- o. Ä.

4 Praktische Empfehlungen bei hochwertiger Nutzung

Die Erkenntnis aus der Diskussion, ob und wie viel Feuchtigkeit durch Bauteile aus wasserundurchlässigem Beton hindurch transportiert wird, ist, dass man derzeit davon ausgehen kann, dass Feuchtigkeit in dem Umfang, wie ursprünglich prognostiziert, nicht durch Bauwerksteile aus wasserundurchlässigem Beton hindurch transportiert wird. Vielmehr kann davon ausgegangen werden, dass ab Bauteildicken von $d \geq 20$ cm ein kapillar angeregter Feuchtetransport durch derartige Bauteile vernachlässigbar ist. Zu beachten ist jedoch, die Gefahr wasserführender Rissbildungen. Unabhängig hiervon müssen jedoch Diffusionsvorgänge und Austrocknungsvorgänge Beachtung finden. Die hierbei zu erwartenden Feuchtemengen lassen sich entsprechend der Erläuterungen in Abschnitt 2. abschätzen. Dies erscheint insbesondere dann angezeigt, wenn eine besonders hochwertige Nutzung von Gründungsbauwerken aus wasserundurchlässigem Beton vorgesehen ist. Hierbei muss der Planer sehr genau prüfen, welche Oberflächenbehandlung zu welchem Zeitpunkt aufgrund des zu erwartenden Feuchtetransports möglich und geeignet ist bzw. ob zusätzliche Maßnahmen zur Reduzierung des Feuchtetransports anzuraten sind.
In "strenger" Auslegung der WU-Beton-Richtlinie unter Berücksichtigung des Hefts 555 des DafStb wäre bei Nutzungsklasse A und Beanspruchungsklasse 1 nur der Entwurfsgrundsatz a "Vermeidung von (wasserführenden) Rissbildungen" anwendbar. Da es hierfür jedoch noch kein "anerkanntes" Nachweisverfahren gibt und im Regelfall kein Tragwerksplaner eine WU-Betonkonstruktion als Trennrissfrei bescheinigen wird, ist vom Grundsatz her nur ein Ausweichen auf den Entwurfsgrundsatz C möglich. Wie auch den Ausführungen des Abschnitts 3.3 zu entnehmen ist,

wird hierbei eine Rissweitenbegrenzung in Kombination mit Dichtmaßnahmen vorgesehen. Im Sinne der WU-Beton-Richtlinie ist hierbei unter Dichtmaßnahme jedoch vom Grundsatz her nur das nachträgliche Verpressen von Rissbildungen zu verstehen, wozu eine Zugänglichkeit zum Bauteil zu gewährleisten ist. Aus bauphysikalischer und baupraktischer Hinsicht lassen sich jedoch auch hierunter folgende Abdichtungsmaßnahmen verstehen:

- Gewährleistung der Zugänglichkeit

Wird der Entwurfsgrundsatz c zu Grunde gelegt, so ist zur Gewährleistung der Möglichkeit der nachträglichen Rissverpressung die Zugänglichkeit auch im Nutzungszustand zu gewährleisten.

Die Zugänglichkeit erdberührter Außenwände ist im Regelfall gewährleistet, sofern unmittelbar vor den Außenwänden keine Bekleidungen (z.B. Abkofferungen o. glw.) angeordnet werden. Tritt jedoch ein wasserführender Riss auf, so liegt im Regelfall gleich ein "optischer" Mangel vor, der sofort beseitigt werden kann.

Die "einfachste" Gewährleistung der Zugänglichkeit der Bauwerkssohle bei einer hochwertigen Nutzung besteht in der Anordnung eines Doppelbodens, bei dem an "jeder" Stelle durch hochnehmen einer Bodenplatte eine Einsichtnahme möglich ist. Wärmedämmmaßnahmen müssten in diesem Fall jedoch "außenseitig" ausgeführt werden.

- Raumseitige Abdichtungsmaßnahmen

Unter bestimmten Randbedingungen können grundsätzlich raumseitige Abdichtungsmaßnahmen vorgesehen werden. Im Regelfall handelt es sich hierbei um bahnenförmige Abdichtungen aber auch um Beschichtungen, die eine entsprechende Rissüberbrückung aufweisen. Die Abdichtungssysteme müssen für eine rückwärtige Feuchtebeanspruchung geeignet sein. Derartige Systeme sind jedoch nur bei geringen Druckwasserbeanspruchungen als geeignet anzusehen, da sich im Bereich des Trennrisses ein hydrostatischer Wasserdruck einstellen kann.

Gute Erfahrungen wurden bei Bauwerkssohlen mit in Bitumenkautschuk verlegten Polymerbitumenabdichtungsbahnen gemacht, da eine durchgehende Bitumenkautschukschicht Wasserhinterläufigkeiten zwischen Abdichtung und Beton vermeidet. Die Anwendungsgrenzen müssen jedoch objektspezifisch untersucht und festgelegt werden.

Bei erdberührten Außenwänden kann die raumseitige Anordnung von rissüberbrückenden Zementären Dichtungsschlämmen als durchaus geeignete Abdichtungsmaßnahme angesehen werden.

- Außenseitige Abdichtungsmaßnahmen

Grundsätzlich stellen auch außenseitig angeordnete zusätzlichen "Abdichtungsmaßnahmen" eine geeignete Maßnahme zur Vermeidung von Feuchtetransporten über

Rissbildungen dar. Als zusätzliche abdichtende Maßnahme können hier grundsätzlich folgende Maßnahmen vorgesehen werden:

- Bituminöse Bahnenabdichtungen

Grundsätzlich wäre es denkbar, zur Vermeidung wasserführender Trennrisse außenseitig eine bituminöse Bahnenabdichtung im Sinne der Abdichtungsnorm DIN 18 195 anzuordnen. Im Bereich erdberührter Außenwände ist bei gegebenem Arbeitsraum die Anordnung einer bituminösen Bahnenabdichtung im Regelfall ohne größeren Aufwand ausführbar. Die Abdichtung sollte jedoch zur Vermeidung von Wasserhinterläufigkeiten entsprechend DIN 18 195-9 mittels einer geeignet Klemmkonstruktion verwahrt werden. Im Bereich der erdberührten Außenbauteile wäre grundsätzlich auch die Ausführung einer rissüberbrückenden Bitumendickbeschichtung (KMB) denkbar. Da derartige kunststoffmodifizierte Bitumendickbeschichtungen jedoch nicht gemäß DIN 18 195 für die Abdichtung von durch Druckwasser beanspruchten Gründungsbauwerken zugelassen sind, ist eine Abstimmung mit dem Bauherrn diesbezüglich zwingend erforderlich. Die Abdichtung ist hierbei nicht als Bauwerksabdichtung im Sinne der DIN 18 195, sondern lediglich als "Verschluss" auftretender Rissbildungen vorzusehen.

Im Bereich der Bauwerkssohle ist demgegenüber die Ausführung einer derartigen bituminösen Bahnenabdichtung nur erschwert möglich. Dies begründet sich dadurch, dass die auf der Sauberkeitsschicht ausgeführte bituminöse Bahnenabdichtung vor Anordnung der Bewehrung durch einen Schutzestrich vor mechanischen Beschädigungen zu schützen ist (vgl. Bild 2). Sofern nur begrenzte Bereiche der Bauwerkssohle vor Feuchtezutritten zu schützen sind, ist eine Verwahrung der bituminösen Bahnenabdichtung mittels entsprechender Los-Festflansch-Konstruktionen, die in die WU-Betonkonstruktion einbinden, erforderlich. Weist die Abdichtung jedoch nur eine Fehlstelle auf, so kann es zur vollständigen Hinterwanderung dieser zusätzlichen Schutzmaßnahme kommen, da eine Wasserhinterläufigkeit zwischen Abdichtungsbahn und WU-Betonsohle nicht ausgeschlossen ist.

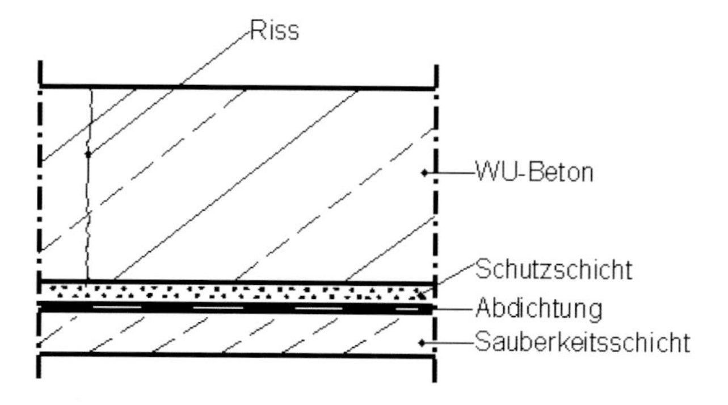

Bild 2: Bauwerkssohle mit zusätzlich angeordneter bituminöser Abdichtung/Abdichtungssohle

- Abdichtungsfolien mit Schweißprofilen
Vergleichbar zur Ausführung einer bituminösen Bahnenabdichtung ist auch als zusätzliche Maßnahme die Anordnung einer mechanisch hoch beanspruchbaren Kunststofffolie (PE-HD), wie diese im Deponiebau üblich ist, möglich. Derartige Folien können über WU-Betonanschweißprofile unmittelbar mit der WU-Betonkonstruktion "verbunden" werden. Zum Schutz der Folienabdichtung werden im Regelfall hierauf lediglich geeignete Trennvliese verlegt. Da auch bei dieser Bauweise bei Beschädigungen der Abdichtungsfolie Wasserhinterläufigkeiten nicht ausgeschlossen werden können, sollte die Folie mit Anschweißprofilen in einer "Schottenbauweise" ausgeführt werden, um die Gefahr der Wasserhinterläufigkeit zu begrenzen.

- Frischbetonverbundfolie
Neuere Entwicklungen von Abdichtungsfolien basieren auf Folienabdichtungen mit einem entsprechenden Reaktionskleber, der bei Kontakt mit der Zementschlämme des Betons mit dieser eine Verbindung eingeht. Hierdurch können Wasserhinterläufigkeiten zwischen der Abdichtungsfolie und der WU-Betonkonstruktion vermieden werden. Das Prinzip dieser Abdichtungsmaßnahme beruht darauf, dass zum Einen außenseitig eine hautförmige Abdichtungsbahn angeordnet wird und zum Anderen eine Wasserhinterläufigkeit zwischen der hautförmigen Abdichtung und der WU-Betonkonstruktion vermieden wird (vgl. Bild 3). Liegt eine mechanische Beschädigung der Abdichtungsfolie, z. B. bei Ausführung der Bewehrungsarbeiten, vor, so müsste schon unmittelbar oberhalb dieser mechanischen Beschädigung ein wasserführender Riss vorhanden sein, so dass es zu einem Feuchtedurchtritt kommt. Die Wahrscheinlichkeit dieses Sachverhalts ist im Allgemeinen sehr gering. Bei Ausführung der Frischbetonverbundfolie können im Regelfall auch etwas höhere zulässige Rissweiten planerisch vorgesehen werden, welches zu einer Einsparung von Bewehrungsstahl führt.

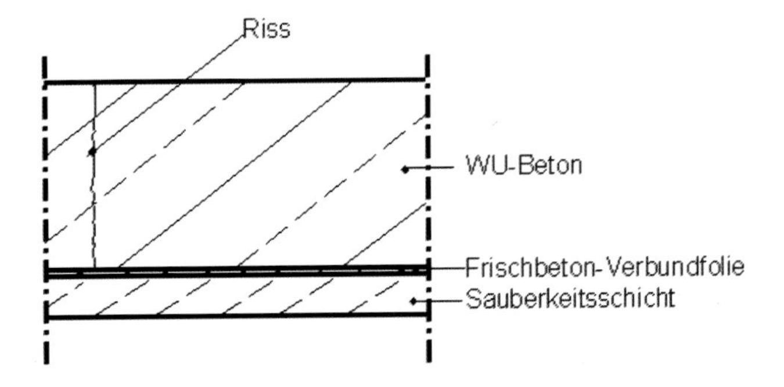

Bild 3: WU-Betonkonstruktion mit Frischbeton-Verbundfolie (z. B. Preprufe der Fa.Tricosal o. glw.)

Voranstehende zusätzliche Abdichtungsmaßnahmen sind nur in der Lage rissbedingte Feuchtetransporte über die WU-Betonkonstruktion auszuschließen. Maßnahmen im Hinblick auf Diffusionsvorgänge sowie Bauaustrocknung müssen ggf. zusätzlich vorgesehen werden. Es wird an dieser Stelle ausdrücklich darauf hingewiesen, dass sämtliche voranstehend beschriebene Maßnahmen im Einzelfall unter Berücksichtigung der objektspezifischen Randbedingungen hinsichtlich ihrer Umsetzung zu überprüfen und zu planen sind.

Literatur

[1] Kießl, K., Gertis K.: *Feuchtetransport in Baustoffen. Eine Literaturauswertung zur rechnerischen Erfassung hygrischer Transportphänomene.* Forschungsbericht aus dem Fachbereich Bauwesen der Universität Essen, Heft 13, Universität Essen Gesamthochschule 1980

[2] Cziesielski, E.: *Wassertransport durch Bauteile aus wasserundurchlässigem Beton,* in: E. Schild / R. Oswald (Hrsg.), *Erdberührte Bauteile und Gründungen. Aachener Bausachverständigentage 1990*, S. 91-101, Bauverlag 1990

[3] Lohmeyer, G.: *Weiße Wannen einfach und sicher, Konstruktion und Ausführung von Kellern und Becken aus Beton ohne besondere Dichtungsschicht,* Beton-Verlag 1985

[4] Oswald, R. (Hrsg.): *Aachener Bausachverständigentage 2004,* Vieweg 2004

[5] Deutsches Institut für Normung (Hrsg.), *DIN V 4108-4: Wärmeschutz und Energie-Einsparung in Gebäuden, Teil 4: Wärme- und feuchteschutztechnische Bemessungswerte,* Beuth Verlag 06/2007

[6] Beddoe, R., Springenschmid, R.: *Feuchtetransport durch Bauteile aus Beton, Beton- und Stahlbetonbau 94,* Heft 4, Verlag Ernst & Sohn 1999

[7] Klopfer, H.: *"Wasserundurchlässiger Beton - Bauphysikalisch gesehen",* in: R. Ruhnau (Hrsg.), Ingenieur-Hochbau - Berichte aus Forschung und Praxis. Festschrift zum 60. Geburtstag von Professor Dr. Cziesielski, S. 159-168, Werner Verlag 1998

[8] Lohmeyer, G., Ebeling, K.: *Weiße Wannen - einfach und sicher. Konstruktion und Ausführung wasserundurchlässiger Bauwerke aus Beton,* Verlag Bau + Technik GmbH 2007

[9] Deutsches Institut für Normung / Deutscher Ausschuss für Stahlbeton (Hrsg.), *DAfStb-Richtlinie - Wasserundurchlässige Bauwerke aus Beton (WU-Richtlinie),* Beuth Verlag 2003

[10] Deutsches Institut für Normung (Hrsg.), *DIN 4108-2: Wärmeschutz und Energie-Einsparung in Gebäuden - Teil 2: Mindestanforderungen an den Wärmeschutz,* Beuth Verlag 2003

[11] Deutscher Ausschuss für Stahlbetonbau (Hrsg.), *Erläuterungen zur DAfStb-Richtlinie wasserundurchlässige Bauwerke aus Beton,* Heft 555, Beuth Verlag 2006

Nachträgliche Horiztontalabdichtung von Mauerwerk mittels Injektionsverfahren – neueste Erkenntnisse

M. Balak
Wien

Ch. Simlinger
Leobersdorf

Zusammenfassung

Im Rahmen des Forschungsprojektes „Hydrophobierende und/oder porenverschließende Injektionsmittel" [1] wurden die Wirksamkeit und die Anwendungsgrenzen von Injektionsmitteln zur nachträglichen Horizontalabdichtung von Mauerwerk unter besonderer Berücksichtigung der Einbringungsart untersucht. Obwohl Injektionsmittel zur nachträglichen Horizontalabdichtung bereits seit Jahrzehnten eingesetzt werden, zeigt die praktische Erfahrung immer wieder, dass die geforderten Ziele nicht erreicht werden. Im Rahmen einer wissenschaftlichen Arbeit [2] wurde bestätigt, dass in ca. 60 % der gewerblichen Anwendungsfälle die geforderten Wirksamkeitskriterien nach ÖNORM B 3355-1 [3] nicht eingehalten wurden und dass durch die private Anwendung (Injektionsflaschen) sich dieser Wert noch erheblich erhöht. Diese Tatsache hat sich durch die Forschungsergebnisse im ersten Projektjahr 2005/06 und in einer Vielzahl vom Autor erstellten Gutachten bestätigt, sodass im Endeffekt von derzeit ca. 80 % Fehlschlägen bei Injektionsverfahren zur nachträglichen Horizontalabdichtung von Mauerwerk gesprochen werden kann. Im derzeit laufenden zweiten Forschungsprojektjahr werden weitere Untersuchungen am Ziegelmauerwerk im Labor und an Objekten durchgeführt, um in Zukunft die derzeit vorhandenen Fehlschläge zu reduzieren.

1 Einleitung

Im Forschungsjahr 2005/06 wurde nach der Literaturrecherche die Suche nach geeigneten Objekten für die Einbringung der Injektionsmittel durchgeführt. Die Objektsuche stellte sich relativ kompliziert dar, da die einzelnen Versuchsstrecken möglichst untereinander vergleichbar sein sollten. Einerseits musste das Wandmaterial (Ziegelmauerwerk) ähnlich sein und andererseits durften die örtlichen Gegebenheiten (Innen- oder Außenmauerwerk, erdberührt oder freistehend, Mauerecken oder -anschlüsse) nicht voneinander abweichen. Ebenso musste die Voraussetzung gegeben sein, dass das Objekt für die gesamte Versuchsdauer zur Verfügung steht und dass eine künstliche Bewässerung mit der bestehenden Nutzung oder Sanierung vereinbar ist.
Mit dem „ZMK" - Klinik für Zahn-, Mund- und Kieferheilkunde in Wien konnte ein optimales Objekt gefunden werden (siehe Bild 1). Durch die ebenerdige Anordnung des zur Verfügung gestellten Bauteiles waren die örtlichen Gegebenheiten im Bereich der gesamten Versuchsstrecke identisch. Beim vorliegenden Grundriss mit der abwechselnden Anordnung von Mauerpfeilern und dazwischen liegenden Parapeten konnten die einzelnen Versuchsstrecken so angeordnet werden, dass eine gegenseitige Beeinflussung ausgeschlossen werden konnte.

Bild 1: Hofansicht, „ZMK" - Klinik für Zahn-, Mund- und Kieferheilkunde, 1090 Wien

Folgende Injektionsmittel wurden bei unterschiedlichen Durchfeuchtungsgraden (20 %, 50 % und 80 %) mit variierenden Einbringungsmethoden (Injektionsflasche, Injektionspacker, Hohldochtverfahren, Impuls-Sprüh-Verfahren) beim Objekt „ZMK" - Klinik für Zahn-, Mund- und Kieferheilkunde in Wien eingebracht und im Labor untersucht:

- Kaliummethylsiliconat (hydrophobierend)
- Alkalimethylsilikonat (hydrophobierend)
- Silikonat (hydrophobierend)
- TOP DRY (hydrophobierend und porenverschließend)
- Acrylatgel-T (porenverschließend)
- Murisol Micro (hydrophobierend)
- Microemulsion (hydrophobierend)
- Acrylatgel-M (porenverschließend)

2 Untersuchungen am Objekt

Nach den erforderlichen Verhandlungen mit dem Objekteigentümer und den Vorbereitungsarbeiten wurde im Januar 2006 der Ausgangszustand des Mauerwerks bestimmt. Nach der Entnahme von Baustoffproben wurden anschließend der Feuchtigkeitsgehalt und der Durchfeuchtungsgrad des Mauerwerks nach der Darr-Methode im Labor entsprechend der ÖNORM B 3355-1 [3] ermittelt. Die gewonnenen Informationen wurden benötigt, um für die Einstellung des Durchfeuchtungsgrades zu wissen, bei welchen Mauerpfeilern mit der Heizstabtechnik getrocknet bzw. wie viel Wasser gegebenenfalls bei entsprechend trockeneren Bereichen zusätzlich eingebracht werden muss. Zusätzlich wurde auch die Schadsalzbelastung des Mauerwerks gemäß ÖNORM B 3355-1 [3] ermittelt.
Die umfangreichen Bohrarbeiten für die Trocknung bzw. Bewässerung der Injektionsebenen sowie für die Injektionsmitteleinbringung wurden anschließend durchgeführt.
Entsprechend dem Versuchsprogramm wurden im Anschluss die erforderlichen Durchfeuchtungsgrade im Mauerwerk von 20 %, 50 % und 80 % entweder durch Trocknung mittels Heizstabtechnik (siehe Bild 2) oder durch Wasserzugabe (siehe Bild 3) eingestellt.

Bild 2: Trocknung der Injektionsebene mittels Heizstabtechnik

Bild 3: Bewässerung der Injektionsebene mittels spezieller Bewässerungseinrichtung

Die Einstellung des Durchfeuchtungsgrades des Mauerwerks in der Injektionsebene wurde durch eine Kontrollmessung mittels der Darr-Methode überprüft.
Folgende unterschiedliche Verfahren wurden beim Einbringen der Injektionsmittel ausgeführt:

- drucklose Einbringung („Gießkanne“)
- Injektionsflasche (siehe Bild 4)
- Hohldochtverfahren (siehe Bild 5)
- Einbringung unter Druck (siehe Bild 6)
- Impulssprühverfahren (siehe Bild 7)

Bild 4: Injektionsmitteleinbringung mittels Injektionsflasche

Bild 5: Injektionsmitteleinbringung mittels Hohldochtverfahren

Bild 6: Injektionsmitteleinbringung mittels Druckverfahren

Nach der Einbringung der Injektionsmittel wurde der Mauerwerksbereich oberhalb der Abdichtungsebene mittels der Heizstabtechnik getrocknet (siehe Bild 8). Auch in diesem Fall wurde eine Kontrollmessung oberhalb der Injektionsebene durchgeführt. Um nun die Wirksamkeit der eingebrachten Injektionsmittel zu überprüfen, wurde unterhalb der Abdichtungsebene Wasser über einen Zeitraum von acht Wochen eingebracht. Abschließend zu dieser Versuchsreihe am Objekt wurde der Durchfeuchtungsgrad des Mauerwerks oberhalb der Abdichtungsebene bestimmt.

Bild 7: Injektionsmitteleinbringung mittels Impulssprühverfahren

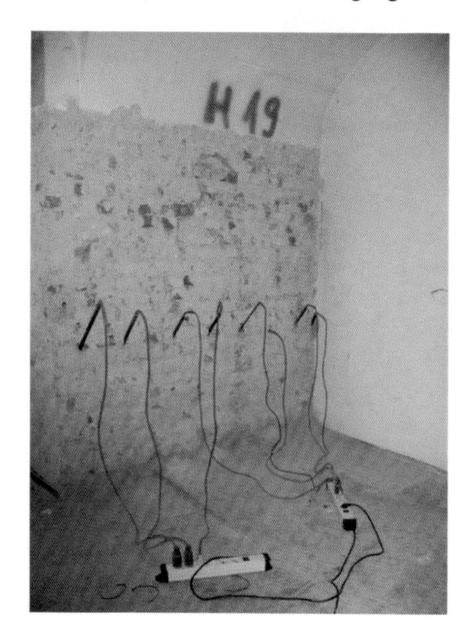

Bild 8: Trocknung oberhalb der Abdichtungsebene

2.1 Überprüfung der Wirksamkeit der Injektionsmittel durch Nachmessung des Durchfeuchtungsgrades oberhalb der Injektionsebene

In der Tabelle 1 sind die Prüfergebnisse der Nachmessung des Durchfeuchtungsgrades oberhalb der Injektionsebene hinsichtlich der Wirksamkeit der Injektionsmittel zusammengefasst, wobei bei den mit „Nein" gekennzeichneten Injektionsmitteln oberhalb der Injektionsebene nach acht Wochen Bewässerung ein höherer Durchfeuchtungsgrad als vor der Bewässerung festgestellt wurde.

Tabelle 1: Zusammenstellung der Wirksamkeitskontrolle der Injektionsmittel durch Nachmessung des Durchfeuchtungsgrades oberhalb der Injektionsebene mit der Bohrkernmethode gemäß ÖNORM 3355-1[3]

Injektionsmittel	**Einbringungsmethode**	**Wirksamkeit bei Durchfeuchtungsgrad D**		
		D = 20 %	**D = 50 %**	**D = 80 %**
Kaliummethylsiliconat	Hohldochtverfahren	NEIN	NEIN	NEIN
	drucklos	JA	NEIN	NEIN
Alkalimethylsilikonat	Hohldochtverfahren	NEIN	JA	NEIN
	Hohldochtverfahren mit Bohrloch ausbürsten		NEIN	
	drucklos	JA	JA	NEIN
Silikonat	Druck	NEIN	JA	NEIN
	drucklos	NEIN	NEIN	NEIN
TOP DRY	Druck	NEIN	NEIN	NEIN
	Injektionsflasche	NEIN	NEIN	NEIN
Acrylatgel-T	Druck	NEIN	NEIN	NEIN
Murisol Micro	Impulssprühverfahren	JA	NEIN	NEIN
	Impulssprühverfahren mit Druckluftreinigung		NEIN	
	drucklos	JA	NEIN	NEIN
Microemulsion	Impulssprühverfahren	JA	NEIN	NEIN
	drucklos	JA	NEIN	NEIN
Acrylatgel-M	Druck	NEIN	NEIN	NEIN

2.2 Überprüfung der Wirksamkeit der Injektionsmittel an entnommenen Bohrkernen

Für die Untersuchungen an den Bohrkernen wurden aus jedem Versuchspfeiler vier Bohrkerne aus der Injektionsebene entnommen. Dabei wurden jeweils zwei Bohrkerne direkt über den Injektionsbohrlöchern und zwei Bohrkerne zwischen den Injektionsbohrlöchern entnommen (siehe Bild 9).
An diesen Bohrkernen (siehe Bild 10) wurde die kapillare Wasseraufnahme gemäß ÖNORM B 3355-1 [3] bestimmt und bewertet. Die Wirksamkeit der Injektionsmittel gemäß ÖNORM B 3355-1 [3] ist dann gegeben, wenn die kapillare Wasseraufnahme der Bohrkerne aus der Injektionsebene maximal 20 % der maximalen Wasseraufnahme des Baustoffes beträgt. Die Prüfergebnisse sind in Tabelle 1 ersichtlich.

Bild 9: Mauerwerkspfeiler nach der Bohrkernentnahme

Bild 10: Bohrkerne aus dem Mauerwerkspfeiler S2

Da die Wirksamkeitskontrollen der Injektionsmittel mittels der Nachmessung des Durchfeuchtungsgrades oberhalb der Injektionsebene und mittels der Bohrkernmethode gleiche Ergebnisse gebracht haben, ist die Bohrkernmethode hiermit - trotz ursprünglicher Kritik - evaluiert.

3 Untersuchungen im Labor

3.1 Ausbreitmaß der Injektionsmittel um das Bohrloch

Bei diesem Versuch wurden Mauerwerksziegel aus dem Versuchsobjekt in der Hälfte auseinander geschnitten und jeweils in der Mitte wurde ein Bohrloch hergestellt (siehe Bild 11).

Bild 11: Mauerwerksziegel mit Injektionsbohrlöchern

Im Anschluss daran wurden die unterschiedlichen Durchfeuchtungsgrade von 20 %, 50 % und 80 % eingestellt und die Versuchsziegel abgedichtet.

Bild 12: Injektionsmitteleinbringung in die Mauerwerksziegel über die Injektionsbohrlöcher

In der weiteren Versuchsdurchführung wurden die Injektionsmittel in die Versuchsziegel eingebracht (siehe Bild 12). Anschließend wurden diese in der Mitte auseinander geschnitten und die Injektionsmittelverteilung wurde optisch erfasst (siehe Bild 13).

Bild 13: Injektionsmittelverteilung im Versuchsziegel

Zusätzlich wurde die Injektionsmittelverteilung durch Applikation von Wasser auf der Schnittfläche beurteilt (siehe Bild 14).

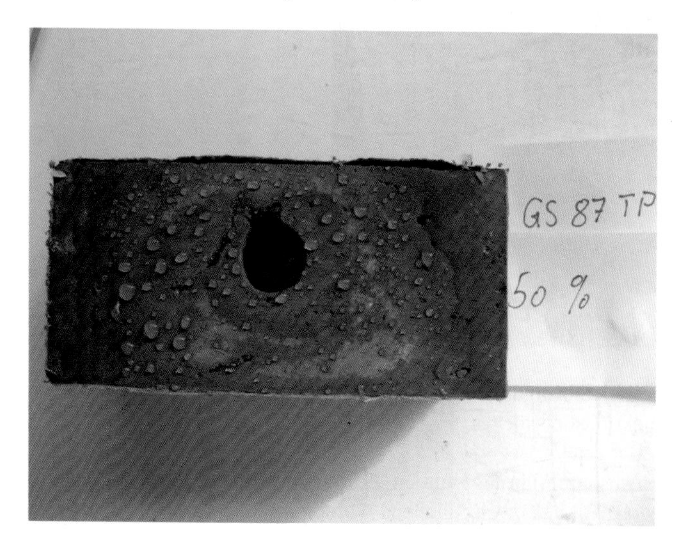

Bild 14: Injektionsmittelverteilung im Versuchsziegel

Die Ergebnisse dieser Versuchsdurchführung sind in Tabelle 2 dargestellt, wobei deutlich erkennbar ist, dass die Ausbreitung der verschiedenen Injektionsmittel um das Injektionsbohrloch größtenteils sehr gering ist.

Tabelle 2: Zusammenstellung des Ausbreitmaßes der Injektionsmittel um das Bohrloch

Injektionsmittel	**Ausbreitmaß um das Bohrloch [mm]**		
	D = 20 %	**D = 50 %**	**D = 80 %**
Kaliummethylsiliconat	43 - voll	38 - 40	15 - 20
Alkalimethylsilikonat	voll	40 - 46	35 - 40
Silikonat	voll	41 - 44	40
Silikonat -	voll	voll	voll
TOP	20 - 22	33 - 43	25 - 30
Acrylatgel-T	0	4	3
Murisol	10	10	13 - 20
Microemulsion	12 - 13	0	0
Acrylatgel-M	0	0	0

4 Zusammenfassung und Ausblick

Sowohl die Untersuchungen am Objekt als auch die Ergebnisse im Labor haben hinsichtlich des Einsatzes von hydrophobierenden und/oder porenverschließenden Injektionsmitteln als nachträgliche Horizontalabdichtung im Mauerwerk sehr schlechte Ergebnisse gebracht, wobei die Vorgaben der Injektionsmittelhersteller sowohl am Objekt als auch im Labor immer genau eingehalten wurden.

Auf Grund der gewonnenen Erkenntnisse aus dem Forschungsprojekt werden im Rahmen des Fortsetzungsprojektes im Zeitraum 2007/08 weitere Untersuchungen im Labor und an Objekten durchgeführt, wobei besonderes Augenmerk auf den Verdünnungsfaktor der Injektionsmittel und auf die Einbringungsart gelegt wird. Zunächst werden an Ziegel- und Mörtelproben die Injektionsmittelausbreitung bei halber und doppelter Konzentration sowie laut Herstellerangabe untersucht. In weiterer Folge werden an Versuchspfeilern die Injektionsmittel mit unterschiedlicher Konzentration injiziert und deren Ausbreitung im Ziegel und Mörtel überprüft. Mit den daraus ge-

wonnenen Erkenntnissen werden optimierte Injektionsarbeiten an Objekten durchgeführt und anschließend überprüft.
Nach den derzeitigen Erkenntnissen müssten der Bohrlochabstand reduziert und mindestens zwei übereinander liegende Injektionsbohrlochreihen gesetzt werden. Injektionen zur nachträglichen Horizontalabdichtung von Mauerwerk sind bei einem Durchfeuchtungsgrad von 80 % nicht wirksam, bei einem Durchfeuchtungsgrad von 50 % bereits problematisch. Am zielführendsten ist das Absenken des Durchfeuchtungsgrades des abzudichtenden Mauerwerks in der Injektionsebene auf unter 20 % vor Einbringung des Injektionsmittels und das Nachtrocknen des Mauerwerks nach Durchführung der Injektionsarbeiten mittels Heizstab- oder Mikrowellentechnik.
Es hat sich auch deutlich gezeigt, dass aufgrund der Inhomogenität der Wandbildner von Altobjekten in Zukunft Probeinjektionen vor Durchführung umfangreicher Abdichtungsarbeiten durchgeführt werden sollten.
Im Herbst 2008 wird das ofi-Institut für Bauschadensforschung (IBF) eine Richtlinie über Injektionsverfahren zur nachträglichen Horizontalabdichtung von Ziegelmauerwerk basierenden auf den Forschungsergebnissen des Forschungsprojektes „Hydrophobierende und/oder porenverschließende Injektionsmittel" herausgeben, um in Zukunft die häufigen Fehlschläge in der Praxis zu reduzieren.

Literatur

[1] Balak, M. und Simlinger, C.: *Hydrophobierende und/oder porenverschließende Injektionsmittel* - Endbericht - 1. Forschungsjahr, gefördert durch die FFG Forschungsförderungsgesellschaft, Wien 2006
[2] Simlinger, C.: *Erfolgskontrolle nachträglicher Maßnahmen gegen aufsteigende Feuchtigkeit im Sanierungszeitraum 1980 - 1997,* Dissertation, Leobersdorf 2004
[3] ÖNORM B 3355-1 *„Trockenlegung von feuchtem Mauerwerk - Bauwerksdiagnose und Planungsgrundlagen",* Ausgabe 2006-03-01

Nachhaltige Gebäudemodernisierung

M. Pfeiffer
Hannover

„Es lohnt sich dafür zu arbeiten, dass gute Qualität beim Bauen nicht die Ausnahme ist, sondern die Norm wird."

Alt-Bundespräsident Johannes Rau (†), am 04.04.2003

Zusammenfassung

Im Rahmen der Forschungen, Beratungen und Praxisarbeiten vom Institut für Bauforschung e.V. häufen sich die Untersuchungen zur Aufgabenstellung »nachhaltige Gebäudemodernisierung« mit dem Anspruch nach »erfolgreicher Qualitätssicherung« für den Wohnungs- und Nichtwohnungsbau.
Im Wohnungsbau resultiert die Problematik insbesondere aus »unerfolgreicher Beschaffenheit« der Werke, oft nicht nach den (allgemein) anerkannten Regeln der Technik geplant und ausgeführt, aber auch aus nicht sachgerechter Nutzung. Heute gibt es »erfolgreiche«, anerkannte Methoden, mittels »nachhaltiger Gebäudemodernisierung« Gebäude- und Wohnqualität zu erreichen.

Wertschöpfung und Qualitätssicherung

Die rechnerische Nutzungsdauer eines Wohngebäudes hinsichtlich der Abschreibung der Kosten beträgt 80 bis 100 Jahre. Dabei sollen Wohngebäude kostengünstig, gesundheits- und umweltverträglich sowie für die Bewohner von hoher Qualität und nutzungsgeeignet sein. Schon bei der Planung sollen alle denkbaren ökonomischen, ökologischen und soziokulturellen Aspekte für die Zukunft abgewogen werden.
Nachhaltigkeit ist das zukünftige Ziel der Werterhaltung, denn der Gebäudebestand bedarf in der Regel einer Anpassung an heute gültige Wertvorstellungen, die oft schon langfristig orientiert sind.

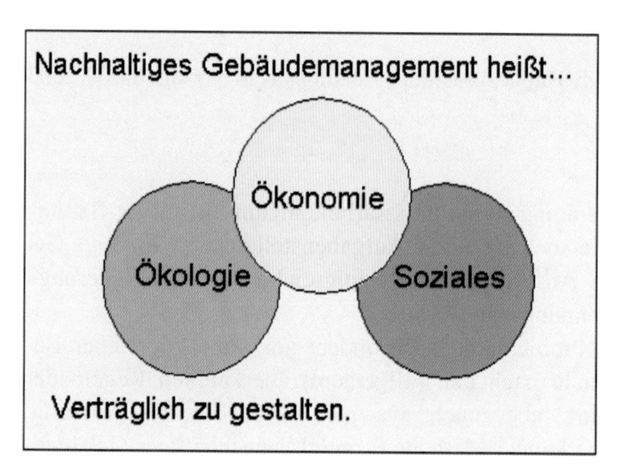

Bild 1: Nachhaltige Gebäudemodernisierung heißt ....

Beim Bauen im Bestand ist es zudem wichtig, neue Baustoffe und Bauteile harmonisch, d. h. nach Lebensdauer, Einbau und Materialverhalten zu integrieren. Damit kann die bautechnische Qualität verbessert, können Ressourcen eingespart und der Materialkreislauf harmonisiert werden. Die Recyclingfähigkeit wird erhöht. Rückbau oder Ersatz können durchaus mit Wiederverwertung verbunden sein. Insofern verlangt Werterhaltung auch langfristige Überlegungen zur Nachhaltigkeit der Maßnahmen.
Immer mehr Menschen in Deutschland sehen den nachhaltigen Erhalt des baulichen Bestandes als ökonomische und ökologische Notwendigkeit. In Deutschland gibt es z.B. ca. 38,5 Millionen Wohneinheiten, gut 85 % davon wurden vor 1990 erstellt. Zwei Drittel, nämlich 26 Millionen Wohneinheiten, können nachhaltig modernisiert werden. Bei einem Drittel sollte im Einzelfall auch der Bestandsersatz geprüft werden. Weit über die Hälfte des Gesamtbauvolumens wird künftig das Bauen im Bestand zur Aufgabe haben.

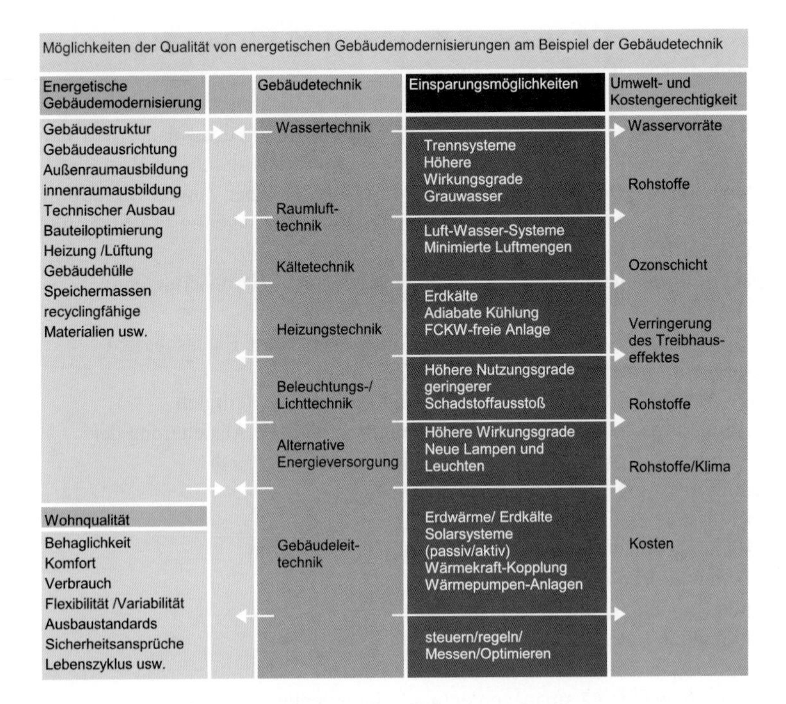

Bild 2: Möglichkeiten der Qualität von „nachhaltigen Gebäudemodernisierungen am Beispiel der Gebäudetechnik

Bestands-Qualitätsprüfung

Die Bestandssituation an Gebäuden in der Bundesrepublik Deutschland verdeutlicht das große Potenzial an Wertschöpfung und Qualitätssicherung in allen Baubereichen. Natürlich ist jede Modernisierungs-Qualität unterschiedlich, z.B. nach Anspruch, Kriterien, Baujahr und Bauart, unterschiedlich in der Solidität, im Baumaterial, in der Konstruktion, in der Verarbeitung, in der Gestaltung (Denkmalschutz).
Vorteilhaft ist es zu wissen, welche Qualität zu welchem Preis zu bekommen ist, wer diese schuldet und wie dieser Anspruch durchzusetzen ist. Prüffähige Baupläne und Baubeschreibungen sind die Grundlage einer zusätzlichen planungsbegleitenden Qualitätssicherung. Die zeitliche und fachliche Integration in den Bauprozess ist die Basis einer zusätzlichen baubegleitenden Qualitätssicherung. Je besser die geprüfte Plan- und Bauqualität, umso besser sind die Qualitätseigenschaften von nachhaltigen Modernisierungen.
Oft wird erst eine Qualitätsprüfung zur nachhaltigen Modernisierung durch Experten deutlich machen, wie der Qualitätszustand bewertet wird. Wo liegen die Stärken (Qualitäten) und wo liegen die Schwächen der Modernisierung (Schwachstellen,

Mängel oder Schäden)? Das kann ein Ausgangspunkt für eine langfristige, kostengünstige Qualitätssicherungsstrategie sein.
Der Qualitätsvorgabe der Bauherren folgen dann die Maßnahmen der nachhaltigen Modernisierung. Es werden Prioritäten gesetzt und nach der Lebensdauer und den Baunutzungskosten auch zukünftige Maßnahmen definiert und damit die Wirtschaftlichkeit, Umweltverträglichkeit und Nutzungsgerechtigkeit über längere Zeiträume eingeschätzt. Insoweit entsteht mehr Sicherheit für Entscheidungen zur Qualität und Werterhaltung der Immobilien.
Qualitätssicherungsmaßnahmen zu »nachhaltigen Gebäudemodernisierungen«:

1. Festlegung und regelmäßige Überprüfung der gewünschten Eigenschaften
2. Kompetente Informationen zum richtigen Zeitpunkt
3. Richtige Auswahl der am Planen, Bauen und Betreiben Beteiligten
4. Rechtzeitige Einschaltung der Beteiligten und vertragliche Absicherung der
5. Teambildung (Rollenverteilung, Verantwortung)
6. Eindeutige Leistungs- und Qualitätsbeschreibungen
7. Abgeschlossene Planung vor Baubeginn
8. Zusätzliche Qualitätsprüfung, planungs- und baubegleitend
9. Vergabe nur an leistungsfähige Bieter
10. Sinnvolle Bündelung von Leistungsbereichen
11. Produktqualität, z.B. durch Vorfertigung
12. Einbeziehung der Baustoffhersteller und -lieferanten
13. Einrichtung von Qualitätsmanagement und -dokumentationen usw.

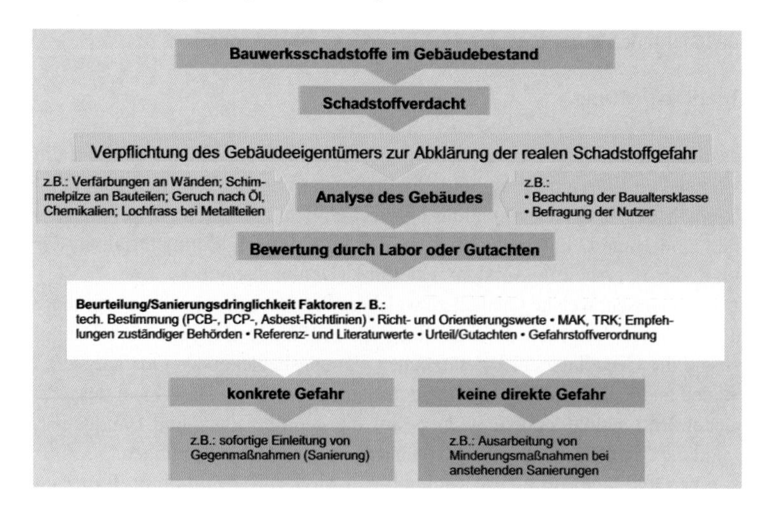

Bild 3: Bauwerksschadstoffe im Gebäudebestand

Urteile zur Mangelfreiheit und stichprobenartigen Qualitätsprüfung

BGH, Urteil vom 19.01.1995 VII ZR 131/93
»Der Unternehmer hat die Entstehung eines mangelfreien, zweckgerechten Werkes zu gewährleisten. Entspricht seine Leistung nicht diesen Anforderungen, so ist sie fehlerhaft und zwar unabhängig davon, ob die anerkannten Regeln der Technik eingehalten worden sind.«

BGH, Urteil vom 11.10.2001 VII ZR 475/00
»Ein Vertrag über die stichprobenartige Kontrolle eines Bauvorhabens und die gutachterliche Erfassung von Mängeln ist ein Werkvertrag. Das gilt auch dann, wenn nur eine begrenzte Anzahl von Baustellenbesuchen bzw. sog. ›Audits‹ - hier: ein Audit pro Monat, fünf Audits insgesamt – vereinbart ist.«

Die öffentliche Diskussion über zusätzliche Qualitätssicherung hat zur Entstehung eines Marktes mit werkvertraglichen Leistungen zur zusätzlichen Qualitätssicherung beigetragen, auf dem eine Vielzahl an Zusatzkontrollen und -prüfungen angeboten wird. Diese sind in ihrem Umfang sehr unterschiedlich, werden häufig mit Baulabeln versehen.
Sollen Mängel verhindert und Schäden bei »nachhaltigen Gebäudemodernisierungen« durch eine »zusätzliche Qualitätssicherung« eingedämmt werden, müssen Bauherr und Qualitätssicherer gut überlegen (und vereinbaren), was die zusätzliche Qualitätssicherung erreichen soll.
Wer z.B. eine zusätzliche planungs- und baubegleitende Qualitätssicherung durchführen will, muss »rechtzeitig und sachverständig an der richtigen Stelle« tätig werden (Bild 4).

Zusätzliche planungs- und baubegleitende Qualitätskontrollen

Zusätzliche planungs- und baubegleitende Qualitätskontrollen werden angeboten. Bei den Vor-Ort-Kontrollen wird die Bauausführung bei jedem Bauvorhaben in verschiedenen Bauphasen – in der Regel vier bis fünfmal bis Fertigstellung – im Hinblick auf eine mängelfreie Ausführung der Werkleistung und z.B. Luftdichtheit überprüft.
Mit diesen Baubegehungen soll nach dem »Vier-Augen-Prinzip« stichprobenartig eine Qualitätsprüfung der Bauausführung erreicht werden. Geprüft wird nach den (allgemein) anerkannten Regeln der Technik und der vereinbarten Beschaffenheit.

Qualität der Behaglichkeit energetisch modernisierter Gebäude

- Thermische
- Akustische
- Optische
- Odorische

- Hygienische
- Ästhetische
- Psychische, usw.

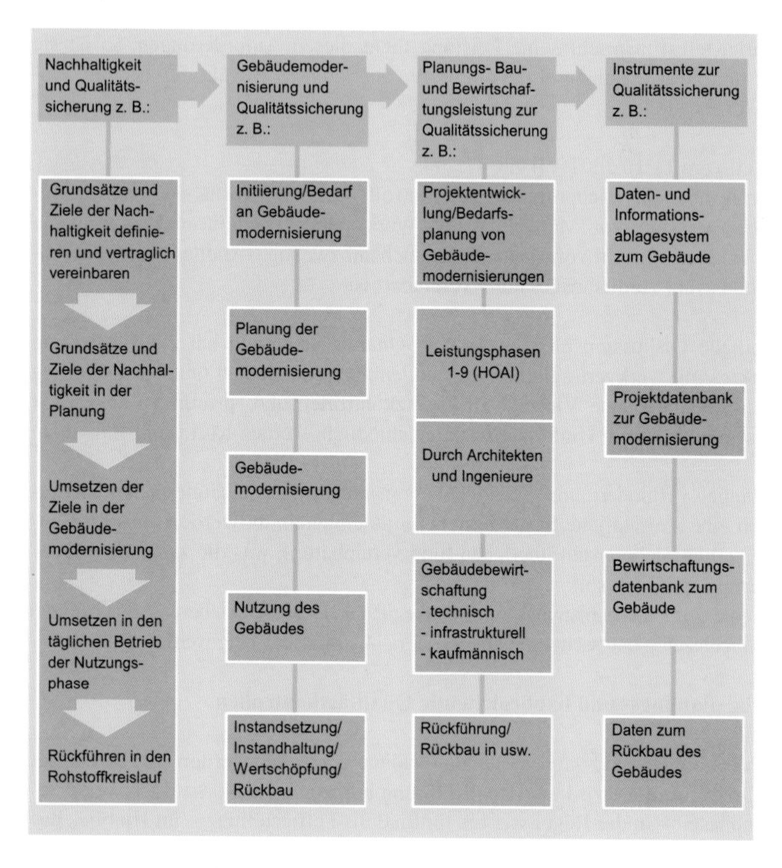

Bild 4: Nachhaltigkeit und Qualitätssicherung, Beispiele

Instrumente zur Qualitätsprüfung und Maßnahmen zum baulichen Wärmeschutz

Luftdichtheit – Blower-Door-Drucktest
Seit Anfang der 90er-Jahre werden zur Begrenzung der Wärmeverluste von Gebäuden Anforderungen an die Luftdichtheit der Hülle gestellt. Als Grenzwert geben die Energieeinsparverordnung (EnEV) und die DIN V 4108-7 n50 = 3,0 h-1 für Gebäude mit natürlicher Lüftung und n50 = 1,5 h-1 für Gebäude mit raumlufttechnischen An-

lagen vor.
Die Luftdurchlässigkeitsmessung durch einen Drucktest bei stationärem Differenzdruck, der »Blower-Door-Drucktest«, wird gemäß den Vorgaben der DIN V 4108-7 nach ISO 9972 durchgeführt.

Bild 5: Blower-Door-Test

Gebäudethermografie
Die IR-Thermografie ist ein Wärmebildsystem zur berührungslosen Temperaturmessung an Objekten. Die Wärmestrahlung des betrachteten Objektes wird mittels einer Aufnahmeeinheit in elektrische Signale umgewandelt. Diese Signale werden in einer Prozessoreinheit digitalisiert, in einem Bildspeicher abgelegt und nach einer weiteren Bearbeitung als Wärmebild dargestellt.

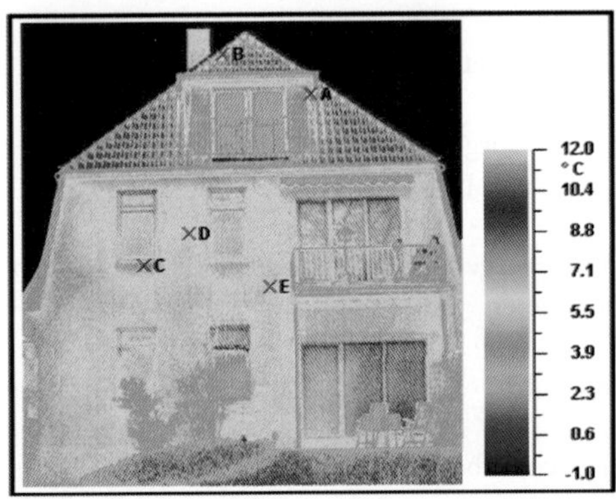

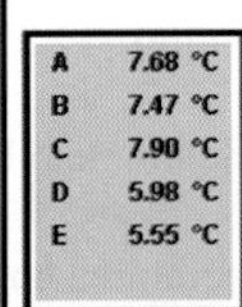

A	7.68 °C
B	7.47 °C
C	7.90 °C
D	5.98 °C
E	5.55 °C

Bild 6: Wärmebild

Ablaufschema Qualitätsprüfung »Baulicher Wärmeschutz« zur energetischen Gebäudemodernisierung als Beispiel

1. Planprüfung
   Plausibilitätskontrolle: Flächen- und Volumenberechnung, wärmetechnische Kennwerte und Wärmeschutzberechnung, Wärmeschutzkonzept, Wärmebrückenreduzierung und -berücksichtigung, Luft- und Winddichtheitskonzept, Bauteilanschlüsse.
2. Technische Kontrolle: Gebäudeabdichtung
   Baustellentermin: stichprobenartige Überprüfung der Ausführung: z.B. Bodenplatte, Kellerwände, Bauteilübergänge, Bauteilöffnungen, Durchführungen, Fugen, stichprobenartige Überprüfung der Maßhaltigkeit und Materialien.
3. Technische Kontrolle: Rohbau
   Baustellentermin: stichprobenartige Überprüfung der Ausführung des Rohbaus schwerpunktmäßig hinsichtlich Wärmebrückenminimierung und Luftdichtheit, stichprobenartige Überprüfung der Maßhaltigkeit und Materialien.
4. Technische Kontrolle: Wärmeschutz
   Baustellentermin: stichprobenartige Überprüfung der fachgerechten Ausführung der Wärmedämmarbeiten an den Außenbauteilen, schwerpunktmäßig hinsichtlich Materialqualität, Einbau und Wärmebrückenminimierung.
5. Technische Kontrolle: Luftdichtheit mit Blower-Door-Messung
   Baustellentermin: stichprobenartige Überprüfung der Ausführung der luftdichten Ebene (schwerpunktmäßig Fenster, Türen, Bauteilflächen und -übergänge, Dach), Luftdichtheitsmessung nach der Differenzdruckmethode.
6. Technische Endkontrolle zum baulichen Wärmeschutz
   Baustellentermin: stichprobenartige Überprüfung des Gebäudes auf Oberflächen, Materialien und Einbauelemente.
7. Dokumentation zur Qualitätsprüfung der energetischen Gebäudemodernisierung mit Erläuterungen.

Qualitätsprüfung zur »Heizungstechnik« energetischer Gebäudemodernisierungen

Ein unabhängiger Qualitätssicherer prüft die sorgfältige Planung und Ausführung der Heizungsanlage auf Vollständigkeit und technische Richtigkeit.

Qualitätsprüfung zur »Lüftungstechnik« energetischer Gebäudemodernisierungen Bauphysikalische und -technische Parameter

Gründe für Feuchte- und Schimmelpilzschäden:

Niedrige Oberflächentemperaturen entstehen insbesondere:

1. an Bauteilen mit verstärktem Wärmeabfluss(Wärmebrücken)
2. an Bauteilen mit unzureichender Wärmedämmung sowie
3. durch nicht ausreichende Beheizung des Gebäudes.

Kondensation und Tauwasserbildung

Kondensationsneigung und -menge wird durch (Luft-)Feuchte und (Oberflächen-) Temperatur bestimmt. Weitere Faktoren sind insbesondere:

- Heizung und Lüftung
- Wärmedämmung
- Dampfdiffusion
- Außentemperatur
- Nutzung
- Absorption raumumschließender Flächen und Ausstattung usw.
- Zusammensetzung der Oberflächenbeschichtung

Organische Ablagerungen und Verschmutzungen auf der Oberfläche fördern unabhängig vom Untergrund das Schimmelpilzwachstum (bei starker Verschmutzung bestimmt diese allein das Wachstum).

Luftundichtheiten in der Gebäudehülle

1. DIN 4108-7 «Luftdichtheit in Gebäuden»
2. Anforderungen der EnEV

»Mangel- und Schadenkette« am Beispiel:
- Undichtheiten in der luftdichten Ebene
- Durchfeuchtung der Wärmedämmung
- Minderung/Aufhebung der Dämmwirkung
- Voraussetzungen für Schimmelpilzbefall (Dämmung)
- Voraussetzung für Pilzbefall der angrenzenden Bauteile (z. B. Holz) und
- u. U. Gefährdung der Standsicherheit.

Baukonstruktive Parameter

Gründe für Feuchte- und Schimmelpilzschäden:

- Geometrische Wärmebrücken
- Wärmebrücken, die aufgrund einer exponierten Lage am Gebäude entstehen.

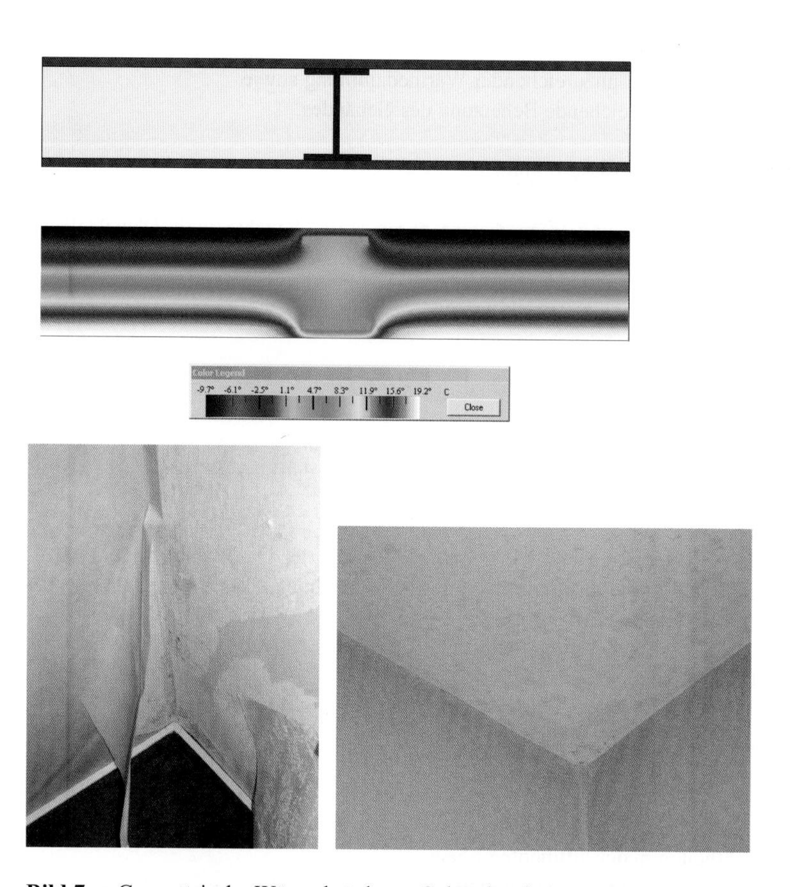

Bild 7: Geometrische Wärmebrücken - Gebäudeecken

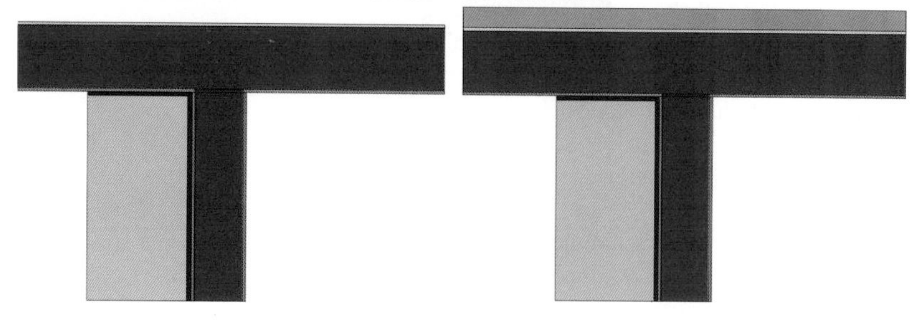

Bild 8: Beispiel: Außenwanddecke Altbau. Die Außenwandecke wurde mit einem WDVS energetisch modernisiert.

Bild 9: Beispiel: Innenwandeinbindung in Außenwand beim Altbau. Vor der Modernisierung kam es zu starker Schimmelpilzbildung hinter dem bzw. im Schrank.

- Konstruktive, stoffliche Wärmebrücken
- Wärmebrücken, bei denen ein Baustoff/-teil mit wesentlich höherem Wärmeleitwert in die Dämmebene einer Konstruktion eingebaut wird.

Mängel in Planung und Bauausführung

»Feuchte von außen«
- mangelhafte Ausführung der Außenbauteile (z.B. Putz, Mauerwerk, Sichtmauerwerk)
- nicht fachgerechte Abdichtung (z.B. horizontal, vertikal, Bauteilanschlüsse, Durchdringungen)
- Wasserschäden usw.

»Feuchte von innen«
- Planungsfehler
- mangelhafte Ausführung der Außenbauteile
- nicht fachgerechte Abdichtung (z.B. Feucht- und Nassräume)
- nicht fachgerecht dimensionierte Anlagentechnik (Heizen)
- Wasserschäden usw.

Beispiel: Kelleraußenwand: Feuchte- und Schimmelpilzschäden durch u. a. fehlende, defekte, mangelhafte vertikale Abdichtung und Drainage.

Bild 10: Vor der Modernisierung ...

Bild 11: Energetische Modernisierung begonnen ...

Anlagentechnische und nutzungsspezifische Parameter

Lüftungsanlagentechnik

- Abluftanlagen
- Abluft- und Zuluftanlagen
- Dezentrale Lüftungsgeräte

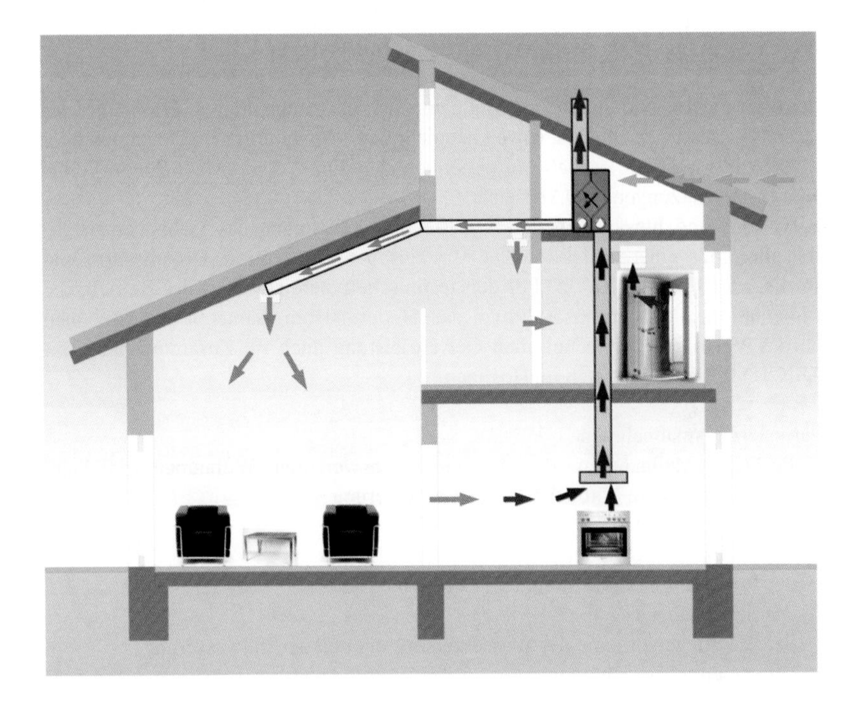

Bild 12: Abluft- und Zuluftanlage

Nutzerverhalten
Richtig Heizen, Lüften und Wohnen

Wie sollte sich ein Wohnungsnutzer verhalten, um einerseits Feuchte- und Schimmelpilzschäden zu vermeiden und andererseits mit möglichst niedrigem Energieaufwand ein behagliches Raumklima zu schaffen?

- Dem Raumluftaustausch ist besondere Aufmerksamkeit zu widmen.
- Die Luftzirkulation innerhalb der Räume sollte nicht behindert werden.
- Der erforderliche Durchlüftungsvorgang ist möglichst kurz zu halten.
- Jedes Dauerlüften, z.B. durch Kippen des Fensters, sollte während der Heizperiode unterbleiben.
- Die Türen zu weniger beheizten Räumen sollten geschlossen bleiben.
- Zusätzliche Luftbefeuchtung sollte vermieden werden.
- In der Wohnung sollte keine Wäsche getrocknet werden.
- Jede Wohnung sollte mit Thermometern und mit mindestens einem qualitativ guten Hygrometer ausgestattet sein.

Ansätze und Aspekte zu »nachhaltigen Modernisierungen»

Modernisierungen sind bauliche Maßnahmen zur nachhaltigen Erhöhung des Gebrauchswertes eines Objekts, soweit sie nicht unter Erweiterungen, Umbauten oder Instandsetzungen fallen, jedoch einschließlich der durch diese Maßnahmen verursachten Instandsetzungen (HOAI § 3 Nr. 6).
Eine Hilfestellung hinsichtlich der Begriffe und Leistungen des Gebäudemanagements, allerdings einer professionellen strategischen Konzeption, Organisation und Kontrolle, gibt die DIN 32736. Für den technischen Bereich ist es der Betrieb, die Dokumentation, die Energieeinsparung, das Modernisieren, Sanieren und Umbauen sowie das Verfolgen der technischen Gewährleistung auch im Zusammenhang mit der DIN 1890 Nutzungskosten im Hochbau.

Modernisierungsmaßnahmen
(1) Bauliche Maßnahmen, die den Gebrauchswert der Wohnungen erhöhen, sind insbesondere Maßnahmen zur Verbesserung

1. des Zuschnitts der Wohnung
2. der Belichtung, Beleuchtung und Belüftung
3. des Schallschutzes
4. der Energieversorgung, der Wasserversorgung und der Entwässerung
5. der sanitären Einrichtungen
6. der Beheizung und der Kochmöglichkeiten
7. der Funktionsabläufe in Wohnungen, sowie
8. der Sicherheit vor Diebstahl und Gewalt.

Zu den baulichen Maßnahmen, die den Gebrauchswert der Wohnungen erhöhen, kann der Anbau gehören, insbesondere soweit er zur Verbesserung der sanitären Einrichtungen oder zum Einbau eines notwendigen Aufzugs erforderlich ist. Der Gebrauchswert von Wohnungen kann auch durch besondere bauliche Maßnahmen für behinderte und alte Menschen erhöht werden, wenn die Wohnungen auf Dauer für sie bestimmt sind.

(2) Bauliche Maßnahmen, die die allgemeinen Wohnverhältnisse verbessern, sind insbesondere die Anlage und der Ausbau von nicht öffentlichen Gemeinschaftsanlagen wie Kinderspielplätze, Grünanlagen, Stellplätze und anderen Verkehrsanlagen.
(3) Bauliche Maßnahmen, die nachhaltig Einsparungen von Heizenergie bewirken (energiesparende Maßnahmen), sind insbesondere Maßnahmen zur

1. wesentlichen Verbesserung der Wärmedämmung von Fenstern, Außentüren, Außenwänden, Dächern, Kellerdecken und obersten Geschossdecken

2. wesentlichen Verminderung des Energieverlustes und des Energieverbrauchs der zentralen Heizungs- und Warmwasseranlagen
3. Änderung von zentralen Heizungs- und Warmwasseranlagen innerhalb des Gebäudes für den Anschluss an die Fernwärmeversorgung, die überwiegend aus Anlagen der Kraft-Wärme-Kopplung, zur Verbrennung von Abfall oder zur Verwertung von Abwärme gespeist wird
4. Rückgewinnung von Wärme
5. Nutzung von Energie durch Wärmepumpen und
6. Nutzung von Energie durch Wärmepumpen- und Solaranlagen (ModEnG § 4).

Modernisierung geht in der Regel über Instandsetzung und Instandhaltung hinaus. Es geht darum, veränderten Nutzungswünschen zu entsprechen, die sich beispielsweise durch die Lebensumstände ergeben haben.
In diesem Zusammenhang steht die energetische Modernisierung der Bausubstanz und der Anlagentechnik heute im Vordergrund.
In vielen Fällen besteht eine Zurückhaltung der Eigentümer zur Durchführung der notwendigen Maßnahmen.
Die Nutzungsphase einer einmal gewählten Wohnsituation beträgt in der Regel 25 bis 30 Jahre. In dieser Zeit ändern sich die Lebenssituation, das Arbeits-, das private und das familiäre Umfeld, die Nutzungsgewohnheiten und der persönliche Geschmack. Aber auch die Ansprüche an den Wohnkomfort wandeln sich, und mit zunehmendem Alter auch die körperliche Situation.
Das führt im Allgemeinen schon bei der Instandhaltung zu kleinen Veränderungen, wird aber bei entsprechendem Anlass auch zu umfangreicheren Modernisierungsmaßnahmen führen.
Dabei werden Maßnahmen der Modernisierung der Wohnsituation und der Anlagentechnik weit gehend mit energiesparenden Maßnahmen verbunden sein. Vor allem deshalb, weil die Energieeinsparung mit günstigen Förderprogrammen verbunden ist und sich dadurch das Verhältnis von Kosten zu Einsparung erheblich verbessert. Aber auch die bessere Qualität der Anlagentechnik, z.B. bei Thermischen Solaranlagen, lässt inzwischen eine positive Bilanz erwarten.
Grundsätzlich sollten bei diesen Maßnahmen in der Art und der Produkt- und Ausführungsqualität auch die Baunutzungskosten Beachtung finden, um diese langfristigen Belastungen zu reduzieren.
Nutzungskosten im Hochbau sind nach DIN 18960 »Alle in baulichen Anlagen und deren Grundstücken entstehenden regelmäßig oder unregelmäßig wiederkehrenden Kosten von Beginn ihrer Nutzbarkeit bis zu ihrer Beseitigung.«
Die Nutzungskosten sind gegliedert in:

- Kapitalkosten
- Verwaltungskosten
- Betriebskosten und

- Instandsetzungskosten (Bauunterhaltungskosten).

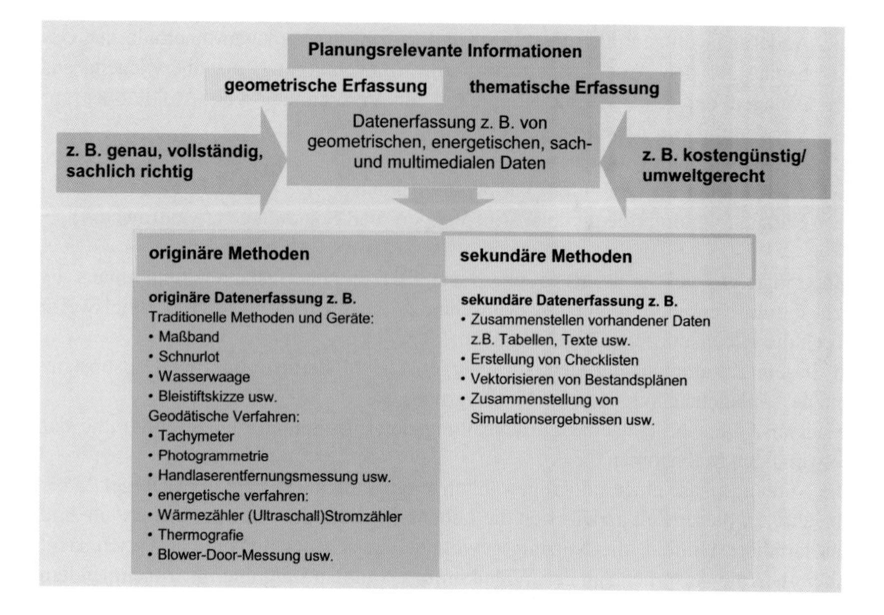

Bild 13: Bau- und Nutzungskosten von Wohngebäuden

Feuchte- und Schimmelpilzschadenvermeidung

In jedem Fall sollte das Vorsoge- und Minimierungsgebot gelten!

- Prophylaxe
- Belastungsminimierung
- Innenraumquellenbeseitigung usw.
- Verwendung anorganischer (mineralischer) Materialien mit alkalischem (hohem) pH-Wert
- diffusionsfähige Oberflächen, keine Behinderung von Warmluftströmungen
- möglichst optimales Lüftungs- und Heizungsverhalten
- fachgerechte Wärmedämmung
- wärmebrückenfreie Konstruktionen
- Wohnraumhygiene usw.

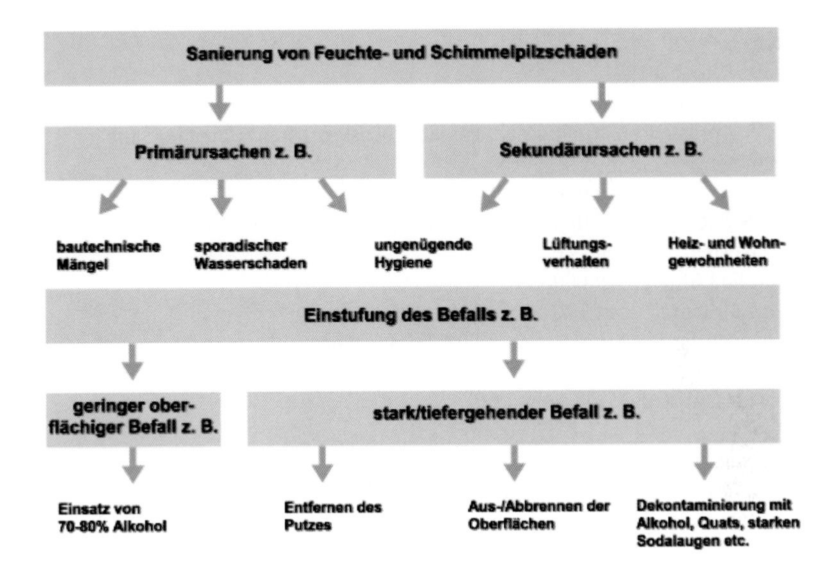

Bild 14: Sanierung von Feuchte- und Schimmelpilzschäden

Ursachenbeseitigung und fachgerechte Sanierung

Sanierungsablauf zu Feuchte- und Schimmelpilzschäden:

- Ursache beseitigen
- Einsatz von Fungiziden nicht empfohlen
- Einsatz von Essig nicht sinnvoll (Neutralisation von Kalk und Nährstoffangebot) sowie
- Modernisierungsarbeiten sind staubarm ohne Aufwirbelung von Staub durchzuführen.
- befallene Tapeten sind (staubarm!) zu entfernen
- bei einem oberflächlichen, abgetrockneten Schaden absaugen (Staubsauger mit HEPA-Filter)
- Desinfektion mit 80 %-igem Alkohol
- Arbeitsschutzmaßnahmen beachten (P2-Maske, Staubschutzbrille, Handschuhe usw.)
- abschließende Feinreinigung.

»Energetische Gebäudemodernisierung« am Beispiel

Sanierungsobjekt Karlsruhe: Niedrigenergiehaus-Standard mit effizienter Lüftung

Kenndaten:
Baujahr: 1969 bis 1971
Sanierung: 2000 bis 2001
Umfang: Komplettsanierung: Dach, Fassade, Fenster, Türen, Heizung, Sanitär, Wärmedämmung
Lüftungsanlage mit Brandschutz
Gesamtwohnfläche: 25.002 m²
Sanierungskosten: 3.130.000,- €
Kosten für die Lüftung: 198.000,- €
Anteil der Lüftung: ca. 6%
Warmmiete vor der Sanierung: 3,70 €/m² pro Monat
Warmmiete nach der Sanierung: 4,75 €/m² pro Monat
Anteil der Lüftung a. d. Mieterhöhung: 0,06 €/m²

Projektbeschreibung Karlsruhe
Im Rahmen des EnSan-Forschungsprojekts »Energetische Verbesserung der Bausubstanz« wurden die Gebäude der Bördeler-/Bonhoeffer-Straße in wesentlichen Teilen modernisiert. Im Altzustand war u. a. auch eine Lüftungsanlage installiert, die aber aufgrund der starken Geräuschentwicklung als massiv störend empfunden wurde. Darüber hinaus lief diese Anlage nur in bestimmten Intervallen, so dass Bauschäden nicht zu vermeiden waren. Die Kanalverzüge in den Wohnungen entsprachen nicht den aktuellen Brandschutzanforderungen.

Vorgehensweise/Ziele
Aufgabe war es, die vorhandene Intervalllüftung zu einer funktionierenden mechanischen Lüftungsanlage umzurüsten, die geräuscharm aber dennoch wirkungsvoll arbeitet. Neben der Sicherstellung der Anforderungen an Schallschutz und Lufthygiene sollte eine hervorragende Energieeffizienz sowie eine Erhöhung des Wohnkomforts erreicht werden (Bilder 15, 16).

Fazit
Nach dem Umbau erreichten die Bauten EnEV-Standard.

- Senkung des Heizenergieverbrauchs von 24 - 30 ltr./m² per anno auf 5 - 7 ltr./m² per anno
- dauerhafte Vermeidung von Schimmelpilzbefall
- individuell eingestellte Luftmenge pro Wohnung
- geräuscharm durch Schallschutz
- Erfüllung der Brandschutzanforderung
- bessere Lufthygiene
- Erhöhung des Wohnkomforts
- energieeffizient

- rechnerische Jahresheizkennzahl vorher 12.0 ltr. / m²
- rechnerische Jahresheizkennzahl nachher 5,6 ltr. / m²

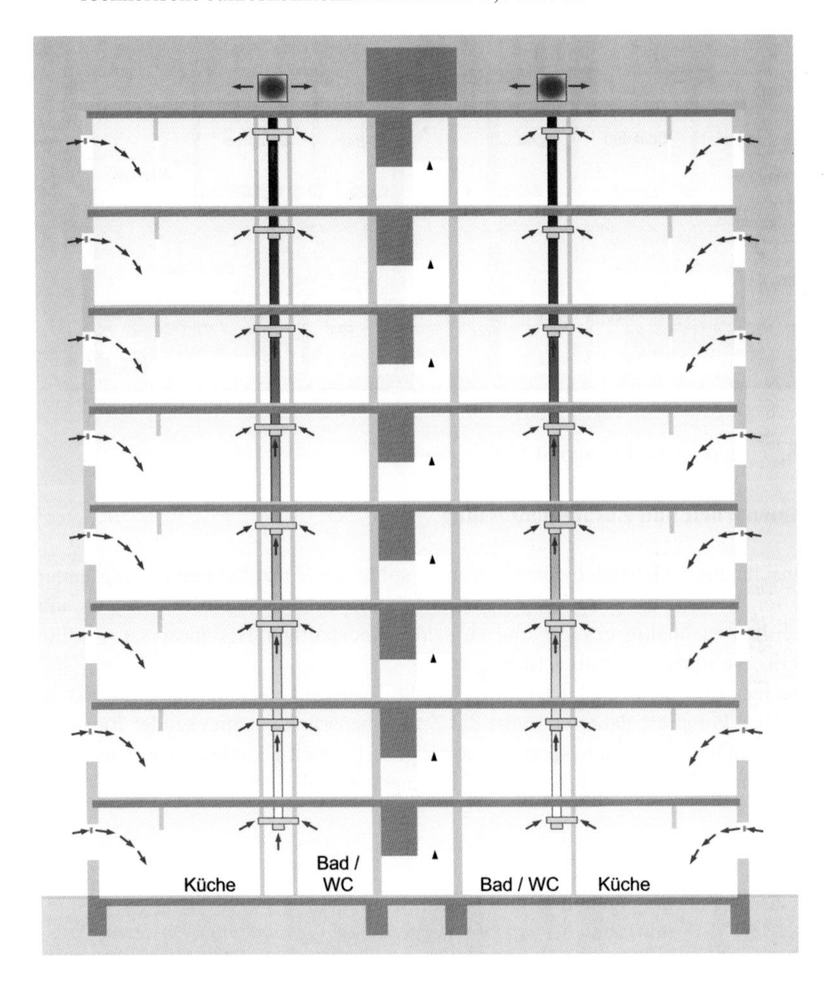

Bild 15: Schnitt durch das Mehrfamilienhaus mit Lüftungsanlage

Lüftungstechnik
Bezüglich der Nachströmung kam ein neu entwickeltes Fensterventil mit Volumenstrombegrenzung (sog. Sturmsicherung) zur Ausführung, das unterhalb der Rollladenkästen eingebaut wurde. Diese Sturmsicherung gewährleistet, dass bei einem erzeugten Unterdruck von ca. 8 Pa etwa 28,5 m³ Frischluft pro Stunde und bei einer

entsprechenden Windbelastung max. 30 - 32 m³/h nachströmen. Im Rahmen der Untersuchung wurden diese Daten bestätigt.

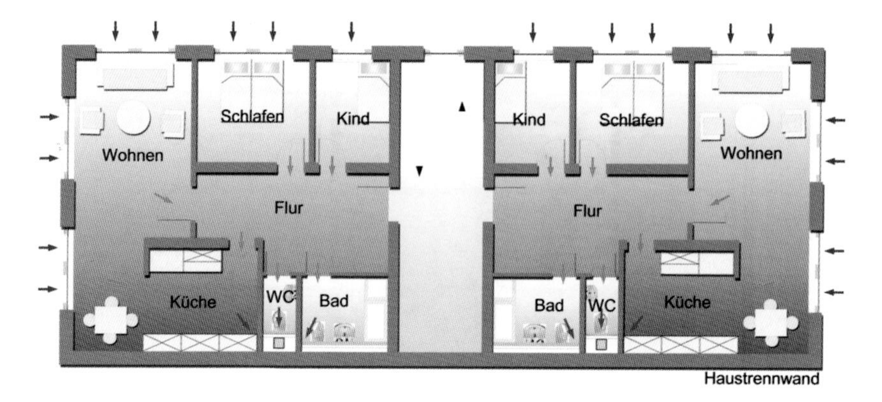

Bild 16: Grundriss Wohnung mit Lüftungsanlage

Zusammenarbeit und Zusammenfassung

Jede »nachhaltige Gebäudemodernisierung« sollte als Einzelfallbetrachtung unter besonderer Berücksichtigung aller spezifischen Aspekte fachgerecht erfolgen um »ganzheitlich-nachhaltig erfolgreich« zu sein. »Nachhaltiger Bestandsersatz« sollte als Alternative immer geprüft werden.
Die Feuchte- und Schimmelpilzschadenursache, -vermeidung und -sanierung ist in vielen Fällen komplex, daher ist meist die Zusammenarbeit entsprechender Experten (Bausachverständige, Bauphysiker, Baubiologen, Umweltmediziner usw.) und die Koordination der ganzheitlich iterativen Leistungen erforderlich.

Literatur

[1] Deutsche Energie-Agentur GmbH (dena), Berlin
[2] Pfeiffer, M.: *Qualitätssicherung zur energetischen Gebäudemodernisierung in: Schäden bei der energetischen Modernisierung,* Fraunhofer IRB Verlag, 2005

Die Sanierung der korrodierten Anker in der Westturmanlage des Doms zu Meißen

G. Donath
Meißen

Zusammenfassung

Beim Ausbau der Meißner Westtürme nach Plänen des Architekten Carl Schäfer 1904-1908 wurden hauptsächlich in den neu errichteten Turmoktogonen eiserne Ankerlagen eingebaut. Sie hatten zunächst die Aufgabe, bauzeitlich die aufwachsenden Turmpfeiler zu stabilisieren, sie hatten aber auch statische Funktionen in der gesamten Baustruktur zu übernehmen. Durch die unvorstellbar hohe Belastung der Atmosphäre vor allem durch Schwefeldioxid kam es zur beschleunigten Korrosion der verbauten Eisen und dadurch wiederum zu Absprengungen des Sandsteins der Turmpfeiler. Die enorm anwachsenden Querzugspannungen in den Pfeilern führten zu deren Versagen. Die Sanierung der rostenden Anker war die Voraussetzung für die Sanierung der Westtürme überhaupt und wichtiger Bestandteil des Restaurierungsprogramms des Domes von 1990 bis 2002. Ein Ausbau der Anker bzw. deren Ersatz durch nichtrostendes Material war konstruktiv nicht möglich. Es mussten deshalb Lösungen gefunden werden, die eine Sanierung in situ gestatteten. Neben der konstruktiven Verstärkung der Anker wurden dabei ähnlich wie im Schiffsbau Opferanoden angebracht, die aus dem Ionenabtrag bei der Korrosion der Eisen eine Anlagerung der Ionen des Metalls der Opferanode bewirken. Die Maßnahme war ein Pilotprojekt der Deutschen Bundesstiftung Umwelt und war wegen seines innovativen Charakters zugleich Bestandteil des deutsch- französischen Forschungsprogramms „Conservation commune d`un Patrimoine commun - Gemeinsames Erbe gemeinsam erhalten“.

Entstehung, Verfall und Sanierung – das Ringen um die Meißner Domtürme [1]

„Wie lange dauern die Werke? So lange als bis sie fertig sind. So lange sie nämlich Mühe machen verfallen sie nicht. Einladend zur Mühe, belohnend die Beteiligung ist ihr Wesen von Dauer, so lange sie einladen und belohnen.“ schreibt Berthold Brecht in einem seiner Gedichte. Unwillkürlich muß man an diese Worte denken, wenn man hoch oben im Inneren der Meißner Domtürme steht und diese seltsam zerbrechlich wirkenden geometrischen Gebilde aus Stein bewundert, die sich wie Teile eines Altar- Gesprenges gegen den Himmel recken (Bild 1). Die kühnen Konstruktionen aus festem, quarzitisch gebundenem, ursprünglich einmal gelblich-weißem Sandstein sind inzwischen braunschwarz patiniert. Sie fügen sich heute ganz selbstverständlich ein in das Bild der Westturmfront der Kathedrale, als würden sie seit Jahrhunderten dort thronen. Obwohl sie zu den jüngsten Baukompartimenten des Domes gehören, haben sie eine wechselvolle Geschichte hinter sich.

Bild 1: Der filigrane Steinbau der Meißner Domtürme

Der hochgotische Meißner Dom war bereits der dritte Kathedralbau, dessen Mauern seit der kaiserlichen Stiftung des Bistums Meißen auf der Synode von Ravenna 968 über dem geweihten Grund auf dem Burgberg hoch oben über der Elbe emporwuchsen. 1268 waren mit dem Chorbau und dem Querhaus funktionsfähige Raumeinheiten entstanden, die den Abriß des romanischen Vorgängerbaus gestatteten. Zur Gesamtdisposition des gotischen Doms gehörte auch der Bau von vier Türmen, von denen zwei als Chorflankentürme im Osten und zwei weitere in der Doppelturmfront im Westen konzipiert waren. Aus der Kenntnis der Verteilung der Steinmetzzeichen wis-

sen wir heute, dass schon sehr früh, lange vor der Vollendung des Hallenlanghauses, die Grundmauern der Türme angelegt wurden; offenbar um deren Setzungen abklingen zu lassen.
1401 konnte der Südost-Turm vollendet werden. Trotzdem sollte es nahezu ein weiteres Jahrhundert dauern, bis unter Dombaumeister Arnold von Westfalen ab 1470 das dritte Turmgeschoß der Westturmanlage aufgeführt wurde. Die hochaufragenden Arnold`schen Türme wurden nicht mehr vollendet: der Tod des Dombaumeisters, die Einführung der Reformation 1539 und ein alles verheerender Dombrand 1547 setzten den kühnen Plänen ein jähes Ende. An einen Weiterbau der Türme war nicht mehr zu denken; das altgläubige Bistum Meißen hatte aufgehört zu existieren, wenn auch für das Hochstift Meißen mit einem evangelisch gewordenem Domkapitel die neue Zeit begann. Der „Breithe Turm“ – wie das Westwerk in den Urkunden genannt wurde - wurde lediglich mit einem Notdach abgeschlossen, welches der Volksmund als „Schafstall bezeichnete (Bild 2).

Bild 2: Ansicht des Meißner Doms von Südwesten. Kupferstich von 1782

Der unvollendete Kathedralbau spielte aber in der Geisteswelt des 19. Jahrhunderts eine wichtige Rolle. Um 1800 wurde er von Malern und Schriftstellern der Romantik entdeckt, die im schwärmerischen Rückblick auf das Mittelalter von der Turmvollendung träumten und sich ausmalten, wie der Dom mit einer Zweiturmanlage aussehen könnte. Der 1825 unter Mitwirkung von Prinz Johann von Sachsen gegründete Königliche Sächsische Altertumsverein nahm sich des Meißner Doms als Symbol sächsischer Geschichte an. Gottfried Semper legte ein wegweisendes Gutachten über die

Wiederherstellung des Meißner Doms vor, das zu den Gründungsdokumenten der sächsischen Denkmalpflege gehört. Seit dem frühen 19. Jahrhundert waren überall in Deutschland, wo es unvollendete mittelalterliche Kirchen gab, Dombauvereine entstanden. Berühmte Kirchen wie die Dome in Köln und Regensburg oder das Münster in Ulm wurden in Anlehnung an die mittelalterlichen Baupläne weitergebaut und mit gotischen Türmen versehen. Aufgrund der revolutionären Ereignisse 1848/49 und der drohenden Auflösung des Domkapitels konnten die Baumaßnahmen in Meißen nicht so rasch ausgeführt werden, wie man es zunächst gedacht hatte. Inzwischen wandelte sich die Art und Weise, wie man mit den historischen Bauwerken umging und diese restaurierte. Es setzten sich zunehmend wissenschaftliche Ansätze der Denkmalpflege durch. Schließlich kam es zum Streit zwischen den Verfechtern des Ausbaus der Meißner Domtürme und denen, die der von Georg Dehio postulierten These vom „Konservieren und nicht Restaurieren" folgten. Im Mittelpunkt dieses Streits stand der zum Meißner Dombaumeister berufene Karlsruher Architekturprofessor Carl Schäfer, der seine 1899 im Rahmen des Turmbauwettbewerbs dem Meißner Dombau-Verein vorgelegten Entwürfe selbstbewusst in den Stilformen vergangener Zeiten gestaltete (Bild.3).

Bild 3a: Turmplan Arnolds von Westfalen, um 1470; Rekonstruktion nach Befunden am Bau.

Bild 3b: der Entwurf zum Ausbau der Westtürme von Carl Schäfer, 1902

Als 1902 der Bau der Domtürme begann, war der Historismus mittlerweile überholt. Der Meißner Dom ist daher das jüngste und letzte Beispiel der romantisch geprägten Turmvollendungsphantasien des 19. Jahrhunderts und das wohl bedeutendste Werk des späten Historismus in Deutschland. Der Turmbau in Meißen war eine großartige Leistung. In nur sechs Jahren wurde ein gewaltiges Bauvolumen bewältigt: die Türme ragen nahezu 90 Meter in die Höhe. Sie sind wahre „Himmelszeichen", denn ihre Wirkmächtigkeit wird durch die Lage hoch über der Elbe noch gesteigert. Mit der Weihe der Glocken im Oktober 1908 wurde der Turmbau abgeschlossen.
Bereits Mitte der 1920er Jahre zeigten sich aber erste Schäden an den soeben errichteten Türmen. Vereinzelt waren filigrane Bauglieder längs aufgerissen und es stürzten Sandsteinteile ab. Zunächst vermutete man die Ursache bei den Turmbewegungen und stattete einige der schlanken Fialtürme oder Wasserspeier mit zusätzlichen Rückverhängungen aus. 1929 beging man mit großem Gepränge die Tausendjahrfeier Meißens und ergänzte das Domgeläut um eine 7,8 Tonnen schwere Glocke, die zu den figurenreichsten der Welt gehört. Auch in der Zeit des Dritten Reiches fehlte die Kraft zu einer tief greifenden Auseinandersetzung mit den immer gravierender werdenden baukonstruktiven Problemen der Türme auf. Am Ende des Zweiten Weltkrieges wurde der Meißner Dom vom anderen Elbufer aus beschossen; zum Glück hielten sich die Schäden in Grenzen. 1953 wurden notdürftig Reparaturen an den Dä-

chern und dem Steinwerk des Domes ausgeführt. Immerhin erkannte man aber damals, dass offenbar rostende Eisenanker den Stein auseinandertrieben und somit die Ursache für die Steinabstürze waren. Unter den schwierigen, kirchenfeindlichen Bedingungen der DDR, vor allem aber des wirtschaftlichen und technischen Unvermögens der maroden Bauindustrie wegen, waren die Probleme auch in dieser Zeit nicht zu lösen. 1989 trug man – wie es nicht anders zu erwarten war - die bauaufsichtliche Sperrung der Türme und weiter Teile des Domplatzes an das Meißner Domkapitel heran (Bild 4).

Bild 4: Steinzerstörung durch rostende Anker

Erst mit der deutschen Wiedervereinigung waren alle Voraussetzungen gegeben, das ambitionierte Werk der grundhaften Instandsetzung der Domtürme anzugehen. Als national bedeutsames Monument genoss der Meißner Dom höchste Priorität bei der Bereitstellung von Bundes- und Landesmitteln. Die 1990 mit dem Erlös beim Verkauf der Salzgitter AG gegründete Deutsche Bundesstiftung Umwelt übernahm als eines der ersten ihrer Förderprojekte und als Soforthilfemaßnahme die Restaurierung der Meißner Domtürme auf wissenschaftlicher Grundlage.

Die in-situ-Sanierung der eisernen Anker

"Der Abschluss der mikroklimatischen und lufthygienischen Meßreihe im Meißner Elbtal erlaubt uns, dem Dombaumeister eine gute und eine schlechte Nachricht zugleich mitzuteilen: die SO_2- Emissionen sind um 65%, die der alkalischen Stäube um 90% und die der Stickoxide um 30% zurückgegangen; der Zustand der Atmosphäre hat sich deutlich verbessert!" resümierte der Koordinator des Deutsch - Französischen Forschungsprogrammes Prof. Dr. Althaus, Universität Karlsruhe, anlässlich eines im Sommer 1996 in Meißen durchgeführten Kolloquiums.
Wo ist da die schlechte Nachricht, muss man sich angesichts der Tatsache fragen, das die Emissionswerte im Meißner Elbtal noch bis vor kurzem wesentlich höher lagen

als in den industriellen Ballungsgebieten der alten Bundesrepublik? Und tatsächlich: gerade die Rasanz bei der überproportional hohen Abnahme von mehr als 25% des Anteils der alkalischen Stäube als vergleichsweise die SO_2-Emission eliminiert das gegenseitige Neutralisieren dieser beiden Stoffe. Das dabei eingetretene Ungleichgewicht läßt den Regen wieder saurer werden - mit unabsehbaren Folgen für die Steinverwitterung, aber auch für die Stahlkorrosion am Meißner Dom.
Unter Korrosion versteht man ganz allgemein die Zerstörung z.B. von Metallen durch chemische oder elektrochemische Reaktionen mit ihrer Umgebung. Dies ist der Fall, wenn sich Staub- und Rußpartikel auf freien Metallkonstruktionen als elektropositive Teile ablagern. Mit jenen bildet das Regenwasser schweflige Säure als Elektrolyt, so dass Metallanteile in Lösung gehen und die bekannte Abrostung als Blatt oder Narbe auf der gesamten Metalloberfläche hinterlassen wird. Luftverunreinigungen, insbesondere mit Schwefeldioxid, beschleunigen diesen Vorgang.
Die Verteilung der Schadensgruppen an dem im Wesentlichen in drei großen Bauabschnitten entstandenen Westwerk (Bild 5) zeigt deutlich, dass vor allem der unter Carl Schäfer ausgeführte Ausbau der Westturmanlage, schwerste Beschädigungen zeigt, während der mittelalterliche Steinbau außer an den weit vorspringenden Gesimsen der großen Turmbalkone keine nennenswerten Schäden aufweist.

Bild 5: Verteilung der Bauschäden über die Westturmanlage

Die Ursache für das unübersehbare Ausmaß der Steinzerstörung ist in einer Vielzahl von eisernen Ankern zu suchen, die den Bau durchziehen. Die aus der Sicht Schäfers notwendige Anordnung eiserner Verstrebungen ist sicher eine Folge der Bemessung einzelner Bauglieder nach einem technischen Regelwerk, dem der Architekt zu folgen hatte und war weit entfernt von der Kühnheit, aber auch des Erfindungsreichtums der Konstruktionen unserer Vorgänger. Anstatt die konstruktive Durchbildung des Steinbaus vom 1401 vollendeten Südostturm auch bei den beiden Westtürmen zu übernehmen, glaubte Schäfer die steinernen Bauglieder mit einem Gewirr von Eisenbändern und –stangen versehen zu müssen, so wie man es eigentlich nur bei Bewehrungsbildern im seinerzeit aufkommenden "Eisenbetonbau" wieder findet (Bild 6). Sorgfältig bedachte er auch Stellen, an denen es geradezu absurd erschien, andere als die vom Mittelalter her bekannten Bronzedübel, Nut- und Feder-Konstruktionen der Steinteile oder die Bleivergußtechnik zu wählen, mit eisernen Ankern: Brüstungen, Treppenläufe, die Kerne großer und kleiner Fialen, die Wimperge wurden genau so "armiert" wie die freistehenden Pfeiler der Turmoktogone.

Bild 6: Ankerlagen in den Turmoktogonen

Der Stand der um die Jahrhundertwende angewandten Stahlgußtechnik gestattete damals noch nicht die Herstellung von Baustählen mit einem homogenen Feinkorngefüge. Für die Eisenanker wurde ein unberuhigt vergossener Stahl mit erhöhtem Phosphatgehalt verwendet. Als Korrosionsschutz sollte in den freien Ankerlagen ein einfacher Ölfarbanstrich genügen, während die im Steinwerk liegenden Eisen mit reiner Zementschlämme als Rostschutz ummantelt wurden.

Alle diese Eisen fingen im Laufe der Zeit an zu rosten! In den Kontaktzonen der Anker mit dem Stein trat Spaltkorrosion mit Quellrostbildung auf. Beschleunigt wurde dieser Prozeß noch durch die dramatische Umweltsituation in der DDR in den 1970er und 80er Jahren. Die für diese Zeit nachgewiesenen Werte der atmosphärischen Schwefeldioxidkonzentration bewegten sich in einer Größenordnung, welche sogar im weltweiten Vergleich außergewöhnlich war. Wie wir heute wissen, wurden derartig hohe Konzentrationen z. B. in Skandinavien nur zur experimentellen, künstlich beschleunigten Schadgasbewitterung von Materialproben im Labor eingesetzt. Derartige Versuche hätten in Meißen auch ohne Bewitterungskammern im Freien stattfinden können. Die Quellrostbildung in den Spalten ist einerseits im Zusammenspiel der SO_2-Belastung der Atmosphäre mit Promotion durch Gips, der durch Calcitumwandlung am Stein und Mörtel gebildet wird, und andererseits durch die Eisen-Phosphat-Seigerungen im Stahl selbst entstanden. Begünstigt wurde der Prozeß aber auch durch die Vernachlässigung der Bauwerksbewegungen beim Konstruieren der Türme. Sie sind Formänderungen infolge von Windkräften, Erdstößen, dem Überschallknall von Flugzeugen, Temperaturspannungen, Feuchtebelastungen und dem sich im Laufe der Zeit veränderndem Querzugverhalten des Steinwerks ausgesetzt. Durch die Bewegungen der einzelner Bauglieder - statisch-konstruktiv bedingt oder thermisch verursacht - dringt natürlich Wasser in die geöffneten Fugen ein und bewirkt auf diese Weise den schon beschriebenen Prozeß der Rostbildung. Die Volumenvergrößerung bei der Quellrostbildung setzt nun enorme Expansionskräfte frei, die ein Absprengen der Steinflanken bewirken. Hier liegt das höchste Gefährdungspotential. Durch das Abrosten tritt nicht nur eine gefährliche Querschnittsminderung der statisch als Ringanker wirkenden Zugstangen auf, sondern es bewirkt auch bei den Steinkonstruktionen die Zunahme der Druckspannungen, die bis zum Überschreiten der Aufnahmefähigkeit der daraus resultierenden Querzugsspannungen führen können (Bild 7).

Bild 7: Steinabsprengung an einem Turmpfeiler des 4.TG durch rostende Anker

Ungleich stärker abgerostet als in der frei bewitterten Ankerstange waren jedoch deren ummörtelte Eintrittsstellen zum Pfeiler hin. Hier waren die Querschnitte mitunter teilweise schon auf die Hälfte ihrer ursprünglichen Stärke reduziert (Bild 8). Dies wird erklärlich, weil die am Pfeiler herab laufenden Wässer mit größerer Wegstrecke umso mehr aggressiv wirkende Schmutzpartikel transportieren, die sich nun gehäuft an den Austrittsstellen der freien Anker ablagern und lange einwirkende Depots bilden können. In unmittelbarer Nähe der Verbundstellen erhöht die sich bildende Schwefelsäure in Verbindung mit dem reichlichen Sauerstoffangebot die Korrosionsfähigkeit. Dementsprechend wiesen solche Anker, die relativ dicht unter Bögen geschützt verlaufen, unter gleichen Expositionsbedingungen eine „normale" Verteilung gleichmäßiger Korrosionsformen wie Mulden- oder Flächenkorrosion auf.

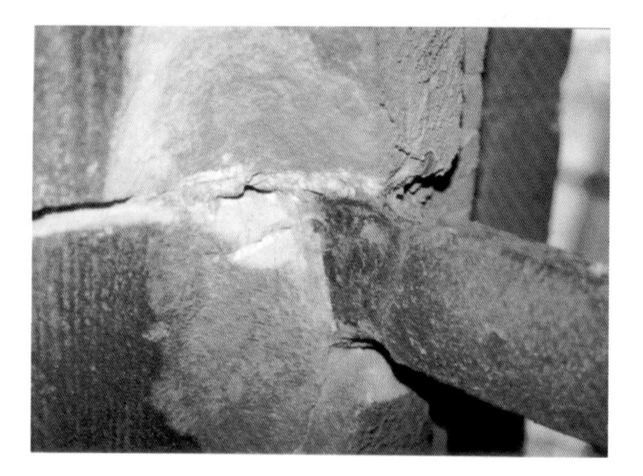

Bild 8: Querschnittsverminderung an den Ankern an der Kontaktstelle Stahl-Stein

Was war also zur Konsolidierung der eisernen Anker in den Türmen zu tun? Ein kompletter Ausbau dieser durch die steinernen Turmpfeiler durchlaufenden Ankersysteme hätte ein Abtragen der Türme, zumindest aber den Bau gewaltiger Abfangekonstruktionen in großer Höhe bedeutet und schied deshalb von vornherein aus. Auch wäre eine gefährliche Instabilität der langen, schlanken Oktogonpfeiler durch die Veränderung der Knicklängen die Folge gewesen. Ein konsequenter Ausbau war nur bei den unzähligen kleinen Ankern, mit denen die Bauzier rückverhängt war, und bei den Brüstungen möglich. Der konstruktiv notwendige „Ersatz" konnte durch die Anwendung mittelalterlicher Bautechnologien durch die Verwendung von Bronzedübeln oder die Ausbildung von Nut und Feder beim Steinversatz geschaffen werden. Alle übrigen Anker mussten aber im Turm verbleiben. Das bedeutete aber, dass sie in situ saniert werden mussten, danach aber weiterhin korrosionsbegünstigenden Umwelteinwirkungen ausgesetzt waren.

Als nächstes wurde das Abschneiden der freien Stablängen und "Anlaschen" von nichtrostenden Stählen erwogen. Die so erzeugte Materialkombination hätte jedoch auf Grund der unterschiedlichen Stellung der beiden Metalle in der elektrochemischen Metallreihe einen weiteren Abtrag am unedleren Eisen bewirkt. Diejenigen Stoffe mit der geringsten Lösungsneigung stehen in Relation gesehen rechts in dieser Reihe, die mit der größten Lösungsneigung links. Ganz nebenbei besteht zwischen diesen Metallen eine Potentialdifferenz. Dazu kommt eine Elektrolytlösung, deren Wirkung durch den sauren Regen entsteht und die noch durch das Herauswaschen der in den Stein eingedrungenen bauschädlichen Salze verstärkt wird. Außerhalb dieser Lösung fließt also ein Elektronenstrom, innerhalb aber ein Ionenstrom.
Aber lag nicht hier schon der gedankliche Ansatz einer technischen Lösung verborgen? Was geschieht, wenn man zur statischen Wiederherstellung der abgerosteten Anker Stahl der gleichen schlechten Qualität wie 1904 verwendet, ihn aber wie beim Schiffsbau, wo auch in einem feuchten Medium unterschiedliche Metalle miteinander Kontakt haben, mit Opferanoden versieht?
Die Konsolidierung der Anker erfolgte schrittweise auf der Grundlage dieser Gedankengänge:
Nach Freilegen der Kontaktstellen Stahlanker-Steinwerk durch tiefgreifenden Ausbau der zerborstenen Steinquader konnten die Ankeroberflächen von Hand oder mit rotierenden Bürsten einem Entrostungsgrad sII entsprechend entrostet werden. An allen geschwächten Stellen wurden die Ankerstangen durch seitliches Überlaschen mit Flacheisen St 38 in zweischnittiger Verbindung durch heißes Annieten vor Ort verstärkt (Bild 9).

Bild 9: Anlaschen von Flacheisen St38 an die querschnittsreduzierten Anker

Statt sie zu vermörteln wurden die nach der Steinergänzung verbliebenen Fugen zum Ankerstab hin zunächst in der Tiefe mit Bleiwolle verstemmt und anschließend mittels einem aus Lehm geformten "Schwalbennest" und über zweiteilige Hilfsformen mit Blei ausgegossen. Nach dem Erkalten wurden die Eingüsse verputzt und alles sorgfältig nachgestemmt und verdichtet (Bild 10).

Bild 10: Bleiverguß der Fugen

Alle Eisenteile wurden zunächst mit Zinkhaftfarbe Glasurit in vierfachem Anstrichaufbau konserviert. Als zusätzliche Schutzmaßnahme brachte man Opferanoden aus Zink in leitender Verbindung an (Bild 11). Zink ist ein relativ unedles Metall, das in der Metallreihe links vom Eisen steht, und hat zur Folge, dass es im Kontakt mit edleren Metallen zuerst in Lösung geht, sich „aufopfert". D.h., der Abtrag von Metallionen findet nicht mehr oder nur noch in vernachlässigbar geringem Umfang am Eisenanker statt, sondern an den Opferanoden. Die Wirkung erstreckt sich allerdings nicht über die ganze Länge der Zuganker, sondern nur im Nahbereich der Anoden. An den freien Ankerbereichen kann die Korrosion nur durch regelmäßige Schutzanstriche vermieden werden. Die Anoden jedoch können jederzeit ohne Mühe und ohne Öffnen der Pfeiler ausgetauscht werden, wenn sie sich verbraucht haben. Das dürfte weitgehend möglich sein, da dies den Aufbau eines Großgerüstes nicht erfordert. Um die Lebensdauer der Anoden wesentlich zu verlängern, wird das am Stein herablaufende Niederschlagswasser durch dreiseitig getriebene Kappen aus Edelstahl abgeleitet. Diese sind über den Anschlußstellen am Pfeiler so befestigt, dass eine Luftumspülung möglich ist.

Bild 11: Anbringen der Opferanode und deren Abdeckungen

Die Wirkungsweise der Opferanoden wird in einem Evaluierungsprogramm untersucht. Heute, nach 15 Jahren seit der in-situ-Sanierung der ersten Anker, sind keinerlei Schäden an dem sensiblen Punkt „Anker-Stein" in den Domtürmen wieder aufgetreten. Die Inspektion aller Anker gehört zum jährlichen Lastenheft der Bauunterhaltung (Bild 12).

Bild 12: Ansicht der Westturmanlage des Meißner Doms, 2007

„Wie lange dauern also die Werke?“ Wir können heute Brechts Worten hinzufügen: „so lange wir, als Einzelne und als Gesellschaft, diese Einladung der Kunstwerke wahrnehmen und Belohnung verspüren – kurz, so lange sie in unserem Bewusstsein lebendig bleiben.“

Literatur

[1] Donath, Günter (Hrsg.): *Die Restaurierung des Domes zu Meißen 1990 – 2002.* Fraunhofer IRB Verlag, Stuttgart 2002; dort u.a.: Kallweit, Jürg Heinrich: *Die Schäden an den eingebauten Stahlankern.*

[2] Kallweit, Jürg Heinrich und Konczalla, Matthias: *Klimabedingte Schäden am Dom zu Meißen. Untersuchung der Korrosion an eingebauten Stählen.* In: Baukultur 1999, Heft 2, S. 25 – 30

[3] Ecclesia Misnensis- Jahrbuch des Dombau-Vereins Meißen, Bde. 1-5 (1998 bis 2002), Bd. 6 (2003/2004), Bd. 7 (2005/2006) erschienen unter dem Titel „Monumenta Misnensia”

[4] Donath, Günter und Matthias Donath: *Der Dom zu Meißen: die Geschichte, die Konstruktion und die Konsolidierung der Schäden des Steinbaus.* In: Das Münster 51 (1998) S. 194-211

[5] Pallot-Frossard, Isabelle et Jaques Philippon (Hrsg.): *Baudenkmäler und Umwelt. Deutsch-Französische Forschungen zur Erhaltung von Natursteinen und Glasmalereien. – Monument Historique et Environments. Recherches franco-allemandes sur la conservation de la pierre et du vitrail.* Paris 1999

Regenschutz außen ist gleich Kollateralschaden innen? Vom Nutzen und Schaden der Gesimsabdeckungen an historischen Monumenten

M. Pfanner und J. Pfanner
Scheffau / Allgäu und Uhldingen a.B.

Zusammenfassung

Historische Gebäude zeichnen sich – im Gegensatz zu den Gebäuden der Moderne und Postmoderne mit ihrer glatten Außenhaut – durch starke Fassadengliederung mit zahlreichen Vor- und Rücksprüngen, Gurtprofilen und Gesimsen aus. Da diese der Witterung besonders ausgesetzt sind, verwahrt man sie von alters her mit Metallblechen, früher mit Kupfer, Eisen oder Blei, neuerdings mit Aluminium und Titanzink. Das Problem ist die Befestigung der Bleche auf mineralischem Untergrund, nämlich auf Putz, Mauerwerk, Terrakotta, Beton oder Stein. Die alten Befestigungsmethoden mit Kupfer- und Eisennägeln waren entweder sehr aufwendig (Verbleiung), wenig dauerhaft (Holzdübel) oder führten zu Rostsprengungen (Eisendübel). Heutzutage haben sich deshalb Spenglerschrauben aus Edelstahl, die problemlos in Kunststoffspreizdübel („Fischerdübel") eingedreht werden können, allgemein durchgesetzt. Freilich entsteht dadurch ein neues Schadensbild: Ganze Gesimskanten werden durch eben diese Spreizdübel abgesprengt. Der Schaden ist größer als je zuvor. Berechnungen sowie praktische Erfahrungen belegen, dass die Verwendung der Spreizdübel vielfach nicht funktioniert und vor allem beim Naturstein zu massiven Folgeschäden führen kann. In diesem Beitrag wird deshalb eine andere Befestigungsmethode, nämlich das Einkleben der Schrauben, favorisiert. Ferner wird auf die Vorzüge von Bleiabdeckungen bei denkmalgeschützten Monumenten hingewiesen, wobei auch die Frage nach der Gesundheitsgefährdung von Blei zur Sprache kommt.

1 Historische Gebäude und ihre Gesimse

Ein Blick in den Straßenzug einer alten Stadt zeigt meist sofort, welche Häuser alt und welche neu sind. Das liegt nicht zuletzt daran, dass Bauten der Moderne und Postmoderne in der Nachfolge der Bauhauskultur glatte Fassaden mit wenigen Gesimsen und Untergliederungen bevorzugen. Historische Gebäude dagegen sind von Giebeln und Erkern, Vor- und Rücksprüngen, Gurten und Gesimsen regelrecht übersponnen. Neben ornamentalen und konstruktiven Aufgaben erfüllen die Gesimse vor allem die Funktion eines Regenschutzes für die darunter liegenden Bauteile. Dadurch sind sie ihrerseits der Witterung besonders ausgesetzt. Auch tropft das Wasser meist nicht so wie gewünscht ab, sondern wandert an den Profilen abwärts, läuft die Fassade entlang und dringt in das Gebäude ein. Vor allem die Gesimse selbst werden durch diese ungünstige Wasserführung geschädigt: Natursteine beispielsweise schalen an der Unterseite ab, lösen sich auf oder bilden schädliche Krusten (Bild 1). Eine Abdeckung der Vorsprünge mit Metallblech ist meist, wenn auch nicht in jedem Fall, das probate Mittel der Abhilfe. Das Gesims selbst ist geschützt und die Abtropfkante des Blechs sorgt für eine bessere Wasserableitung. Blechabdeckungen aus Kupfer oder Blei sind deshalb ein gewohnter Anblick bei alten Häusern, Burgen und Kirchen.

Bild 1: Abschalung an Unterseite von Sandsteingesims. Dillingen, Konvictstr.7

Bild 2: Schadhafte Mörtelfugen bei Blechabdeckung. Kempten, St. Lorenzbasilika

2 Blechabdeckungen und ihre Probleme

Neben der Wahl des Materials – welches Metall empfiehlt sich? – und optisch-ästhetischen Fragen – wie soll der Überstand aussehen, wie die Falzung? – gibt es bei der Blechabdeckung zwei hauptsächliche Problempunkte. Der eine betrifft den Anschluss des Blechs am Gebäude, der andere die Befestigung am Untergrund.
Die Fugenausbildung am Gebäude sollte durch klare konstruktive Lösung und saube-

re Handwerksarbeit erfolgen. Dauerelastische Abdichtungen stellen keine dauerhafte Lösung dar. Bei Wandanschlüssen mit Blechaufkantung und Silikonfuge ist es eine Frage der Zeit, bis der Kunststoff spröde wird, Wasser eindringt und für latente Schäden sorgt. Die Einbindung des Blechs in eine Fuge oder Nut ist die richtige Lösung! Wird die Fuge mineralisch verschlossen, dann reißt sie aufgrund der starken Längenausdehnung des Metalls gerne auf und fällt ab (Bild 2). Mit dem Einlegen eines Gleitstreifens lassen sich diese Dehnungsschäden minimieren (Bild 3). Besser ist das Schließen der Fugen mit Blei. Dazu wird Bleiwolle in die Nut oder Fuge eingehämmert und geglättet (Bild 4). Die Nut sollte unterschnitten sein, damit sich die Wolle verkeilt. An den Südseiten der Gebäude verklebt aufgrund der starken Sonneneinstrahlung die Bleiwolle gerne mit dem Blech, weswegen hier das Einlegen einer Gleitschicht ebenfalls sinnvoll ist. Seit Jahrhunderten haben sich Bleifugen bewährt. Sie sind die dauerhafteste, wenn auch die aufwendigste und teuerste Art der Verfugung (Bild 5). [1]

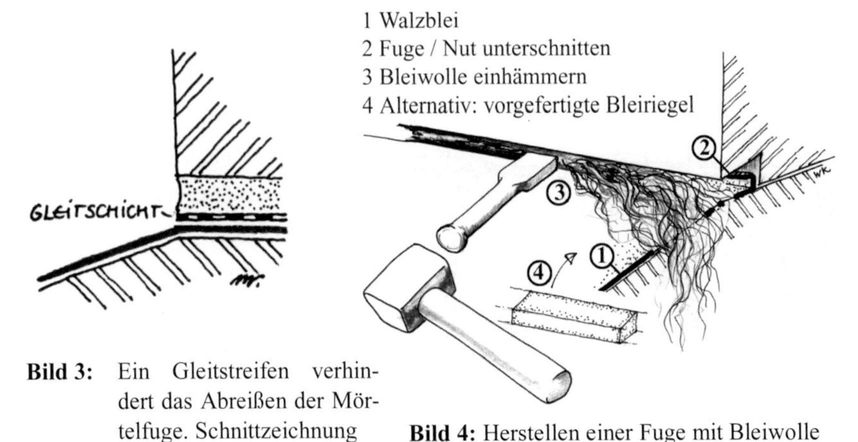

Bild 3: Ein Gleitstreifen verhindert das Abreißen der Mörtelfuge. Schnittzeichnung

Bild 4: Herstellen einer Fuge mit Bleiwolle

Die Befestigung der Bleche auf dem Untergrund scheint kein Problem zu sein. Das ist es auch nicht, wenn sie auf Holzschalung oder Metallunterkonstruktion verschraubt werden. Anders sieht es bei mineralischen Untergründen, nämlich bei Mauerwerk, Putz, Beton, Terrakotta oder Stein aus. Früher mussten die Nägel und Schrauben mühsam mit Hilfe von Holzdübeln oder Blei im Untergrund fixiert werden. Die Lösungen waren im Bleiverguss aufwendig und bei Holzdübeln zudem wenig dauerhaft. Immer gab es das Problem der rostenden Eisen, die zu Volumenvergrößerung und Sprengungen führten (Bild 6). Als Artur Fischer 1958 den „Fischerdübel", einen Spreizdübel aus Polyamid, erfand, revolutionierte dies die Befestigungstechnik weltweit. Auch im Bereich der Blechbefestigungen kommen seitdem fast ausschließlich Spreizdübel zum Einsatz. Entweder werden die Bleche mit Spenglerschrauben und den besagten Spreizdübeln direkt befestigt oder an Vorstoßblechen bzw. Haften, die ihrerseits mit Senkkopfschrauben und Spreizdübeln fixiert werden, eingehängt (Bild 7). Seitdem nicht-rostende Edelstahlschrauben zum Einsatz kamen, schien das Problem der Blechbefestigungen sowohl vom Aufwand als auch von der Nachhaltigkeit her gelöst.

Bild 5: Bleifuge. München, Regierung von Oberbayern

Bild 6: Rostender Dübel sprengt Gesims kante. München, Regier. von Oberbayern

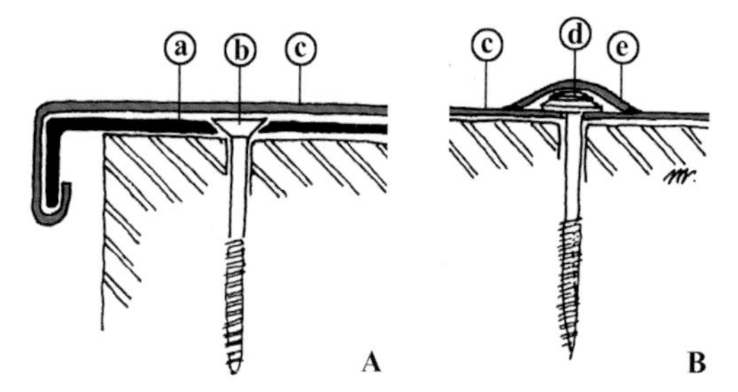

a Vorstoßblech

b Senkkopfschrauben

c Bleiblech

d Spenglerschrauben

e "Hauerbuckel" aus Blei, verschweißt

Bild 7: Bleiblechbefestigung mit Vorstoßblech und Senkkopfschraube (A) oder mit Spenglerschraube (B). Schnittzeichnungen

3 Spreizdübel und ihre Folgen

Bei der Begutachtung von Natursteinfassaden fällt immer wieder ein bestimmtes Schadensbild auf, nämlich das Abbrechen von Gesimskanten, obwohl diese durch Bleche vorbildlich geschützt scheinen (Bild 8). Auffälligerweise handelt es sich oftmals um Sanierungen jüngeren Datums. Der Befund zeigt nicht selten die Verwendung von Spreizdübeln als Schadensursache. Es verwundert ferner, dass die Schäden gehäuft beim Naturstein und weniger bei Beton, Mauerwerk- und Putzgesimsen auftreten. Was ist der Grund? Denn an und für sich besitzt Naturstein eine relativ hohe Biegezugfestigkeit, aufgrund derer man hohe Dübeltragfähigkeiten erwarten dürfte (Tabelle 1).

Tabelle 1: Vergleich der Druck- und Zugwerte bei Naturstein und Mauerwerk [2], [3]

	Granit	Quarzitische Sandsteine	Mauerwerk: Steinfestigk.-Kl.12 Mörtelgruppe IIa*
Druckfestigkeit β_D [N/mm²]	160 - 240	120 - 200	1,6
Biegezugfestigkeit β_{BZ}[N/mm²]	10 - 20	12 - 20	0,036
Druck E-Modul E_D [N/mm²]	40000 - 60000	20000 - 70000	4800

* entspricht einem Mauerwerk aus Hochlochziegel mit Kalkzementmörtel

Bild 8: Schäden durch Spreizdübel (Pfeile) an Gesimsen. A. Nymphenburg, Schloss B. München, Justizpalast C. & D. München, Alte Börse E. München, Eisenbahnbundesamt F. Kempten, St. Lorenzbasilika

Aus der Praxis weiß man, dass sich Naturstein mit Keilen leicht spalten lässt. Augenscheinlich wird dem Stein in unserem Falle gerade seine hohe Druckfestigkeit und sein normalerweise homogenes Gefüge zum Verhängnis. Denn obwohl beim Mauerwerk viel niedrigere Kennwerte gegeben sind, lassen sich solche Schäden hier seltener beobachten. Offenbar können sich die Spreizkräfte des Dübels in dem inhomogenen Mauerwerksgefüge weniger gut ausbreiten und nicht zu den genannten Abscherungen führen. Im Naturstein dagegen wirkt der Spreizdübel wie ein Keil und baut den Druck ungehindert bis zum Rand auf.

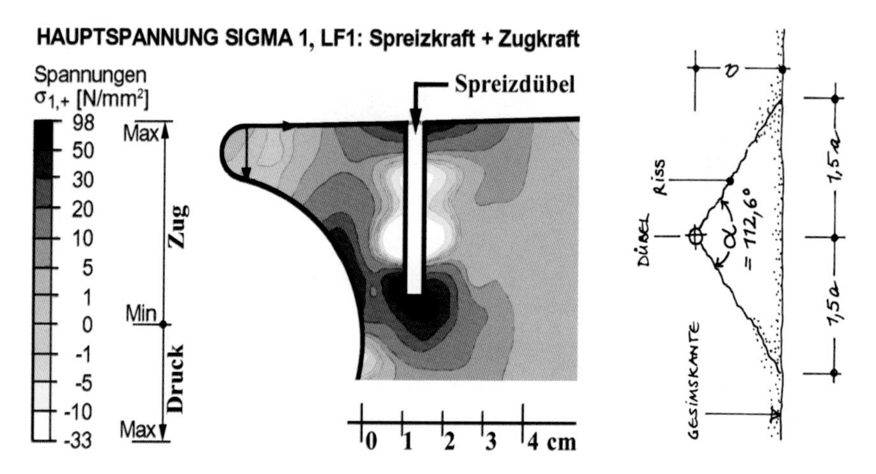

Bild 9: Spreizdübel im Steingesims. Gefährliche Zugspannungen sind dunkel dargestellt. Schnitt, Finite-Elemente Modell (vgl. Bild 12)

Bild 10: Rechnerischer Bruchkegel bei Spreizdübel an Gesimskante Draufsicht (vgl. Bild 6)

Bild 9 demonstriert die Wirkungsweise eines Spreizdübels mit Hilfe eines Modells. Auf den Dübel wirken äußere Zug- und Querkräfte. Im Verankerungsgrund erkennt man die aus dieser Belastung resultierenden Spannungen. Die hell dargestellten Druckkräfte sind unproblematisch, die dunkel dargestellten Zugkräfte können Risse verursachen. Dies muss nicht beim Setzen des Dübels, sondern kann auch später im Zusammenspiel mit Temperatur- und Feuchteänderungen geschehen. Die Draufsicht Bild 10 zeigt die dabei entstehenden Rissbilder. Es braucht nicht eigens betont zu werden, dass solche Situationen an Gesimsecken und bei Dübelreihen verheerende Folgen haben.

4 Der Spengler und sein Steinmetz suchen nach einer Lösung

Wie lassen sich solche Schäden verhindern? Eine Ursache liegt darin, dass zwei Handwerker, nämlich Steinmetz und Spengler, nicht zusammenarbeiten. Der Steinrestaurator hat das Gesims saniert und verlässt die Baustelle. Jetzt kommt der Spengler und montiert das Blech. Er verwendet falsche Maschinen, nämlich Schlagbohrmaschinen, die das Steingefüge schädigen. Er setzt die Schrauben an beliebigen Stellen, da er die Bleche mit ihren Bohrungen schon in der Werkstatt vorgefertigt hat. Er achtet weder auf Materialeigenschaften des Steins noch auf spezielle Situationen am Gesims und auch nicht darauf, ob die Schrauben zu nahe am Rand oder an geschädigten Stellen sitzen. Er verwendet bedenkenlos Spreizdübel, die er schnell montieren kann. An die Beschaffenheit des Untergrundes oder die Wirkungsweise der Dübel verschwendet er keinen Gedanken. Denn was gibt es festeres, härteres und beständigeres als Naturstein? Und so nimmt das Unheil seinen Lauf.
Die Lösung kann nur in der Zusammenarbeit von Steinmetz und Spengler liegen. Die Befestigungsmethode muss einfach und auf die Bausituation abgestimmt sein. In der gängigen Praxis werden die Bleche mit dem Untergrund verklebt und mit Spreizdübeln befestigt. Die meist bituminösen Kleber haben bei denkmalgeschützten Monumenten auszuscheiden, da sie die Steinsubstanz irreversibel schädigen. Die Schäden, die Spreizdübel anrichten, wurden oben erläutert. Die Handwerker werden einen dritten Fachmann, nämlich den Bauingenieur, in ihr Team aufnehmen müssen, um den richtigen Dübel zu finden.

5 Dübel und ihr Verhalten

Die Tragfähigkeit von Dübeln, besonders die von Metalldübeln in Beton, ist relativ gut untersucht. Im Folgenden wird deshalb ihre Wirkungsweise am Beispiel des Betons erklärt. Die prinzipiellen Erkenntnisse gelten – mit Einschränkung – auch für andere mineralische Untergründe. Zur Berechnung wurde das so genannte CC-Verfahren (CC = Concrete Capacity) entwickelt, das nach Lastrichtung und Bruchart unterscheidet und eine wirtschaftliche Bemessung ermöglicht. Das von R. Eligehausen vorgeschlagene und vom Deutschen Institut für Bautechnik veröffentlichte Verfahren ist Grundlage der Dübelbemessung nach Europäisch Technischer Zulassung. Wir beschränken uns auf die in unserem Kontext relevanten Aspekte, zur weiteren Vertiefung wird auf die Literatur verwiesen. [4], [5], [6]
Prinzipiell unterscheidet man zwischen Zug- und Querbeanspruchung und berechnet die unterschiedlichen Versagenszustände. Bei Zugversuchen reißt entweder der Stahl, oder es wird der Anker aus dem Beton gezogen, oder es bricht der Beton aus. Bei letzterem Fall entsteht ein Ausbruchkegel mit typischer Form: Der Durchmesser des Ausbruchkegels ist dreimal so groß wie die Verankerungstiefe. Bei einem zu nahe an den Rand gesetzten Dübel reduziert folglich der seitlich abgeschnittene Ausbruchkegel die Tragfähigkeit des Dübels empfindlich.

Bei Querbeanspruchung kann der Stahl abscheren, der Beton auf der lastabgewandten Seite ausbrechen oder die Betonkante auf der Lastseite brechen. Hier ergibt sich bei randnahen Dübeln eine noch stärkere Abminderung der Tragfähigkeit. Deshalb schreiben die Zulassungen Mindestrandabstände vor, die etwa der Verankerungstiefe entsprechen. Dies kann in der Praxis häufig nicht eingehalten werden, was Kantenausbrüche begünstigt. Selbst wenn sichtbare Schäden ausbleiben, ist die Dübeltragfähigkeit reduziert und unzuverlässig. Freilich treten bei Blechabdeckungen im Normalfall keine extremen Querkräfte auf, so dass dieser Schadensfall selten ist.
Die Versagensarten geben allgemein über das Verhalten der Dübel bei Zug- und Querbelastung Aufschluss. Für die Wirkungsweise des Dübels im Untergrund dagegen ist sein Konstruktionsprinzip entscheidend. Es gibt verschiedene Dübel- und Ankertypen mit unterschiedlicher Funktionsweise: Spreiz-, Hinterschnitt- und Verbunddübel sowie Schraubanker (Bild 11).

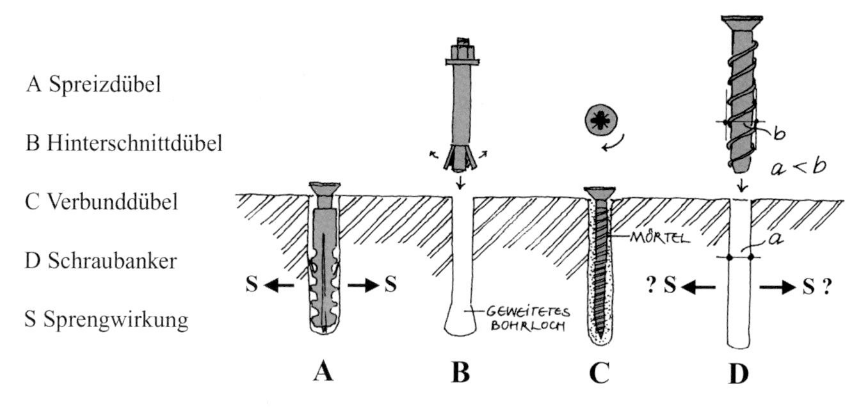

Bild 11: Verschiedene Dübeltypen.

Spreizdübel aus Kunststoff und Metall sind die bekannteste Form der modernen Dübel („Fischerdübel"). Durch Eindrehen bzw. Einschlagen des Ankers spreizt und verklammert sich der Dübel an den Bohrlochflanken. Es entsteht Reibschluss. Die Haltekraft resultiert aus den seitlichen Spreizkräften, die den Verankerungsgrund auf Querzug belasten. Da die Zugfestigkeit der Verankerungsgründe Beton, Mauerwerk und Naturstein um den Faktor 10 geringer ist als ihre Druckfestigkeit, wirken Spreizdübel besonders bei randnaher Lage wie Spaltkeile (vgl. Tabelle 1 und Bild 9).
Dieses Problem tritt bei Hinterschnittdübeln nicht auf. Ein spezieller Bohrvorgang vergrößert unten das Bohrloch. Der Dübel weitet sich beim Setzen, passt sich dem Bohrloch an, kommt also ohne Spreizkräfte aus und hält allein durch Formschluss. Die aufwendigere Methode ist freilich von der Abmessung der Dübel her und aufgrund deren Konstruktion mit Außen- oder Innengewinden und Muttern nicht für die Befestigung von Gesimsblechen geeignet.

Die dritte Dübelart, der Verbunddübel, kommt ebenfalls ohne Spreizkräfte aus. Er nutzt zur Kraftübertragung die Verbundwirkung bzw. Klebung. Dabei stellt ein Kunstharzmörtel, meist ein Zwei-Komponenten-Hybridmörtel, die Haftung von Ankerstange mit der Bohrlochwandung her. Diese Art der Verankerung hat sich bei Naturstein gut bewährt. Bild 12 zeigt, dass hier so gut wie keine Zugspannungen auftreten (vgl. dagegen Bild 9).

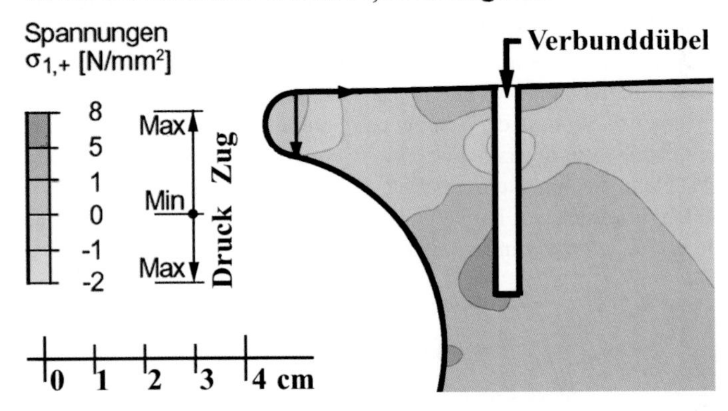

Bild 12: Verbunddübel im Steingesims nahezu ohne Zugspannung. Schnitt, Finite Elemente Modell (vgl. Bild 9)

Seit einiger Zeit sind Schraubanker auf dem Markt. Das Bohrloch wird kleiner als der Schraubendurchmesser gebohrt. Die Schrauben schneiden sich mit ihrem Gewinde aus gehärtetem Stahl in das Bohrloch ein. Es entsteht eine formschlüssige Verbindung, gemäß Herstellerangaben ohne Spreizwirkung. Die Methode versagt bei Materialien wie Granit, Basalt oder hartem Kalkstein, bei weicheren Materialien wie Sandstein oder Muschelkalk wäre sie eine ideale Lösung. Interne Versuchsreihen legen jedoch nahe, dass beim Eindrehen der Schrauben durchaus gewisse Spreizwirkungen entstehen, denn randnahe Schrauben können nach dem Aus- und nochmaligem Eindrehen teilweise von Hand aus dem Bohrloch gezogen werden. Es besteht deshalb der Verdacht, dass ähnliche Probleme wie bei Spreizdübeln auftreten.

Die meisten der genannten Dübelarten haben Zulassungen für Beton. Speziell bei Naturstein gelten grundlegende Einschränkungen, denn dazu gibt es zu viele und zu unterschiedliche Materialsorten – und innerhalb einer Steinmaterials ebenso viele Variationen und Abweichungen. [7], [8]

6 Eine einfache Lösung

Der Exkurs hat gezeigt, dass das Verbunddübelsystem mit Einkleben der Anker die sinnvollste Lösung für die Befestigung von Blechen beim Naturstein ist. Folgende Methode hat sich in der Praxis seit vielen Jahren bewährt (Bild 13):
Nach sorgfältiger Reinigung des Bohrlochs erfolgt mit einer Spritze das Einbringen des Mörtels. Danach wird zur Befestigung der Bleche eine eingefettete Schraube aus Edelstahl eingedreht. Der Verbundmörtel („Hilti-Hit“, „Fakkt-Verbundmörtel“, „Reca-Injektionsmörtel“ etc.) erhärtet je nach Temperatur relativ schnell. Kurz vor dem endgültigen Erhärten wird die Schraube mit einer kurzen Drehung angezogen, so dass sie das Blech andrückt. Denn ist der Mörtel „abgebunden“, lässt sich die Schraube nur mühsam eindrehen und es kommt u.U. zu Spreizwirkungen. Der Vorteil der Methode liegt ferner darin, dass die Schrauben relativ einfach wieder ausgedreht werden können und das System reversibel ist – ein wichtiges Kriterium der modernen Denkmalpflege. Es bleibt anzumerken, dass, da bei Naturstein meist verbindliche Normvorgaben fehlen, in unsicheren Fällen und bei größeren Bauvorhaben Versuche und entsprechende Prüfungen unabdingbar sind.

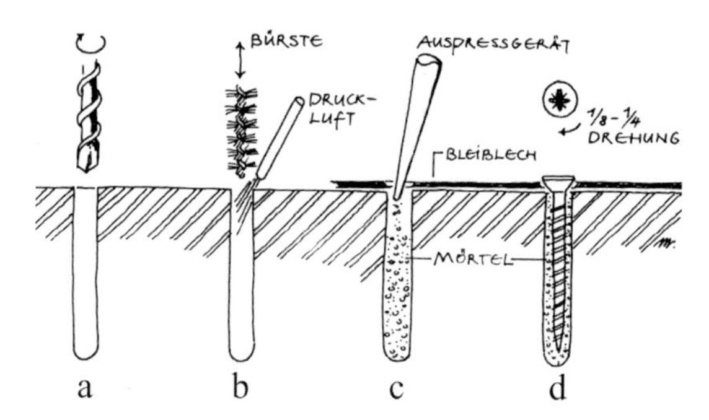

Bild 13: Montage Gesimsblech mit Verbunddübel: Loch bohren (a), reinigen (b), Mörteleinbringen (c), eingefettete Schraube eindrehen und vor Erhärten anziehen (d)

7 Exkurs: Bleiabdeckungen und ihre Vor- und Nachteile

Dachdeckungen aus Blei gibt es seit Jahrhunderten. Sie haben sich bestens bewährt, denn sie sind extrem dauerhaft. Zudem lässt sich Blei gut bearbeiten und schweißen und perfekt den kompliziertesten Bauteilen anpassen.[9] Die weichen Formen des Bleis wirken nicht so dominant wie Verwahrungen aus Kupfer, Titanzink oder Aluminium mit ihren scharfen Kanten, sondern ordnen sich der Architektur unter. Es bildet sich schnell eine angenehme Patina, die das Blei nahezu unscheinbar werden lässt. Aus all diesen Gründen kommen Bleiabdeckungen heutzutage bei historischen Monumenten wieder verstärkt zum Einsatz (Bild 14, Bild 15).

Bild 14: Gesims-Bleiabdeckungen (Pfeile) sind von unten kaum erkennbar. München, Siegestor (vgl. Bild 15)

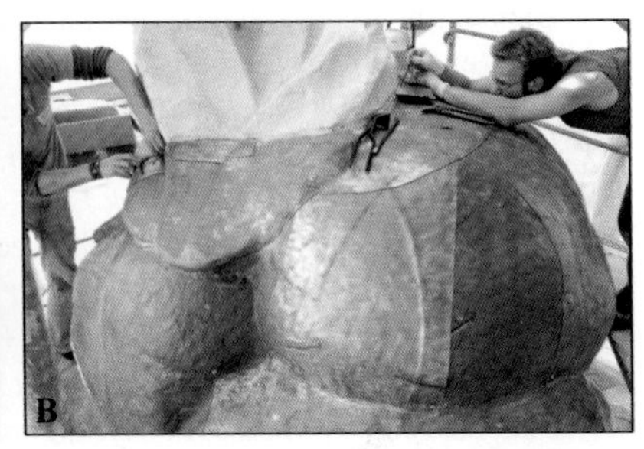

Bild 15: Bleiabdeckungen an Gesimsen. A. München, Regierung von Oberbayern B. Kloster Weltenburg, Wolken des Hlg. Benedikt

Blei ist giftig. Bei seiner Verarbeitung sind die entsprechenden Vorschriften zu beachten. Im Außenbereich bildet sich nach ca. 6-12 Monaten eine Patina bzw. Schutzschicht, die fest anhaftet und nahezu unlöslich ist. Bis zu diesem Zeitpunkt kann das Blei mit Patinieröl, einem auf pflanzlicher Basis hergestellten Öl, behandelt werden. Es gibt u.W. keine Vorschriften, die Blei bei Dachabdeckungen verbieten oder einschränken, obwohl seine Anwendung teilweise in Frage gestellt wird. Nachfolgend einige relevante Normen und Regelwerke:

- DIN 18338 – Dachdeckungs- und Dachabdichtungsarbeiten und DIN - 18339 Klempnerarbeiten: Keine Hinweise auf Verbot oder Einschränkungen
- DIN EN 12588 – Blei und Bleilegierungen: gewalzte Bleche aus Blei für Bauwesen und DIN EN 13068 – Blei und Bleilegierungen: Bleioxide: Keine Hinweise auf Verbot oder Einschränkung
- Gefahrstoffverordnung – GefStoffV vom 23.12.2004, § 18 und Anhang IV Nr.6: Kein direktes Verbot von Blei bei Abdeckungen, Verwendung in Farben ist ver-

boten (Ausnahmen bei Kunstwerken und Denkmalschutz möglich)

- Technische Regeln für Gefahrstoffe – TRGS 505 vom Februar 2007: Verwendungsverbote und Einschränkungen von Blei in Farben, bei Verpackungen, Trinkwasserinstallationen usw., kein Verbot für Bleiabdeckung
- Umweltbundesamt, Leitfaden für das Bauwesen vom August 2005: Behandelt Schwermetalle (Kupfer, Zink, Blei) und die Schädigung der Umwelt durch Schwermetallionen. Dächer aus diesen Metallen sollen nur in Ausnahmefällen und im Rahmen der Denkmalpflege zugelassen werden. Es wird nach Alternativmaterialien gesucht (welche?). Es handelt sich um einen Leitfaden und keine Vorschrift.

Literatur

[1] Bleiberatung e.V. (Hrsg.), *Blei im Bauwesen, Teil 2 Verwahrungen*, Ibbenbürener Vereinsdruckerei 1995, S. 44 - 48

[2] Schubert, L.: *Eigenschaftswerte von Mauerwerk, Mauersteinen und Mauermörtel, Mauerwerkskalender 2007,* Berlin, Verlag Wilhelm Ernst & Sohn

[3] DIN 1053 (11.96) : *Mauerwerk*

[4] EOTA (European Organisation for Technical Approvals), *Leitlinie für die europäische technische Zulassung für Metalldübel zur Verankerung in Beton. Anhang C: Bemessungsverfahren für Verankerungen,* Deutsches Institut für *Bautechnik, 28. Jahrgang, Sonderheft Nr.16, Berlin im Dezember 1997*

[5] Eligehausen, R., Mallée R.: *Befestigungstechnik im Beton- und Mauerwerkbau, Ernst & Sohn Berlin, 2000*

[6] Eligehausen, R., Hofmann, J., Fuchs, W.: *Quertragfähigkeit randnaher Befestigungsmittel mit Belastung senkrecht zum Bauteilrand*, Beton- und Stahlbetonbau 99, 2004, Heft 10

[7] Snethlage R.: *Leitfaden Steinkonservierung, Planung von Untersuchungen und Maßnahmen zur Erhaltung von Denkmälern aus Naturstein*, Fraunhofer IRB Verlag Stuttgart, 2. überarbeitete und erweiterte Auflage 2005

[8] Berufsbildungswerk des Steinmetz- und Bildhauerhandwerks (Hrsg.), *Naturwerkstein und Umweltschutz in der Denkmalpflege*, Ebner Verlag Ulm, 1997, S. 257ff. 283ff. 717ff.

[9] Gütegemeinschaft Bleihalbzeug e.V. (Hrsg.), *Blei im Bauwesen, Teil 1 Technische Regeln,* TSA&B Werbeagentur Hamburg, 2. Auflage 2003. - Bleiberatung e.V. (Hrsg.), *Blei im Bauwesen, Teil 2 Verwahrungen*, Ibbenbürener Vereinsdruckerei 1995, S. 44 – 48. - Bleiberatung e.V. (Hrsg.), *Blei im Bauwesen, Teil 3 Abdeckungen und Teil 4 Dächer und Fassaden,* Eckhard Dertz Werbeagentur Kaarst, 1998 und 1999

Für praktische Versuche, Hinweise, Fotos, graphische Modelle und Zeichnungen danken wir H. Clauß, A. Haage, W. Kowalski, L. Reichenbach, Z. Winnicki.

Kann die neue Vermauerungstechnik zu mikrobiellem Bewuchs der Fassade führen?

M. Krus, W. Hofbauer und K. Lengsfeld
Holzkirchen

Zusammenfassung

An mehreren Häusern einer Neubausiedlung, die ca. 5 Jahre vor Untersuchungsbeginn fertig gestellt wurden, tritt an der Fassade ein linienförmiger Befall auf, wobei die Befallslinien meist in sich geschlossen sind (häufig auch kreisförmig). Sofern, wie im beschriebenen Fall gegeben, es sich um eine ansonsten homogene Putzfläche mit dementsprechend überall gleichen Substratbedingungen handelt, muss der Unterschied in der Bewuchssituation vor allem durch ein örtlich erhöhtes Feuchteangebot begründet sein. Für die Klärung der Schadensursachen wurden für biologische Untersuchungen Putzproben aus der Fassade entnommen. Bei der Demontage des Putzsystems zeigte sich, dass direkt darunter ein Stoßkreuz der Dämmstoffplatten liegt. Die biologischen Untersuchungen ergeben an der Fassadenoberfläche für diesen Bereich typische Schwärzepilze. Die Verfärbungen im Bereich der Dämmschicht des Wärmedämmverbundsystems weisen dagegen eine für den Innenbereich typisch andere Artengarnitur auf, was auf eine mögliche Verbindung zum Innenraum hin deutet. Damit ist zu vermuten, dass durch Druckunterschiede zwischen innen und außen durch die Fassade eine Konvektion stattfindet. Die Ursache für die Durchströmbakeit der Außenwand kann in der neuen Bautechnik liegen, bei der die Mauersteine nicht mehr vermörtelt sondern nur noch auf der Ober- und Unterseite verklebt werden.

1 Hintergrund und Problemstellung

Die umfangreichen Anstrengungen der vergangenen Jahrzehnte zur Verbesserung des Wärmeschutzes und zur Energieeinsparung haben zu einer Erhöhung der Wärmedämmung von Außenbauteilen geführt. Der Wärmeabfluss von Innen durch die Bauteile wird dadurch verringert. Aus bauphysikalischer Sicht steigt die Wahrscheinlichkeit, dass sich auf der Außenoberfläche einer Fassade höhere Oberflächenfeuchten einstellen können bzw. Tauwasser bilden kann. Die Folge davon ist, dass die zentrale Grundlage für mikrobielle Aktivität, nämlich die Verfügbarkeit von Wasser in zunehmendem Maß gegeben ist. Da die meisten ausgeführten Wärmedämmverbundsysteme trotzdem schadensfrei bleiben, ist bei den reklamierten Schadensfällen neben der durch den höheren Dämmstandard begründeten Zunahme der Betauungszeiten häufig eine zusätzliche Ursache gegeben. Dies zeigt sich auch bei den untersuchten Objekten, da hier trotz gleichem Standort und gleichem Wandaufbau mit entsprechender Wärmedämmung Gebäude mit und ohne mikrobiellem Befall anzutreffen sind.
An mehreren Häusern einer Neubausiedlung im Stuttgarter Raum, die ca. 5 Jahre vor Untersuchungsbeginn fertig gestellt wurden, ist deutlich sichtbarer biologischer Bewuchs an den Außenfassaden erkennbar. Der biologische Befall ist bereits ein Jahr nach Bauwerksfertigstellung von den Hauseigentümern bemängelt worden. Daraufhin wurden alle betroffenen Fassaden mit einem neuen Anstrich instand gesetzt. Drei Jahre nach der Instandsetzung der betroffenen Fassaden war der biologische Befall wieder auf der Oberfläche zu sehen. Dabei sind hauptsächlich Wandflächen der Hauptwetterseite befallen. Wie Bild 1 zeigt, sind Bereiche unterhalb der Fensterbänke und in den oberen Eckbereichen von Fenster- und Türnischen sowie in der Nähe sonstiger Durchdringungen der Putzoberfläche zu erkennen (deutliche Verfärbung). In den „ungestörten" Wandflächen treten zudem vorwiegend kreisförmige Befallsmuster auf (Bild 2).

Bild 1: Typisches Befallsmuster im Eckbereich einer Fensterbank.

Bild 2: Gesamtansicht einer betroffenen Außenfassade mit kreisförmigem Bewuchs in der Fläche und in den oberen Eckbereichen der Fenster- und Türnischen.

2 Durchführung der Untersuchungen

Um die Ursachen für den Befall in der ungestörten Fassade zu ermitteln, wird an einer Stelle mit sichtbarem kreisrundem Befall das Putzsystem herausgenommen. Bei der Entnahme der Putzproben an der befallenen Fassade zeigte sich, dass die Dämmstoffplatten aus Polystyrol nicht knirsch (auf Stoß) verlegt wurden, sondern zwischen ihnen ein Spalt von etwa drei Millimetern vorhanden ist. Dieser Spalt ist durchgängig bis auf das Mauerwerk. In Bild 3 ist eine fotografische Aufnahme von einer Stelle in der Fassade, auf der sich unter dem Befallskreis ein „Stoßkreuz" der vier Dämmplatten befindet.

Bild 3: Ansicht der Verlegung des WDV-Systems direkt unterhalb der abgelösten Putzprobe, an der kreisrunder Befall sichtbar war

An den entnommenen Putzproben werden einerseits die biologischen Untersuchungen in Hinblick auf die auftretenden Spezies durchgeführt und andererseits werden die hygrothermischen Kennwerte untersucht.
Die biologischen Untersuchungen werden ausschließlich an befallenen Proben durchgeführt. Aufgrund verschiedener Auffälligkeiten an den entnommenen Putzproben mit WDVS wird potentieller mikrobieller Aufwuchs an verschiedenen Stellen untersucht. Hierfür werden Proben an verfärbten Bereichen der Außenoberfläche der Prüfkörper (Bild 4) und an verfärbten Bereichen (Spalten) der Dämmschicht der Prüfkörper (Bild 5) entnommen. An den somit gewonnenen Proben werden mikroskopisch – mikrobiologische Untersuchungen durchgeführt und des Weiteren zur Identifizierung der maßgeblichen Pilzarten Kulturen zur Differenzierung angelegt.

Bild 4: Für die Untersuchung herangezogene Teile des WDVS mit deutlich sichtbarem Aufwuchs.

Bild 5: Dunkle Verfärbungen in den Zwischenräumen der Dämmschicht

Um eine Erklärung für den mikrobiellen Bewuchs in den Fenstereckbereichen und an den Putzdurchbrüchen zu finden, wird zusätzlich zur Bestimmung des Wasseraufnahmekoeffizienten des Putzsytems ein Saugversuch lateral zur Putzoberfläche durchgeführt (Bild 6).

Bild 6: Laborversuch zur Ermittlung der lateralen Wasseraufnahmegeschwindigkeit

3 Ergebnisse

Die Proben von der Oberfläche der Prüfkörper und aus dem Bereich der Dämmschicht zeigen in Kultur bereits makroskopisch stark unterschiedliche Bewuchsbilder (Bild 7).

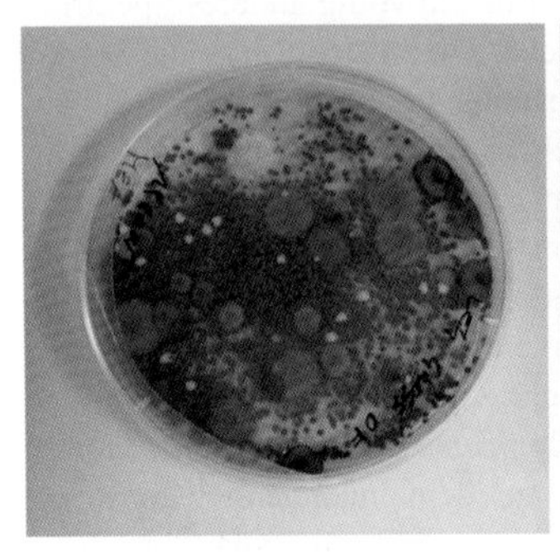

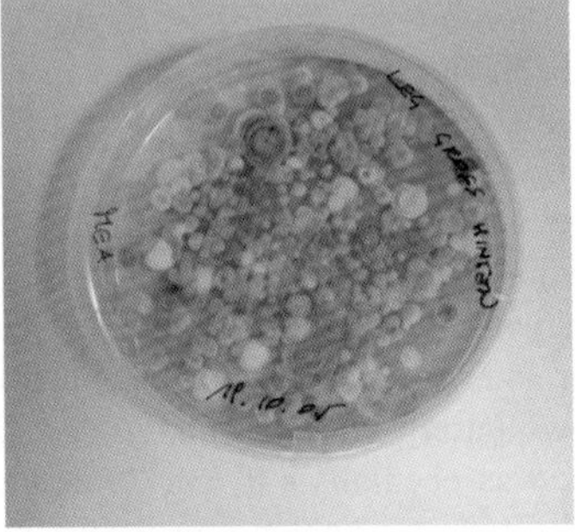

Bild 7: Wuchsbild von Probenmaterial von der Außenoberfläche der Prüfkörper (links) und aus dem Bereich der Dämmschicht (rechts) eine Woche nach der Beimpfung.

Zur Differenzierung werden die Organismen auf Selektivnährmedien übertragen. In der anschließenden taxonomischen Bestimmung konnten folgende dominierende Arten festgestellt werden.
Dominierende Pilzarten an der Fassadenoberfläche nach Häufigkeit des Auftretens:

- Cladosporium herbarum
- Cladosporium cladosporioides
- Alternaria tenuissima

Dominierende Pilzarten im den Fugenbereichen der Dämmschicht nach Häufigkeit des Auftretens:

- Aspergillus versicolor (sehr dominant)
- Penicillium chrysogenum
- Penicillium fellutanum
- Acremonium kiliense
- Penicillium variabile

Die Bestimmung des Wasseraufnahmekoeffizienten ergab senkrecht zur Putzoberfläche einen relativ niedrigen Wert von ca. 0,15 $kg/m^2\sqrt{h}$. Lateral zur Putzoberfläche wurden mit 2,9 $kg/m^2\sqrt{h}$ ein um annähernd den Faktor 20 höherer Wasseraufnahmekoeffizient gemessen.

4 Interpretation der Ergebnisse

An der Fassadenoberfläche konnten für diesen Bereich typische Schwärzepilze festgestellt werden. An der Dämmschicht des WDVS wurde ein völlig anderes Spektrum an Pilzarten festgestellt als an der Fassadenoberfläche. Dies belegt, dass die beiden beprobten Bereiche nicht im direkten Kontakt zu einander stehen. Die an der Außenseite festgestellten Arten zählen zur Gruppe der Schwärzepilze und sind im Zusammenhang mit Fassadenaufwuchs als typische Arten zu bezeichnen. Es handelt sich um häufige Luftkeime, die unter brauchbaren Rahmenbedingungen Fassaden besiedeln können. Die aus dem Dämmsystem (Fugen und Spalten) stammenden Pilzarten weisen auf einen potentiellen Konnex zum Innenraum hin. Alle hier bestimmten Schimmelpilzarten sind typisch für den Innenbereich. Zusätzlich konnten hier auch Reste von Baumwollfasern (Bild 8) und Flügelschuppen von Nachtfaltern/Motten gefunden werden, was ebenfalls auf einen Eintrag aus dem Innenbereich hinweist. Diese These wird durch das Fehlen von Pflanzenpollen in diesen Proben bestätigt. *Acremonium kiliense* tritt im Innenraum häufig in Verbindung mit Feuchteschäden auf und kann als Indikator für das Vorliegen einer zumindest zeitweise erhöhten Wandfeuchte betrachtet werden.

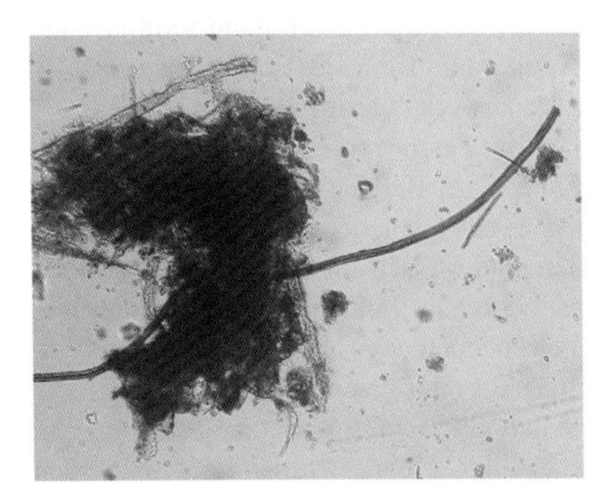

Bild 8: Mikroskopische Aufnahme von Probenmaterial aus dem Bereich der Dämmschicht mit blauer Baumwollfaser (Vergrößerung ca. 100x)

Die Ergebnisse der feuchtetechnischen Untersuchungen zeigen, dass die Wasseraufnahmegeschwindigkeit des Putzsystems lateral zur Putzfläche um etwa den Faktor 20 höher liegt als senkrecht dazu. Dies ist vor allem in der Hydrophobie des Anstrichs begründet. Dieser relativ hohe Wasseraufnahmekoeffizient kann dafür sorgen, dass bei Fehlstellen, wie z.B. häufig in Bereichen der Fensterecken oder in der Nähe von Putzdurchbrüchen beispielsweise durch Außentemperaturfühler, an der Putzoberfläche ablaufendes Wasser in größerem Umfang lateral in den Putz hinter den hydrophoben Anstrich gelangen kann.

5 Zusammenfassung und Schlussfolgerungen

Tritt an der Fassade ein linienförmiger Befall auf, wobei die Befallslinien meist in sich geschlossen sind (häufig auch kreisförmig), so muss dies bedeuten, dass hier örtlich deutlich unterschiedliche Wachstumsbedingungen gegeben sind. Sofern, wie im beschriebenen Fall gegeben, es sich um eine ansonsten homogene Putzfläche mit dementsprechend überall gleichen Substratbedingungen handelt, muss der Unterschied in der Bewuchssituation vor allem durch ein örtlich erhöhtes Feuchteangebot begründet sein.

Bei dem untersuchten Objekt zeigt sich an der Außenfassade deutlich mikrobieller Bewuchs vor allem dort, wo die Fassade durch Fenster und –bänke, die Eingangstüre oder den Außentemperaturfühler durchbrochen wird. Aber auch in der ungestörten Fassadenfläche ist ein Befall in Form eines Ringes festzustellen. Für die Klärung der Schadensursachen wurden für biologische Untersuchungen und für die Ermittlung der hygrothermischen Kennwerte Putzproben aus der Fassade entnommen, unter anderem auch eine Fläche, auf der ein kreisrunder Bewuchs festgestellt werden konnte. Bei der Demontage des Putzsystems zeigte sich, dass direkt darunter ein Stoßkreuz der

Dämmstoffplatten liegt. Hierbei wurde sichtbar, dass die Platten nicht Stoß an Stoß verlegt worden sind und somit Fugen mit bis zu 3 mm Breite zwischen den einzelnen Polystyrol-Platten auftreten, die bis auf das Mauerwerk durchgängig sind.
Die biologischen Untersuchungen ergeben an der Fassadenoberfläche für diesen Bereich typische Schwärzepilze. Die Verfärbungen im Bereich der Dämmschicht des Wärmedämmverbundsystems weisen dagegen eine gänzlich andere Artengarnitur auf. Alle hier bestimmten Schimmelpilzarten sind typisch für den Innenbereich und deuten auf eine mögliche Verbindung zum Innenraum hin. Zusätzlich konnten hier auch Reste von Baumwollfasern und Flügelschuppen von Nachtfaltern/Motten gefunden werden, was ebenfalls auf einen Eintrag aus dem Innenbereich hinweist.
Da an den Probeentnahmestücken in keinem Fall eine äußere Verletzung des Putzsystems erkennbar war, die ein örtlich unterschiedliches Feuchteaufnahme von Außen als wahrscheinlich erscheinen lassen, muss die zusätzliche Feuchtezufuhr von der Rückseite her erfolgen. Damit ist gemäß den Untersuchungsergebnissen zu vermuten, dass durch Druckunterschiede zwischen innen und außen durch die Fassade eine Konvektion stattfindet. Die Fugen bzw. Undichtigkeiten in der Konstruktion führen dazu, dass die warme und feuchte Innenraumluft bis an die Innenoberfläche des Außenputzes strömen kann und an dieser Stelle durch die außen herrschenden Klimarandbedingungen abgekühlt wird, was dazu führt, dass die relative Feuchte am Außenputz deutlich ansteigt. Die Ursache für die Durchströmbarkeit der Außenwand kann in der neuen Bautechnik liegen, bei der die Mauersteine nicht mehr vermörtelt sondern nur noch auf der Ober- und Unterseite verklebt werden. Dies bedeutet aber, dass an den Mauersteinflanken ein Spalt vorhanden ist. Sofern das Mauerwerk innenseitig verputzt ist, ist eine Konvektion unterbunden. Allerdings ist es übliche Baupraxis, das Innenseitige Verputzen erst nach Einbau der Leichtbauinnenwände durchzuführen. Diese stellen aber, da meist mit Mineralwolle gefüllt, nach Einbau der Elektroinstallation (Steckdosen, Lichtschalter etc.) nur einen geringen Strömungswiderstand dar. Da üblicherweise die Dämmstoffplatten nicht vollflächig sondern meist Punktverklebt werden, liegt hinter der Dämmung über der gesamten Fassadenfläche ein kommunizierender Hohlraum vor, über den ein Druckausgleich erfolgen kann. Bild 9 zeigt schematisch den möglichen Weg der Luftströmung.
Weil die Styroporplatten selbst nicht durchströmbar und relativ diffusionsdicht sind, konzentriert sich der Volumenstrom auf die Undichtheiten nach außen hin. Dies sind alle diejenigen Stellen, an denen der Außenputz durchbrochen ist. Weiterhin kommt es durch die beschriebenen Fugen zwischen den Dämmstoffplatten über Diffusionsvorgänge zu einer örtlichen Auffeuchtung mit der Folge der beobachteten ringförmigen Bewuchsbilder. Im Bereich der Durchdringungen kommt hinzu, dass der laterale hohe Wasseraufnahmekoeffizient hier zu einer erhöhten Aufnahme von Regenwasser bzw. ablaufendem Wasser führt.

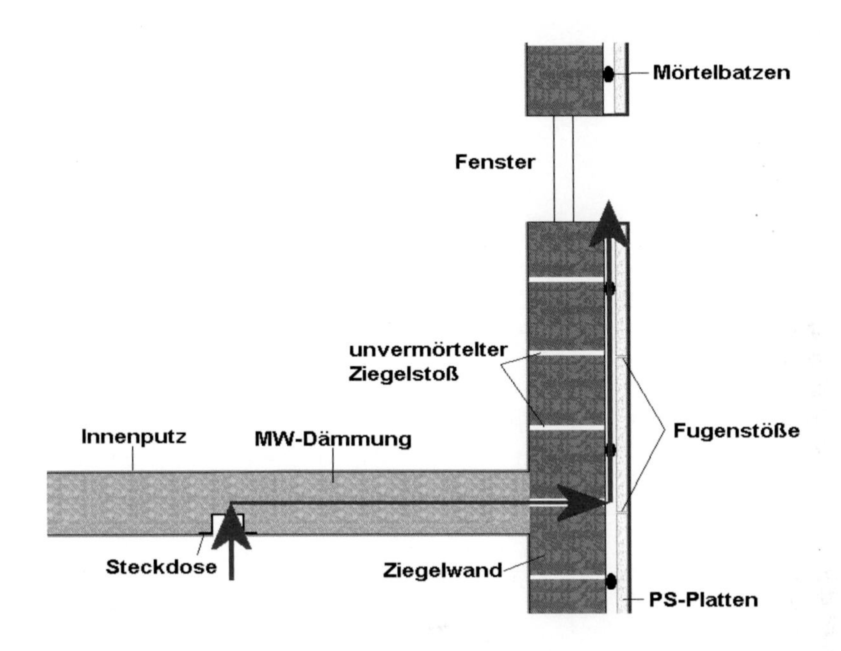

Bild 9: Schematische Darstellung der Durchströmung der Außenfassade aufgrund der verklebten Wandbausteine und des Fehlens des Innenputzes Im Bereich der Innenwandanschlüsse.

Innendämmung von Kellerwänden – was macht die Feuchte?

H. M. Künzel und D. Zirkelbach
Holzkirchen

Zusammenfassung

In der Baupraxis wird eine Innendämmung meist automatisch mit Feuchteproblemen assoziiert. Bei der Dämmung von Kellerwänden treten jedoch andere Randbedingungen auf als bei Außenwänden. Hier kann einen Innendämmung im Vergleich zu einer herkömmlichen Außendämmung (Perimeterdämmung) die feuchtetechnisch günstigere Lösung sein. Dies liegt vor allem an den gemäßigteren Temperaturen im Erdreich, die das Tauwasserproblem entschärfen. Gleichzeitig herrscht im Boden jedoch eine sehr hohe Feuchte, die besondere Anforderungen an die Perimeterdämmstoffe zur Folge hat.
Mithilfe zweidimensionaler hygrothermischer Simulationen wird das Verhalten von innen gedämmten Kellerwänden untersucht. Dabei zeigt sich, dass es selbst bei anfänglich feuchten Wänden nicht zu einer Beeinträchtigung der Dämmwirkung kommt, solange die äußere Abdichtung funktionstüchtig ist. Es besteht sogar ein gewisses Trocknungspotential nach innen, was beim Einsatz von diffusionsoffenen Dämmstoffen in Kombination mit einer feuchteadaptiven Dampfbremse zu einer langfristigen Austrocknung der Kellerwände führt.

1 Einleitung

Anders als bei Außenwänden ist bei Kellern eine Innendämmung nicht grundsätzlich ungünstiger als eine Außendämmung. Vor allem bei einem hohen Grundwasserspiegel oder im Bereich von Hanglagen mit der Gefahr von Druckwasser kann eine Außendämmung im Lauf der Zeit durchfeuchten. [1] Da sich eine Perimeterdämmung außerhalb der Gebäudeabdichtung befindet dürfen nur Dämmplatten mit einer bauaufsichtlichen Zulassung verwendet werden. Demgegenüber ist die Tauwasserbildung aufgrund der höheren Erdreichtemperaturen bei Innendämmungen im Keller weniger ausgeprägt als im Bereich von oberirdischen Außenwänden. Ein Problem besteht jedoch darin, dass Kellerwände, aufgrund der Abdichtung gegen die Erdfeuchte, nicht nach außen austrocknen können. Deshalb sollten sie vor dem Aufbringen der Innendämmung völlig trocken sein und die Innendämmung muss entweder selbst dampfundurchlässig sein oder eine raumseitige Dampfsperre besitzen.
Bei feuchten Kellerwänden (z.B. Baufeuchte oder hohe Sorptionsfeuchte wegen Nutzung ohne Beheizung) muss sicher gestellt sein, dass weder das Wandmaterial noch die Dämmung durch langfristig erhöhte Feuchte Schaden nehmen oder in ihrer Funktion beeinträchtigt werden (z.B. vollflächig verklebte Schaumglas-Innendämmung auf Beton). Als Alternative ist aber auch eine diffusionsoffene Innendämmung mit feuchteadaptiver Dampfbremse denkbar, deren Diffusionsverhalten so eingestellt ist, dass sie im Winter vor Tauwasser schützt und im Sommer eine gewisse Austrocknung zur Raumseite hin zulässt. [2] Dadurch würden feuchte Kellerwände im Lauf der Zeit austrocknen. Im Bereich der Dachdämmung haben sich Konstruktionen mit feuchteadaptiven Dampfbremsen bereits seit vielen Jahren bewährt. Allerdings herrschen dort andere Randbedingungen als bei Kellern. Ziel dieses Beitrages ist es deshalb die Eignung dieser Alternative für die Anwendung bei feuchten Kellerwänden mithilfe hygrothermischer Simulationen zu untersuchen.

2 Randbedingungen bei der Kellerdämmung

Bauteile, die an das Erdreich angrenzen, wie z.B. Kellerwände, unterliegen anderen Randbedingungen als normale Außenwände. Die Anforderungen an das Raumklima sind zwar im Prinzip mit denen anderer Räume vergleichbar, wegen der meist etwas weniger intensiven oder andersartigen Nutzung können die Raumtemperaturen jedoch von denen anderer Wohnräume abweichen, z.B. Lagerraum (kalt), Heizungskeller (warm). Die äußeren Temperaturrandbedingungen sind im Gegensatz zur Situation bei Außenwänden nicht nur höhenabhängig, sondern werden auch durch die Beheizung und das Wärmedämmniveau des Kellers beeinflusst. Durch die Wärmespeicherfähigkeit und den Wärmedurchlasswiderstand des Erdreichs werden die Wärmetransportprozesse aus dem Innenraum verlangsamt und phasenverschoben. Die Wärmeverluste durch Kellerwände sind deshalb auch geringer als bei oberirdischen Außenwänden, was sich in den kleineren Temperatur-Korrekturfaktoren (F_{xi} = 0,6) und den geringeren Anforderungen an den U-Wert (0,5 W/m²K) von Wohngebäuden in der Energieeinsparverordnung widerspiegelt. [3] Das Erdreich stellt aber nicht nur für die Wärme sondern auch für die Feuchte einen Speicher und einen Widerstand dar. Deshalb sind auch die feuchtetechnischen Randbedingungen ganz anders als bei Außenwänden. Für die bauphysikalischen Beurteilung von Kellerdämmsystemen ist deshalb die Kenntnis der äußeren hygrothermischen Randbedingungen und deren zeitliche Veränderung eine wesentliche Voraussetzung.

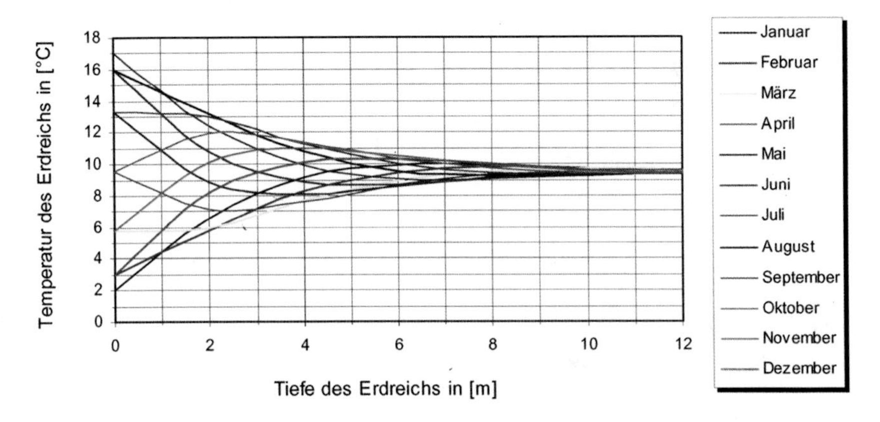

Bild 1: Aus der Literatur entnommene Erdreichtemperaturen für Tiefen ab 1 m, für die am Institut für Bauphysik keine Messwerte vorliegen. [4]

2.1 Temperaturverteilung im Erdreich

Die Wirkungen des Außenklimas setzen sich nur in begrenzter Weise im Erdreich fort. Ab einer Tiefe von etwa 10 m sind so gut wie keine saisonalen Temperaturschwankungen mehr zu beobachten, wie die Darstellung der theoretischen monatlichen Temperaturprofile zeigt (Bild 1). In dieser Tiefe herrscht das ganze Jahr über die standorttypische Jahresmitteltemperatur. Die Einbautiefe von Wohngebäuden beträgt allerdings in der Regel nicht mehr als 2 m bis maximal 3 m, so dass die jahreszeitlichen Temperaturveränderungen berücksichtigt werden müssen. Im Gegensatz zur Situation bei Außenwänden ergibt sich entlang der Außenoberfläche von erdberührten Bauteilen eine Temperaturschichtung, die in den ersten zwei Metern bis zu 5 K betragen kann. Im Vergleich zur Außenlufttemperatur weisen die Erdreichtemperaturen eine gewisse Phasenverschiebung auf, die mit der Tiefe zunimmt. Außerdem sind sie bedingt durch die solare Einstrahlung und eventuelle winterliche Schneebedeckung auch ohne den Einfluss von Gebäuden im Mittel höher als die Lufttemperatur, wie ein Auszug aus langjährigen Messungen zeigt (Bild 2). Dort sind über den

Verlauf von zwei Jahren die gleitende Monatsmittel der Außenlufttemperatur im Vergleich zu den Erdreichtemperaturen an der Oberfläche und in 1 m Tiefe aufgezeichnet. Die Erdoberflächentemperatur liegt vor allem im Sommer (solare Einstrahlung) und im Winter (Schneebedeckung) deutlich über der Lufttemperatur. Dies setzt sich auch nach unten hin fort. Im langjährigen Mittel (Messwerte aus Holzkirchen) liegt die durchschnittliche Erdreichtemperatur im freien Feld ca. 1,5 K über der Außenlufttemperatur. In der unmittelbaren Nähe von beheizten Gebäuden erhöht sich die Erdreichtemperatur je nach deren Wärmedämmniveau noch weiter.

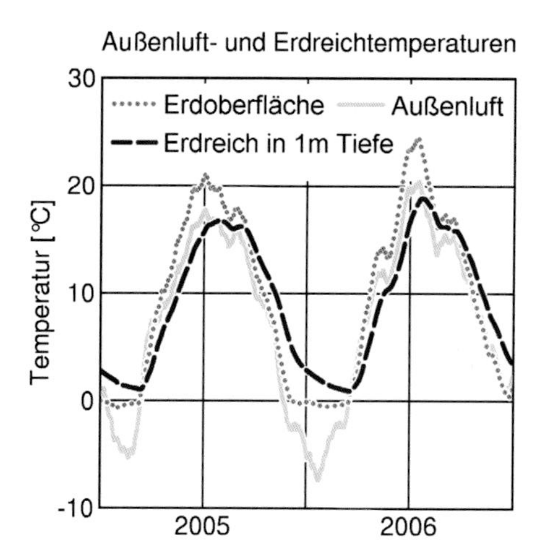

Bild 2: Am Freilandversuchsgelände in Holzkirchen gemessene Erdreichtemperaturen im Vergleich zur Außenlufttemperatur dargestellt als gleitende Monatsmittel.

2.2 Feuchte im Erdreich

Die relative Feuchte im Erdreich beträgt in der Regel annähernd 100% selbst wenn kein Druckwasser vorhanden ist. Pflanzen können über ihr Wurzelwerk dem Boden bis zu einem kapillaren Unterdruck von ca. 15 bar Wasser entziehen. Bei kleineren Kapillardrücken fangen sie an zu vertrocknen. Bei einem Kapillardruck von -15 bar sind nur noch Poren mit einem Radius von weniger als 0,1 μm mit Wasser gefüllt. Über solchen Kapillarporen stellt sich eine relative Luftfeuchte von 99% ein. [5] Da hierzulande auf unversiegelten Böden fast überall Pflanzenwachstum stattfindet ist davon auszugehen, dass die Bodenfeuchte im Mittel über der Gleichgewichtsfeuchte bei 99% r.F. liegt. Damit ist für die äußere Randbedingung bei erdberührten Bauteilen eine relative Feuchte zwischen 99% und 100% anzusetzen. Dies gilt im Übrigen auch für begrünte Dächer, wie messtechnische Untersuchungen gezeigt haben. [6]

3 Rechnerische Untersuchungen zur Innendämmung

Das hygrothermische Verhalten einer typischen Kellerwandkonstruktion wird rechnerisch unter Holzkirchener Klimarandbedingungen untersucht. Hierfür wird die zweidimensionale Version des am Fraunhofer-Institut für Bauphysik entwickelten und vielfach experimentell validierten Verfahrens zur Berechnung des gekoppelten Wärme- und Feuchtetransports in Bauteilen WUFI® verwendet.

3.1 Wandaufbau und Randbedingungen

Für die Untersuchung des Feuchteverhaltens von Kellerwänden mit Innendämmung werden feuchte Kellerwände (Baufeuchte bzw. fehlerhafte Abdichtung) betrachtet. Die Kellerwände sind wie folgt von außen nach innen aufgebaut:

- Abdichtung gegen das Erdreich
- 15 cm Beton
- 6 cm Mineralfaserdämmung
- Dampfbremse (PE-Folie mit s_d = 20 m oder feuchteadaptive Dampfbremse)
- 15 mm Gipskartonplatte

Zur Berücksichtigung der thermischen Interaktion zwischen Keller und umgebendem Erdreich wird eine Erdreichschicht von 1 m Dicke mit in die Berechnungen einbezogen (Bild 3). An der Seite werden dabei die im ungestörten Bereich in Holzkirchen gemessenen Erdreichtemperaturen an der Oberfläche sowie in 50 cm und 1 m Tiefe angesetzt. Bei größeren Tiefen werden seitlich und unten sinusförmige Verläufe über das Jahr angenommen (Bild 1). [4] Die 1 m dicke Erdreichschicht ermöglicht eine gleichmäßige Verteilung der Randbedingungen auf das Bauteil und eine Berücksichtung der Erwärmung des kellernahen Erdreichs durch die Wärmeabgabe des Bauwerks. Die Berechnungen erfolgen zweidimensional um zum einen die vertikal unterschiedlichen Verhältnisse im Erdreich zu berücksichtigen und zum anderen einen eventuell auftretenden vertikalen Feuchtetransport in der diffusionsoffenen Dämmschicht zu erfassen. Die Berechnungen beginnen jeweils mit dem ersten Oktober des meteorologischen Datensatzes von Holzkirchen für das standorttypische Jahr 1991. Um über mehrere Jahre rechnen zu können, wurden 12-Stunden-Mittelwerte für das Außen- und Innenklima verwendet. Da die Diffusionsprozesse nur sehr langsam ablaufen, sind kurzfristige Klimaschwankungen kaum von Bedeutung.

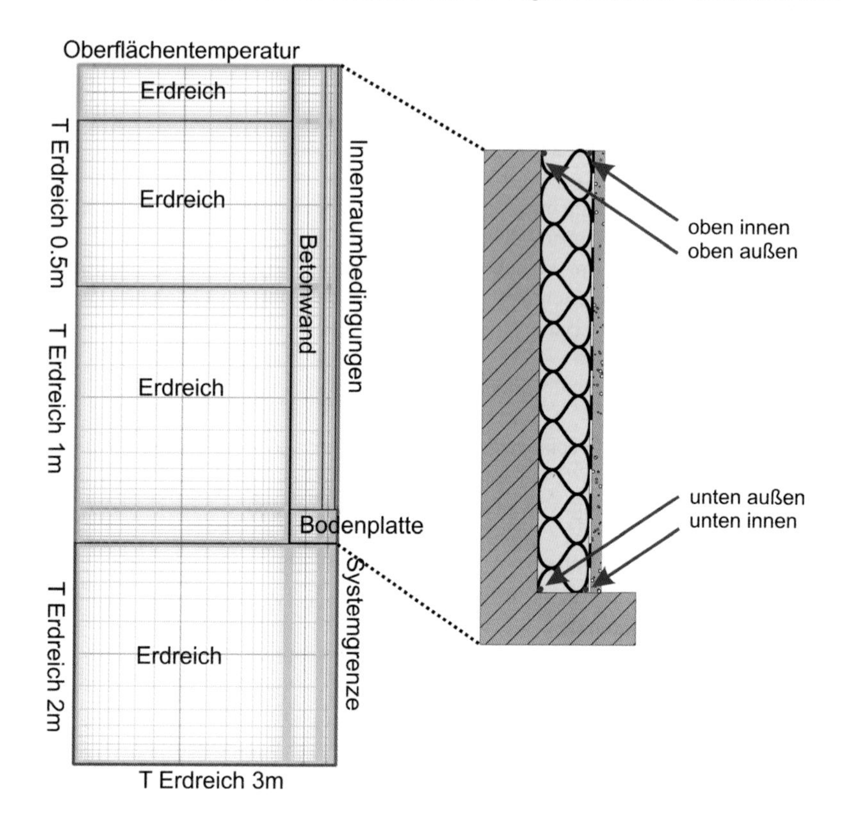

Bild 3: Darstellung des numerischen Gitters der Rechendomäne um die Kellerwand mit Angabe der bereichsweise definierten Randbedingungen und der gewählten Monitorpositionen in der Dämmschicht (recht in der Vergrößerung)

Im Innenraum werden Wohnraumverhältnisse mit normaler Feuchtelast nach WTA - Merkblatt 6-2 angenommen. [7] Dort wird ein sinusförmiger Verlauf mit Temperaturen zwischen 20 °C im Winter und 22 °C im Sommer und relativen Feuchten zwischen 40 % r.F. im Winter und 60 % r.F. im Sommer vorgeschlagen. Als Wärmeübergangskoeffizient wird für die Innenwand 8 W/m²K verwendet, die Erdreichbedingungen werden ohne Übergangswiderstand angesetzt. Die Anfangsfeuchte der Kellerwand beträgt 11,5 Vol.-% was der Gleichgewichtsfeuchte von Beton bei 95 % r.F. entspricht. Mineralwolledämmung und Gipskartonplatten sind zu Anfang lufttrocken (u_{80}). Die hygrothermischen Stoffkennwerte werden der WUFI®-Materialdatenbank entnommen.

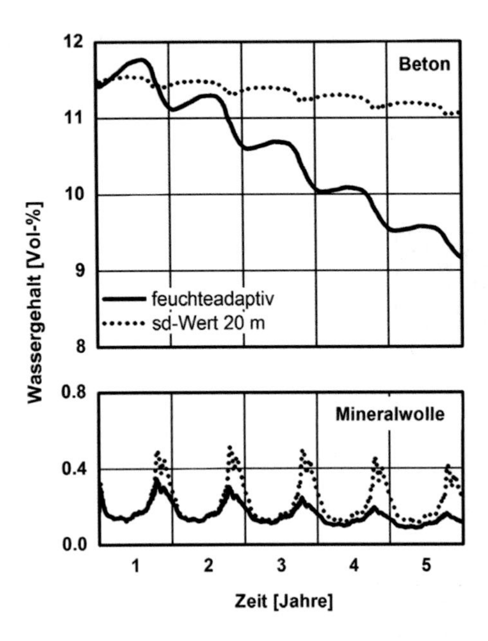

Bild 4: Berechnete Gesamtwassergehalte in der betonierten Kellerwand und in der Mineralwolle-Innendämmung bei Verwendung einer herkömmlichen Dampfbremse (s_d = 20 m) und einer feuchteadaptiven Dampfbremse. [2]

3.2 Ergebnisse

Zur Beurteilung des Einflusses der unterschiedlichen Dampfbremsen, werden die Gesamtwassergehalte der Kellerwand und der Innendämmung einander gegenüber gestellt (Bild 4). Wie nicht anders zu erwarten kann die Kellerwand kaum austrocknen, wenn die Dampfbremse einen s_d-Wert von 20 m besitzt. Der Wassergehalt der Mineralwolledämmung bleibt allerdings die ganze Zeit unter 0,5 Vol.-%, so dass praktisch keine Beeinträchtigung der Dämmwirkung durch die Feuchte im Beton zu befürchten ist. Beim Einsatz einer feuchteadaptiven Dampfbremse, deren s_d-Wert je nach Umgebungsfeuchte zwischen 0,1 m und etwa 4 m liegt, trocknet die anfangs feuchte Kellerwand trotz geringer Feuchtezunahme im Winter langfristig aus. Auch die Wärmedämmung bleibt hier im Vergleich noch trockener. Interessant sind auch die Jahresverläufe der relativen Luftfeuchte in der Dämmschicht. Sie sind in anhand der in angegebenen Monitorpositionen im Bereich der Kellerdecke und des -bodens für die Verhältnisse im fünften Jahr eingezeichnet (Bild 5). Am Fußpunkt der Kellerwand (graue Linien) ändert sich die relative Feuchte in der Dämmschicht das ganze Jahr über nur wenig. Die höchsten Werte mit ca. 94 % r.F. (PE-Folie) bzw. 90 % r.F.

(feuchteadaptive DB) werden für die Außenseite der Dämmung ermittelt. Im Bereich der Geländeoberkante ist der Jahresgang nur auf der Innenseite deutlich erkennbar. Auch hier liegt die relative Feuchte im Fall der feuchteadaptiven Dampfbremse etwas niedriger. In allen Fällen bleibt in den ersten Jahren die relative Luftfeuchte vor allem am Fußpunkt der Wand im Bereich von 80 % und sogar darüber.

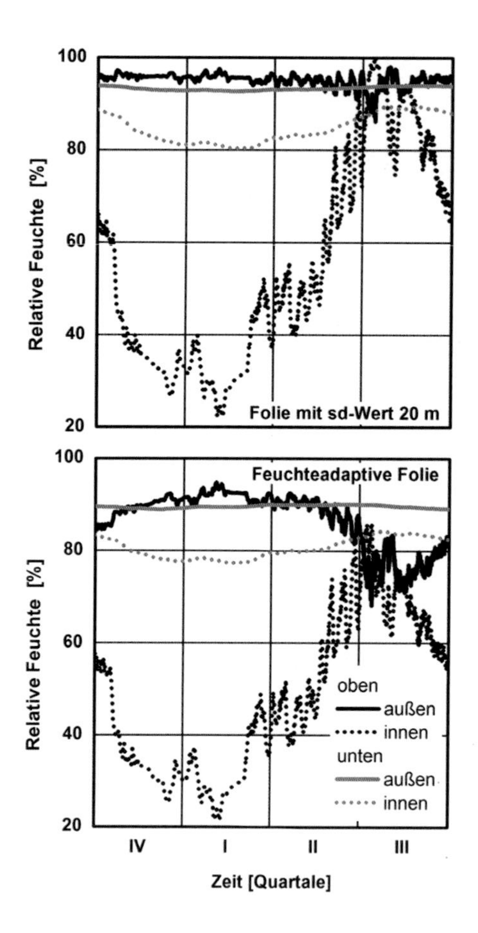

Bild 5: Berechnete Feuchteverläufe im fünften Jahr nach der Applikation der Innendämmung an vier verschiedenen Positionen in der Dämmschicht (Bild 3) beim Einsatz einer PE-Folie (oben) bzw. einer feuchteadaptiven Dampfbremse (unten)

4 Schlussfolgerung

Im Gegensatz zur Situation bei Außenwänden kann bei Kellerwänden eine Innendämmung die feuchtetechnisch bessere Lösung sein. Zu beachten ist hierbei allerdings das Problem von Wärmebrücken im Bereich der Kellerdecke. Die Untersuchungen haben gezeigt, dass vor allem bei anfänglich feuchten Kellerwänden auch in der Dämmschicht eine hohe relative Luftfeuchte herrscht, wobei jedoch der Wassergehalt nicht so weit ansteigt, dass er die Dämmwirkung beeinträchtigen würde. Dennoch ist es sinnvoll die Innendämmung so zu konzipieren, dass eine Austrocknung von Kellerwand und Dämmung im Lauf der Zeit möglich ist. Deshalb ist hier der Einsatz von diffusionsoffenen Dämmstoffen in Kombination mit einer feuchteadaptiven Dampfbremse günstig.
Die bei der rechnerischen Simulation verwendeten meteorologischen Daten von Holzkirchen mit einer Jahresmitteltemperatur von 6,3°C weisen im Vergleich zu anderen Gebieten Deutschlands (durchschnittliche Jahresmitteltemperatur 9°C [7]) ein um mehr als 2,5 K niedrigeres Niveau auf. Da das Temperaturniveau die winterliche Tauwasserbildung entscheidend beeinflusst kann davon ausgegangen werden, dass die hier gezeigten Ergebnisse für deutsche Verhältnisse auf der sicheren Seite liegen. Grundsätzlich sollten jedoch für eine Innendämmung im Untergeschoss nur feuchteunempfindliche Baustoffe verwendet werden. Außerdem ist darauf zu achten, dass die äußere Abdichtung des Kellers keine gravierenden Mängel aufweist, die zu einer langfristigen Hinterfeuchtung der Innendämmung durch von außen eindringendes Wasser führen können.

Literatur

[1] Künzel, H.M.: *Feuchteaufnahme von Perimeterdämmplatten aus extrudiertem Polystyrol-Hartschaum im Grundwasserbereich bei nicht vollflächiger Verklebung*. IBP-Bericht FtB-38/1995.

[2] Künzel, H.M.: *Trocknungsfördernde Dampfbremsen – Einsatzvoraussetzungen und feuchtetechnische Vorteile in der Praxis*. wksb 46 (2001), H. 47, S. 15-23.

[3] Verordnung über den energiesparenden Wärmeschutz und energiesparende Anlagentechnik bei Gebäuden - EnEV. Juni 2007.

[4] Heidreich, U.: *Nutzung oberflächennaher Geothermie zum Heizen und Kühlen eines Bürogebäudes*. Symposium Energetische Sanierung von Schul- und Verwaltungsgebäuden, FH Münster 2006

[5] Künzel, H.M.: *Verfahren zur ein- und zweidimensionalen Berechnung des gekoppelten Wärme- und Feuchtetransports in Bauteilen mit einfachen Kennwerten*. Dissertation Universität Stuttgart 1994.

[6] Künzel, H.M.: *Sommerliche Austrocknungsmöglichkeit von Umkehrdachdämmungen bei unterschiedlichen Deckschichten*. Bauphysik 19 (1997), H. 2, S. 58-60.

[7] WTA-Merkblatt 6-2-01/D: *Simulation wärme- und feuchtetechnischer Prozesse*. Mai 2002

Feuchtefilme - Biofilme

H. Venzmer, J. von Werder, N. Lesnych und L. Koss
Wismar

Zusammenfassung

Neue diagnostische Möglichkeiten werden aufgezeigt, mit denen mikrobielle Besiedlungen möglichst frühzeitig erkannt werden können. Produktentwicklungen können auf diese Weise beschleunigt werden. Gegenwärtig sind aus der Vielzahl von verschiedenen Lösungsansätzen noch keine neuen algizidfreien, besiedlungsresistenten Produkte absehbar, die Erfolge aufzuweisen haben. Um möglichen Schädigungen vorbeugen zu können, besteht noch ein großer Entwicklungsbedarf.

1 Fassadenbesiedlung

In jüngster Zeit ist verschiedentlich über das Phänomen von Besiedlungen der äußeren Oberflächen berichtet worden. [1], [2] Nachträglich gedämmte Fassaden weisen eine höhere Neigung zur mikrobiellen Besiedlung auf als nicht gedämmte. Diese ist auf die deutlich veränderten außenseitigen Oberflächentemperaturen und die damit verbundenen Tauwasserbelastungen zurückzuführen. Häufige und länger anhaltende Feuchtigkeitsfilme nach Schlagregenbelastung bzw. nächtlicher Unterkühlung werden sowohl durch das geringe Wärmespeichervolumen der äußeren thermisch abgekoppelten Wetterschutzschicht als auch durch die gegenüber der Außentemperatur zu niederen Oberflächentemperaturen wesentlich verursacht. Derartige Konstruktionen schneiden nach Krus u.a. schlechter ab als klassische monolithische. [3] Verbundoberflächen weisen eine um den Faktor ≥ 2 gesteigerte Taupunktunterschreitungsdauer auf als klassische Ziegel- oder Porenbetonkonstruktionen. [3] Nachträglich außenseitig gedämmte Nordgiebel einer Dreischichtenplatte können im Verlaufe eines Jahres nach den Rechnungen von Strangfeld und Stopp eine um den Faktor 6 gesteigerte überhygroskopische Wassermasse auf der Oberfläche aufweisen als ungedämmte. [4] Genügend große Wassermengen sind eine unabdingbare Voraussetzung für Besiedlungen durch Mikroorganismen, die offensichtlich auf außenseitig gedämmten Oberflächen sehr gute Lebensbedingungen vorfinden. Als Minimalisten oder Überlebenskünstler bekannt, sind sie außerdem sehr genügsam und können Durststrecken problemlos überleben.
Das an der Fassade herrschende Mikroklima ist nach Auffassung der Autoren ebenso entscheidend wie auch die baustofflichen Eigenschaften, wobei auch Einflüsse aus verarbeitungstechnischer Sicht – wie die Oberflächenbeschaffenheit – nicht übersehen werden dürfen. Insgesamt betrachtet wird bei der Besiedlungsforschung viel zu wenig beachtet, dass es sich um stochastische Prozesse handelt, die eine gewisse Anlaufzeit benötigen.

1.1 Holzständerhaus

Auf einem gedämmten Holzständerbauwerk (Bild 1) mit außenseitig farblich behandelten Asbestplatten, zeichnen sich die Holzständer als nicht besiedelte Bereiche aus der Fläche ab. Hier stehen offensichtlich nicht genügend große Feuchteangebote zur Verfügung. Geschützte Wandbereiche nahe der Traufe weisen ebenfalls weniger Algenbesiedlungen auf.

1.2 Verbundsysteme

Eine nachträglich mit einem Verbundsystem gedämmte Fassade eines DDR-Wohnungsbaus weist intensive Algenbesiedlungen auf. Die geringen Putzmassen des Systems, die bauwerksaußenseitig vor der Wärmedämmung liegen, sind vom Bauwerk thermisch abgekoppelt (Bild 2). Der Leopard-Effekt, der die weißen Flecken der besiedelten Flächen beschreibt, beruht auf der Wärmebrückenwirkung der unzureichend versenkten metallischen Anker, mit deren Hilfe das System befestigt ist. Mittlerweile sind neue Lösungen vorhanden, die Anker sind tiefer versenkt und vorne separat gedämmt worden.

Bild 1: Holzständerhaus (Lübstorf)

Bild 2: Verbundsystem (Grevesmühlen)

1.3 Vorhangsystem

Um die nachträglich applizierte Wärmedämmung vor Feuchtigkeit zu schützen, wird eine Wetterschale mit Hilfe von Trägerkonstruktionen zum Schutz davor gehängt. Diese als Vorhangkonstruktion bezeichnete Wetterschale wird hinterlüftet, denn Luft kann unten ein- und oben wieder austreten. Diese Systeme besitzen nahezu keine Wärme speichernden Massen und sind daher erheblichen Temperaturschwankungen ausgesetzt, die stark den Außenluftbedingungen folgen. Die Vorhangschale ist thermisch vom Bauwerk vollkommen abgekoppelt (Bilder 3 und 4).

Bild 3: Vorhangsystem (Nähe Wismar)

Bild 4: Vorhangsystem, partiell gereinigt (Insel Rügen)

1.4 Unkontrollierte Wasserabläufe

An solchen Orten, an denen unkontrolliert Wasser auf die Oberfläche gelangt und anschließend abfließt, zeichnen sich häufig Algenbesiedlungen ab. Putzbereiche im Spritzwasserbereich sind davon ebenso betroffen wie Blechabdeckungen am Hauseingangsbereich. Auch Fenstersohlbänke sind hier zu nennen, wenn die notwendigen Überstände unzureichend, oder das Gefälle uneinheitlich ausgebildet ist.

1.5 Besiedlungen und Trend

In verschiedenen Studien wurden Versuche unternommen, die Besiedlungshäufigkeit und deren Abhängigkeit von verschiedenen Parametern zu untersuchen. Verschiedene Untersuchungen: (a) Nord-Ost-Studie in Mecklenburg-Vorpommern, (b) Nord-Süd-Studie in Thüringen, Sachsen-Anhalt und Brandenburg und (c) Rügen erbrachten aufschlussreiche Ergebnisse zur Besiedlung von Bauwerksoberflächen, von denen nur auf eine einzugehen ist:

Bild 5: Unkontrollierte Wasserabläufe (1)

Bild 6: Unkontrollierte Wasserabläufe (2)

1.6 Besiedlungsintensität und –dynamik

Der Zusammenhang zwischen der Intensität der Algenbesiedlung (semiquantitative Skale von 0 bis 5), der Orientierung der Fassade (acht verschiedene Richtungen) und der Besiedlungsfläche (fünf Klassen) konnte bei der Nord-Süd-Studie an 162 Bauwerken aufgezeigt werden. Je weiter die Flächen von der Süd-Seite entfernt liegen, umso wahrscheinlicher sind demzufolge Algenbesiedlungen. Auffällig ist aber auch, dass die häufig geäußerte These, nach der Südseiten nicht besiedelt werden, unzutreffend ist. Aus der Nord-Süd-Studie geht hervor, dass sogar vollflächige Besiedlungen zwischen 81 und 100 Prozent auf Südseiten möglich sind, wenn eine entsprechend hohe Feuchtigkeitsbelastung vorliegt.
An 706 nachträglich wärmegedämmten Plattenbauten wurde im Rahmen einer Nord-Ost-Studie nach Zusammenhängen zwischen dem Sanierungsjahr und dem Auftreten von Algenbesiedlungen gesucht. Auffällig ist, dass der prozentuale Anteil algenbesiedelter Flächen mit zunehmendem Sanierungsalter immer mehr zunimmt.
Die lineare Regressionsfunktion weist auf den Zusammenhang zwischen dem Zuwachs der Besiedlungshäufigkeit mit dem Sanierungsalter hin. Daraus wird deutlich, dass Besiedlungen erst nach ca. zwei Jahren einsetzen. Von Jahr zu Jahr ist mit einem Besiedlungszuwachs von mehr als ca. 9 Prozent zu rechnen. Dieses bedeutet, dass gemäß Regressionsfunktion nach ca. 5,7 Jahren ca. 49 Prozent und nach ca. zehn Jahren durchaus ca. 88 Prozent aller thermisch sanierten Fassaden Algenbesiedlungen aufweisen können (Bilder 7, 8 und 9).

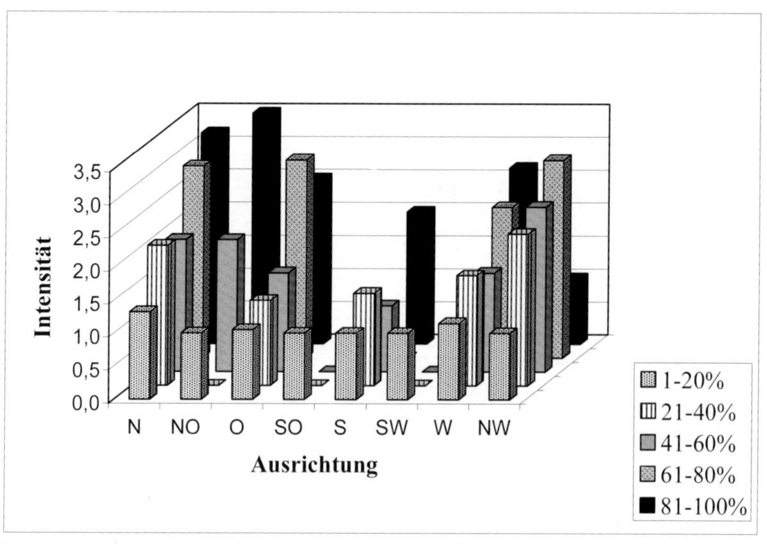

Bild 7: Intensität, Ausrichtung und besiedelter Flächenanteil

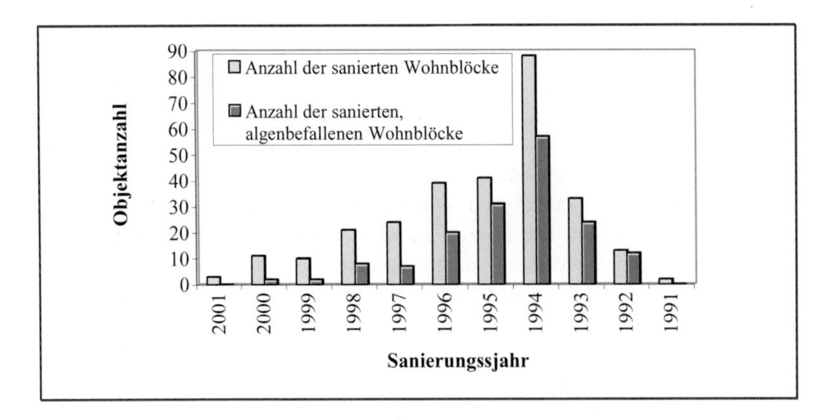

Bild 8: Besiedlungsstatistik 1991-2001 (706 sanierte Gebäude)

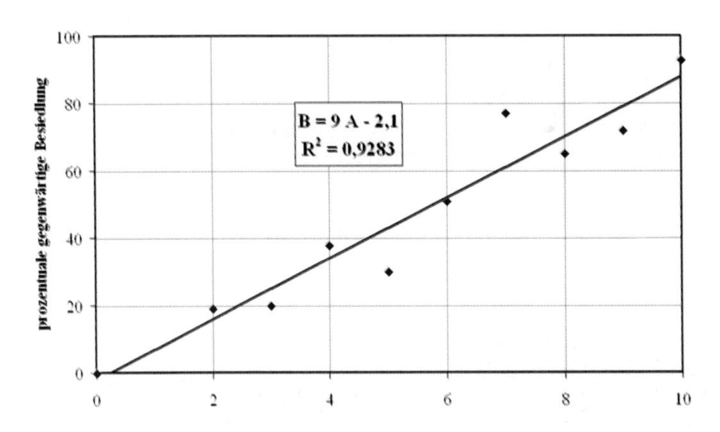

Bild 9: Prozentualer Anteil algenbesiedelter Gebäude der Stichprobe (706 Gebäude) abhängig vom Sanierungsalter (Regressionsfunktion: $B = 9\,A - 2{,}1$)

2 Lösungsansätze

Durch die zusätzliche nachträgliche Dämmung ist das Temperaturregime der Oberfläche verändert worden. Zu den Feuchtigkeitsfilmen aufgrund von Schlagregen addieren sich erhebliche Tauwasserbelastungen. Die Oberflächentemperaturen reichen nicht mehr aus, um diese Feuchtigkeitsfilme in relativ kurzer Zeit zur Verdunstung zu bringen. Lange anhaltend existente Feuchtigkeitsfilme sind die Ausgangsbasis für den Beginn von Verschmutzungen und Besiedlungen durch Algen und Pilze. Die Produkthersteller haben in jüngster Zeit verschiedene Denkansätze verfolgt und durchaus verschiedene Erfolge erzielt.

2.1 Biozide

Für den Schutz der Fassaden vor der Besiedlung von Algen und Pilzen werden die Bautenbeschichtungen mit so genannten Bioziden (antimikrobiell aktive Stoffe) ausgerüstet. Gegenwärtig ist eine große Anzahl von bioziden Wirkstoffen bekannt, wobei nur wenige davon praktische Anwendung auf dem Markt gefunden haben. Die Auswahl von geeigneten Bioziden ist ein sehr komplexes Problem, das von mehreren Einflussfaktoren anhängig ist. Die Biozide müssen einerseits umweltfreundlich sein und andererseits ihre biozide Wirkung möglichst lange behalten. Die erhöhte Feuchtebelastung der Fassaden führt zu einer beschleunigten Auswaschung der wasserlöslichen bioziden Wirkstoffe wegen der Bewitterung der Beschichtung, wie mit Hilfe der REM-Aufnahmen festzustellen ist. Mit diesen Auswaschungen geht dann eine Abnahme der Wirksamkeit einher (Bild 10). Nach 24 Monaten Bewitterung (Bild 10B) wirkt die biozid eingestellte Oberfläche im Vergleich zum Nullzustand (Bild 10A) stark bewittert und rau, obwohl die Probe keine Rissbildung zeigt.

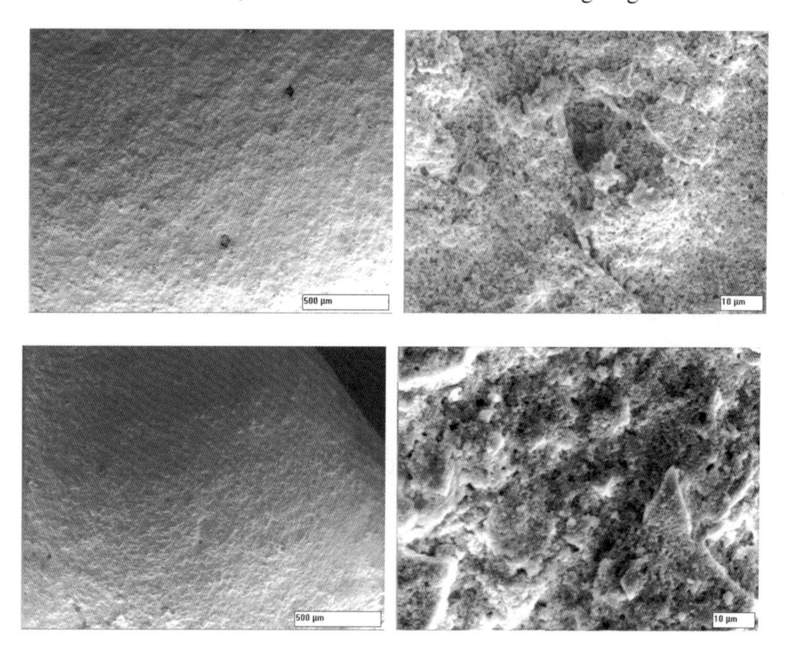

Bild 10: Biozideinsätze, REM-Aufnahmen; Fotos: C. Messal; Tesla BS 340
Oben: Biozid eingestellte Fassadenoberfläche bei verschiedenen Vergrößerungen
Unten: Dieselbe Fläche nach 24 monatiger Freibewitterung
Fazit: Auswaschung wasserlöslicher Biozide

2.2 Hydrophobie

Baustoffoberflächen werden so eingestellt, dass sich hydrophobe Eigenschaften ausbilden können, d.h. der Benetzungswinkel liegt oberhalb von 90°. Dieses geschieht in der Absicht, Wasser von der Oberfläche fernzuhalten. Erreicht werden kann dieses durch in ihrer chemischen Zusammensetzung entsprechend eingestellte Beschichtungen (Bild 11a). Hydrophob eingestellte Oberflächen sind dennoch nicht trocken, weil Tauwassertropfen wegen ihrer geringen Größe nicht abrollen. Ein möglicherweise nicht immer zusammenhängender Feuchtigkeitsfilm ist die Folge.

Bild 11a: Hydrophobie; Messgerät OSA-20

Bild 11b: Hydrophilie; Messgerät OSA-20

2.3 Ultrahydrophobie

Vom Ziel ausgehend, den Wasser-Baustoff-Kontakt weiter zu minimieren, wurden dem Lotus-Effekt nachempfundene Fassadenprodukte entwickelt, die einen noch weiter gesteigerten Benetzungswinkel von anfangs ca. 160° besitzen (Bild 12). Wassertropfen sollen leicht abrollen, um eine trockene Fassade zu schaffen. Genau dieses tritt aber nicht in dem Maße ein, wie erhofft. Zu leichte Tauwassertropfen bleiben haften und können nur beim Zusammenschluss mit anderen eine solche kritische Größe erreichen, die zum Abrollen ausreicht. Der anfänglich hohe Benetzungswinkel verringert sich außerdem deutlich, wenn Umwelteinflüsse z. B. durch Verschmutzungen oder/und Algenbesiedlungen eine Rolle spielen. Allzu rasch werden Benetzungswinkel unter 90° erreicht. Tauwassertropfen sind so leicht, dass sie auch auf ultrahydrophoben Oberflächen nicht abrollen können, sie haften an der Oberfläche und können die Basis für Feuchtigkeitsfilme bilden.

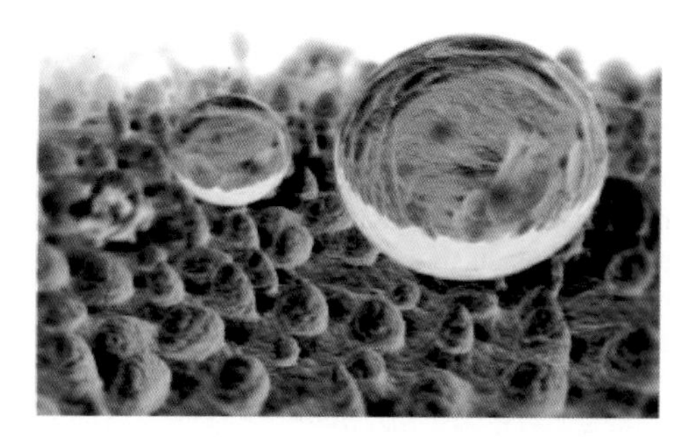

Bild 12: Ultrahydrophobie; Wikipedia: http://de.wikipedia.org/wiki/Hauptseite

2.4 Hydrophilie

Weil kleine Tauwassertropfen unter hydrophoben und ultrahydrophoben Bedingungen auf der Fassadenoberfläche länger verbleiben, sind Überlegungen im Gange, zur ursprünglichen Lösung der hydrophilen Bedingungen beim Wasser-Baustoff-Kontakt zurückzukehren. Tauwasser soll kapillar von der Unterlage aufgenommen werden, damit der Oberflächenfeuchtefilm nicht mehr zur Verfügung steht, der die Algenbesiedlungen erst möglicht. Hydrophile Bedingungen können aber das Tauwasser- und möglicherweise das Algenbesiedlungsproblem ebenso nicht lösen, wenn der Hintergrund stark feucht bzw. gar feuchtegesättigt sein sollte, wovon im Normalfall auszugehen ist, insbesondere wenn die Küstenregion Norddeutschlands betrachtet wird (Bild 11b).

2.5 PCM-Putzzusätze

Auf der Basis von Paraffinzusätzen werden Latentwärmespeicher dem Putz zugesetzt. Diese Putze sind nach ihrer Zusammensetzung so zu gestalten, dass der Schmelzpunkt gezielt eingestellt werden kann. Während der zeitlichen Phasen der Erwärmung können thermische Energien durch den Phasenwechsel fest➔flüssig gespeichert werden. Diese werden in Phasen der thermischen Abkühlung wieder frei, wenn der Phasenübergang flüssig➔fest erfolgt. PCM-Farbzusätze, wie sie zwischenzeitlich hier und da auch diskutiert worden sind, machen aufgrund der dünnen Schichtdicken wenig Sinn.

2.6 IR-aktive Farben

An verschiedenen Stellen wird mit dem Begriff IR-Putz gearbeitet. Aus physikalischer Sicht ist dieses problematisch. IR-aktive Farben machen eher einen Sinn. Gemäß Patent: DE 4418214 C2 werden in die Bindemittel Metallsalze (Sulfide, Selenide, Chloride und Fluoride) als Pigmente eingearbeitet, die den Brechungsindex beeinflussen. Gemäß (DE 198 01 114 A1) wird auch mit Perlglanzpigmenten gearbeitet. In beiden Fällen soll eine gezielte IR-Reflexion erreicht werden, die über die o. g. Eigenschaften hinaus noch winkelabhängig sind. Gegenwärtig sind lediglich IR-Innenfarben bekannt, während an IR-Außenfarben gearbeitet wird, es gibt hierzu auch einige Tests. Diese haben gegenwärtig sicherlich keineswegs die Praxisreife erreicht.

2.7 Photokatalytische Selbstreinigung

Gegenwärtig werden in einer großen Bandbreite Versuche unternommen, mit Hilfe von Nanopartikeln (Titandioxid, TiO_2) neue Oberflächen zu schaffen, die einen Selbstreinigungseffekt aufweisen. Infolge von Sonnenenergiezustrahlung können unter bestimmten Bedingungen freie Radikale entstehen, die antimikrobiell wirken. Insbesondere bei Dachsteinen konnte durch Untersuchungen eine positive Wirkung durch eine bessere Oberflächenqualität im Vergleich zu unbehandelten Dachsteinen nachgewiesen werden. Derartige Dachsteine können bei entsprechend hohen Temperaturen beschichtet werden, was bei Wandbaustoffen/-bauteilen technisch nicht möglich ist.

3 Neue diagnostische Möglichkeiten

Bevor neue Produkte in den Markt eingeführt werden sollen, müssen sie sich einer Prüfung unterziehen. Gegenwärtig wird auf unterschiedlichen Wegen versucht, derartige Prüfungen vorzunehmen. Im Vordergrund standen bisher Langzeitfreibewitterungen z. B. in Holzkirchen, Ernsthofen und Ober-Ramstadt, zu denen auch das Ostseebewitterungsprüffeld in Wismar bzw. inzwischen auf der Insel Poel in unmittelbarer Ostseenähe gehören. Der große Nachteil besteht in der Zeitdauer derartiger Untersuchungen. Für den Testzyklus eines Produkts werden ca. drei volle meteorologische Perioden benötigt. Dieses ist eindeutig zu lang. Denkansätze in unserer Arbeitsgruppe richten sich gegenwärtig auf die deutliche zeitliche Verkürzung der Entwicklungs- bzw. Prüfzeit. So genannte Schnelltests sollen dazu beitragen, die Entwicklungszeit von neuen Produkten, die den höheren Anforderungen genügen, signifikant zu verkürzen.

3.1 Giebel-Prüffeld

An einem Giebel werden über einen Zeitraum von ca. 3 Jahren streifenförmig unterschiedliche Produkte nebeneinander unter völlig gleichen Bedingungen im Hinblick auf ihre Besiedlungsresistenz untersucht. Dieses geschieht sowohl durch Messungen am Objekt als auch durch regelmäßige Probenentnahmen für nachfolgende Laboruntersuchungen (Bild 13).

Bild 13: Giebel-Prüffläche (Grevesmühlen)

3.2 Ostseeklima-Bewitterungsprüffeld Wismar

Im Gegensatz zu anderen Prüffeldern im Binnenland zeichnet sich das Ostseeklima-Bewitterungsprüffeld in Wismar durch den Einfluss des Küstenklimas aus, bei dem höhere Windstärken und intensivere Schlagregenbelastungen herrschen als an vergleichbaren Prüffeldern wie z.B. in Holzkirchen, Ernsthofen und Ober-Ramstadt. Die Prüfkörper verbleiben im Rahmen eines Langzeittests auf diesem Prüfstand und werden regelmäßig im Labor nach verschiedenen Kriterien analysiert (Bild 14).

Bild 14: Ostseeklima-Bewitterungsprüffeld (Wismar)

3.3 Materialalterung

Um die Prüfzeit von gegenwärtig ca. 3 Jahren deutlich reduzieren zu können, ist es erforderlich, die Proben einer künstlichen Alterung zu unterziehen. Dieser Prüfstand ist in der Lage, ein volles meteorologisches Jahr innerhalb von vier Wochen zu simulieren, d. h. innerhalb von drei Monaten können Probekörper durch ein System von Beregnung und Temperaturwechseln in den Zustand gebracht werden, den sie unter freien Außenbedingungen erst nach dem Ablauf von drei Jahren nach einer Außenexposition erreichen (Bild 15). Dazu werden entsprechende Zyklen von Frost-Tau-Wechseln, Regenwasser- und Temperaturbelastungen in zeitlich gestraffter Form eingesetzt. Die dann eintretenden Veränderungen der Oberflächenstruktur (z. B. Abtrag von Mikropartikeln und als Folge davon die Freilegung von mineralischen Füllstoffen) sind mit Hilfe von REM-Aufnahmen nachweisbar (Bild 16).

Bild 15: Probenalterung

Bild 16: REM-Mikroanalysator: REMMA 101A; TU Charkiw/Ukraine;
Links: Nullprobe, rechts: 3 Jahre gealtert

3.4 PAM-Objektscanning

Mit Hilfe des PAM-Gerätes (Firma Waltz, Effeltrich) können Algenbesiedlungen bereits im Frühstadium festgestellt werden, wenn sie mit bloßem Auge noch gar nicht wahrnehmbar sind. Die eindeutige Unterscheidung von anderweitigen Verschmutzungen ist durch die Auswertung von Fluoreszenzsignalen möglich, die immer nur dann entstehen, wenn das Chlorophyll der Algen vorhanden ist (Bild 17).

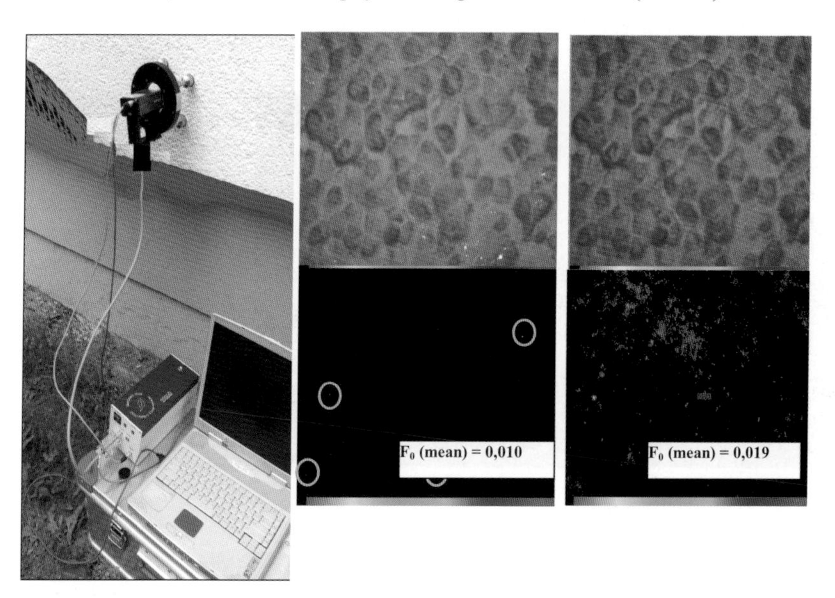

Bild 17: PAM-Objektscanning

3.5 PAM-Laborscanning

Mit einem x-y-Scanner lassen sich klimatisch exponierte Probekörper (Bild 14) nach einem vorab definierten Algorithmus analysieren. Wenn Prüfkörper z. B. vom Ostseeklima-Bewitterungsprüffeld ins Labor geholt werden, können PAM-Aufnahmen längs einer Linie oder auch anhand bestimmter Koordinaten aufgenommen werden (Bild 18). Auf diese Weise können exakt dieselben Ausschnitte auf den Prüfkörpern immer wieder abgefragt werden und somit dem Wiederholungsprinzip von Messungen Rechnung getragen werden. Trends sind auf diese Weise präzise darstellbar.

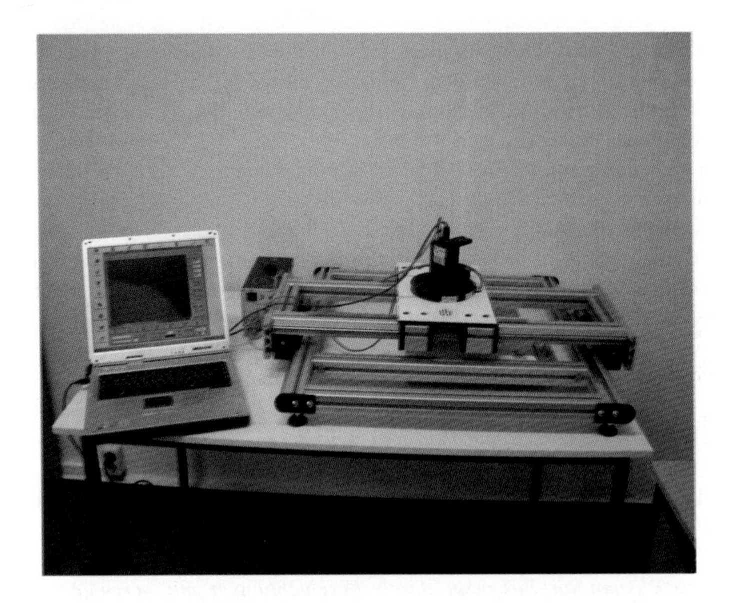

Bild 18: PAM-Laborscanning

4 Ausblick

Gegenwärtig gibt es auf dem Markt eine recht große Vielfalt an Produkten und damit eine Verunsicherung für Planer. Die Richtung der Produktentwicklungen ist keineswegs einheitlich.

Ehemals hydrophile Oberflächen mineralischer Putze wurden in den neunziger Jahren durch neue so genannte funktionale Oberflächen – wie weit man diesen Begriff nun auch fassen mag - abgelöst. Mittlerweile ist u. a. auf dem Markt der Bauprodukte ein Trend zurück zu den Anfängen zu beobachten. Oberflächen werden so gestaltet, dass es wieder einen hydrophilen Wasser-Baustoff-Kontakt gibt, bei der der Wasseraufnahme der Deckschicht ein Vorrang eingeräumt wird. Beweise, dass diese bauphysikalische Konstellation besser ist als vorherige, muss erst noch erbracht werden, denn nur anfangs trockene Oberflächen können ein Wegsaugen von Oberflächenfeuchtigkeit gewährleisten. In der Realität liegen aber sehr häufig völlig gesättigten Oberflächen vor, die ein Wegsaugen von Oberflächenfeuchtigkeit gar nicht leisten können.

Auch alle weiteren o. g. Einflussmöglichkeiten sind nach Auffassung der Autoren gegenwärtig noch im Experimentierstadium. Dieses trifft für PCM- ebenso zu wie für TiO_2-Zusätze oder IR-aktive Farben für Außenseiten, denn es ist nicht so ohne weiteres möglich, naturwissenschaftlich belegte Effekte in die Baupraxis zu überführen, zumal dort nicht mit reinen Stoffen gearbeitet werden kann.

Mittlerweile sind die diagnostischen Möglichkeiten für die Feststellung der Praxistauglichkeit weiter vervollkommnet worden. An der Fertigstellung eines Schnelltests wurde bislang erfolgreich gearbeitet. Es ist mittlerweile möglich, durch die künstliche Alterung von Proben den Prüfzyklus von wie bisher üblich von 3 Jahren auf wenige Monate deutlich zu reduzieren. Mögliche Materialveränderungen an der Oberfläche können ebenso bewertet werden wie auch Algenbesiedlungen. Die dafür erforderlichen Methoden stehen in unserer Arbeitsgruppe zur Verfügung.
Gegebenenfalls werden völlig neue Fassadenelemente benötigt, bei denen man von vornherein die bauphysikalischen Eigenschaften so einstellen kann, dass sie weniger Probleme machen als die Gegenwärtigen. Erste Ideen gibt es hier bereits.

Literatur

[1] Venzmer, H. (Hrsg): *Mikroorganismen und Bauwerksinstandsetzung – Veralgung von Fassaden,* Reihe Altbauinstandsetzung Heft 3, Huss, Berlin 2001
[2] Venzmer, H.: Algen auf Fassadenbaustoffen II, Reihe Altbauinstandsetzung Heft 5/6, Huss, Berlin 2003
[3] Krus, M. Fitz, C., Holm A. und Sedlbauer K.: *Vermeidung von Algen- und Schimmelpilzwachstum an Fassaden durch Beschichtungen mit verringerter langwelliger Abstrahlung,* IBP-Mitteilung Nr. 478
[4] Koss, L., Lesnych, N., Messal, C., Stopp, H., Strangfeld, P., von Werder, J. und Venzmer, H.: *Algen auf Fassaden Teil B,* Bauphysik-Kalender 2004, Ernst und Sohn, Berlin 2004

Verzeichnis der Fotografien

Wenn nicht anders genannt: Dahlberg-Institut e.V. Wismar

Danksagung

Hiermit bedanken sich die Autoren bei der Arbeitsgruppe von Prof. Kosmatschew, TU Charkiv/Ukraine für die REM-Untersuchungen von Proben.

Schadensursache: Hinternässung der Fassade

M. Hladik
Natters-Innsbruck

Zusammenfassung

Die Deckschicht eines Wärmedämmverbundsystems dient nicht nur der optischen Gestaltung eines Bauwerkes, sie schützt die Dämmschicht und die dahinter liegende Bausubstanz vor Witterungseinflüssen. Gelangt Wasser hinter die Fassade und damit in die Gebäudehülle hat das in der Regel fatale Folgen. Dabei ist es egal in welchem Aggregatszustand, auf welchem Wege und von woher das Wasser eindringt.
Wassereintrittsstellen in der WDVS-Deckschicht in Form von Rissen oder mangelhaften An- oder Abschlüssen stellen eine Gefährdung der unmittelbar dahinter liegenden Dämmung durch eindringenden Niederschlag dar - feuchte Wärmedämmung verliert ihre dämmende Eigenschaft. Wird ein WDVS lange Zeit und intensiv hinternässt, kann es zu nachhaltigen Schäden auch an der Bausubstanz kommen, die sogar die Erneuerung des WDVS zur Folge haben kann.
Der nachfolgende Beitrag befasst sich mit den Folgen von Hinternässungen bei Außenwand-Wärmedämmverbundsystemen mit Mineralwolle, Kork, expandiertem Polystyrol (EPS) und Holzweichfaser und versucht aufzuzeigen, wie derartige Probleme vermeidbar wären.

Wasser ist zum Bauen da!

Ohne Wasser kein Leben! Ohne Wasser gibt's kein Bauen! Gäbe es kein Wasser, könnten nicht einmal Naturvölker ihre Lehmhütten bauen, wir hätten keinen Beton, keinen Mörtel, auch keinen Kunststoff, keine Beschichtung. Es gäbe vielleicht nur Häuser aus Holz, aber das braucht ja auch wieder Wasser zum wachsen. Wir haben aber ausreichend Wasser auf unserer Erde, so dass wir Bauwerke der unterschiedlichsten Art herstellen können und auf eine Vielzahl von Bauweisen verweisen können.
Wenn aber so ein Bauwerk vollendet ist, dann gilt plötzlich ein recht gegenteiliges Motto, nämlich: „Wasser weg vom Haus"! Zwar hat diese alte Bauregel unverändert Gültigkeit, doch wie auch in vielen anderen Bereichen unseres Lebens, ignoriert man heute auch in der Architektur und im Bauwesen allgemein, ganz gerne das Althergebrachte, das Altbewährte. Man will fortschrittlich sein um jeden Preis, das Wasser strömt landauf landab über die Fassaden, denen man jeglichen konstruktiven Witterungsschutz verwehrt. Die kantig-kubische-ungeschützte-Gebäudeform, kurz: KKU-Architektur, ist „in".

Was trocken bleibt, bleibt nicht nur algenfrei!

Meiner in 2003 erstmal publizierten, grundsätzlichen Erkenntnis aus zahlreichen Schadensfällen fehlten damals noch die beiden, jetzt eingefügten Wörtchen „nicht nur", denn es ging damals nur um den mikrobiellen Befall von Fassadenoberflächen.[1] Die ebenso einfache wie logische Feststellung hat sich in der Zwischenzeit in vielen Bau-Köpfen verankert, auch in jenen von Planern. Man sieht vereinzelt auch schon wieder gegliederte Fassaden.
Diese These bleibt auch im erweiterten Anwendungsbereich unbestreitbar und widerspruchsfrei, denn bei konstruktiv witterungsgeschützten Fassaden gibt es auch das Thema Hinternässung nicht. Auf ausreichende Beispiele und Beweise, dass auch bei hohen Fassaden Vorsprünge, Gliederungen und Vordächer Schutzwirkung über die ganze Fassade zeigen, sei an dieser Stelle nur hingewiesen. [2]

Ursachen für Hinternässungen

Beispiele von Schadensobjekten und die Aufzeigung der erkannten Ursachen haben natürlich nie allgemein Gültigkeit, sollen aber den Geist- und Handwerker am Bau zum Nachdenken anregen und zum richtigen handeln motivieren.
Gravierende, noch dazu systematische Planungs-, Konstruktionsfehler und Ausführungsfehler sind die Ursache eines Großschadens am Objekt A. Die Balkonplatten der 11 Geschoße hohen Wohnanlage stießen stumpf an angrenzende Wände (Bild 1). Man dämmte zuerst die Wandflächen und führte das WDVS mit Mineralwolle über zuerst fachgerecht angebrachte Isolierhochzüge an den Balkonseitenwänden. Danach meinte man, die Wanne am Balkon schließen zu können, indem man an der Balkonplattenvorderkante

eine Winkelschiene versetzte, über die man ebenfalls einen Hochzug ausführte. Der Denkfehler war nur 13 cm lang (der Dämmdicke plus Kleber entsprechend), dies aber 2x, weil es ja links und rechts einen Anschluss gab. Durch die zu kurze Abschlussschiene konnte die beabsichtigte Wanne nicht geschlossen werden (Bild 2). Die Balkone entwässerten links und rechts in die Dämmung der Flankenwände, das Wasser setzte über die zellenoffene Mineralwolledämmung seinen Weg nach unten fort, sammelte sich in der ganz unten horizontal liegenden Untersichtdämmung, weichte Dämmmaterial und Spachtelmasse auf und ließ am Weihnachtstag 300 m² Deckschicht auf die Fußgeherrampe dieser Wohnanlage stürzen (Bild 3).

Bild 1: Fassade mit stumpf anstoßenden Balkonplatten

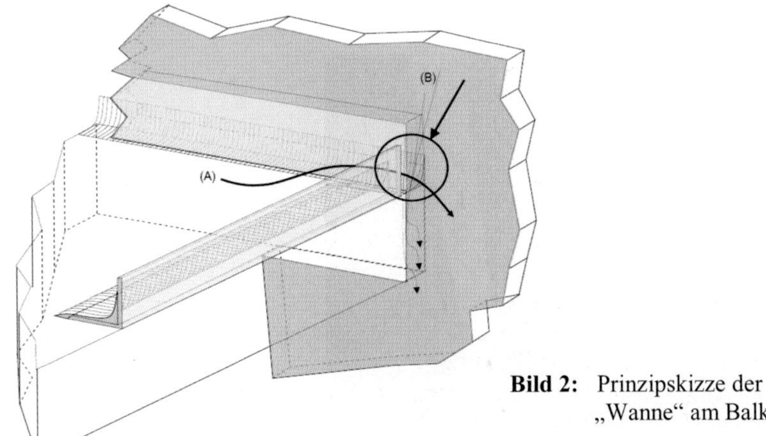

Bild 2: Prinzipskizze der „Wanne" am Balkon

Bild 3: Abgestürzter Deckenbereich

Ein klassischer Planungsfehler ist die Gestaltung von Fassadenteilflächen in einem besonders extremen Längen-Breiten-Verhältnis. Während sich die große, fugenlose Wandfläche rissefrei darstellt, weist der sehr schmale, dafür extrem hohe Streifen der Deckschicht eine Vielzahl von Rissen auf (Bild 4). Am gleichen Objekt finden sich an anderen Teilflächen mit ungünstigem Längen-Breiten-Verhältnis in gleicher Weise zahlreiche Risse. Bei extrem breiten und niedrigen Flächen sind es dann dementsprechend senkrechte Risse. (Bild 5). Auch wenn der Vergleich etwas hinkt, sollte jeder Bauschaffende nachdenken, warum kein Estrichleger eine Fläche in so einem ungünstigen Ausdehnungsverhältnis verlegen würde, wo der doch mit seiner Betonplatte bloß maximale Temperaturamplituden von +25°C bis +5°C zu bewältigen hat. An der Fassade aber, wo die Temperaturen im Jahreslauf schon um 100°K differieren können, sollte alles und das fugenfrei möglich sein.

Bild 4: Günstige/Ungünstige Flächenproportionen

Bild 5: Querrisse zur Längsausdehnung

Die Hinternässung einer Fassade während der Bauzeit ist dann möglich, wenn die terminliche Koordinierung der Professionisten nicht funktioniert und z.B. die Brüstungsabdeckungen fehlen und die fertig gedämmte WDVS-EPS-Fassade von zusätzlich undichten Wasserspeiern hinterfeuchtet wird. (Bild 6) Weil sich das Jahresende ankündigte und das Gerüst weg musste, wollte man auf jeden Fall die Außenputzarbeiten abschließen. Der organisch gebundene Deckputz konnte auf dem feuchten Untergrund keine funktionierende Filmbildung aufbauen und hatte damit auch keine ausreichende Anhaftung. Feuchtigkeitsansammlung in den zuerst noch sehr kleinen Hohlräumen zwischen Deckputz und Armierungsschicht wuchsen im Zusammenwirken von Nässe und Frost zu beachtlichen Blasen an. Auch bei organisch gebundenen Deckputzkomponenten sind Trocknung und Verarbeitungstemperaturen von mehr als 5°C Voraussetzung für eine dauerhafte Gebrauchstauglichkeit einer WDVS-Fassade.

Bild 6: Deckschichtblassen wegen verhinderter Filmbildung

Der genormte Bauschaden schlummert in vielen Normen und entwickelt sich zur Katastrophe für den Bauherrn, wenn gleich mehrere normgerechte Ausführungen aufeinander treffen und miteinander dann doch nicht funktionieren. Die auch hier gewünschte KKU-Architektur (Bild 7, Bild 8) hat dazu geführt, dass der Steinmetz die Arbeit des Flachdach-Abdichters (300m² Terrasse), des Fassaders (WDVS-Dämmung hinter der Steinverkleidung) und des Gartengestalters (keine frei sichtbaren unteren Steinplattenränder) mit der Steinverkleidung quasi miteinander verbunden hat. Das unerfreuliche Ergebnis kam nun an der Innenseite der dahinterliegenden Räume zu Tage (Bild 9): Große Feuchtflecken und abplatzende Beschichtungen verhindern die Nutzung der Räume. Diese Fassade wird von oben her belastet, weil man zwar die Horizontalfugen mit Dichtstoff verfugt hat, aber der stete Tropfen am Ende der Verfugung in die offene Vertikalfuge einfließen kann. Wenn in der Norm geschrieben steht, dass Steinverkleidungen mit 3 cm dicken Platten und einem 2 cm breiten Luftspalt dahinter auch ausreichend Schlagregensicher sind, dann haben die Verfasser dieser Norm den Winddruck vergessen und nicht beachtet, dass bei direkter Montage der Steinplatten (ohne Unterkonstruktion) Hunderte Plattenanker ebenso viele Wassereinleitstege in das Wandsystem (12 cm Wärmedämmung ohne Armierungsschicht, 25 cm Hochlochziegel, knirsch vermauert – also auch fugenoffen) darstellen. Für diese ganz aktuelle Schadenssache stehen nur zwei Sanierungsmöglichkeiten an: Alle offenen Steinplattenfugen abdichten oder Neuaufbau auf einer Unterkonstruktion. An der ersten Variante tüfteln die Bauphysiker, weil das Architekturbüro nicht unbegrenzte Zu- und Abluftöffnungen in die Fläche bohren lassen will, die zweite Variante befindet sich schon aufgrund erster Kostenschätzungen im momentanen Stillstand.

Bild 7: Steinverkleidete WDVS-Fassade in KKU-Architektur

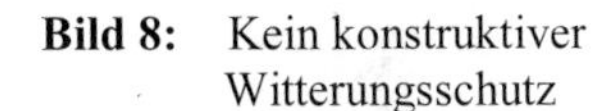

Bild 8: Kein konstruktiver Witterungsschutz

Bild 9: Innen sichtbar gewordene Feuchtigkeit von Außen

Beratungsfehler passieren nicht nur Außendienstmitarbeitern sondern auch autorisierten Versuchs- und Prüflabors. Dass es gleich zwei Beratungsfehler von der gleichen Stelle gab, kann auch als Schicksal gewertet werden. Dieser Kirchturm ist zugleich das Stiegenhaus für das angrenzende, mehrstöckige Pfarrhaus (Bild 10). Weil man Heizkosten sparen wollte, zog man eine zuerst nicht geplant gewesene Holzdecke ein. Das brachte die Bauphysik aus dem Gleichgewicht. Amtlicherseits riet man zu einer Umhüllung des Kirchturms mit einer WDVS aus einer Mehrschicht-Holzwolle-Mineralwolle-Holzwolle-Dämmplatte und darauf appliziertem Dickschichtputz. Intensiver, als in Bild 4 erkennbar kam es auch hier, quer zur längeren Flächenachse, zu Rissen, sogar zu weit aufklaffenden (Bild 11). Jahre später riet das gleiche Beratungsinstitut zur Sanierung der Risse analog der WTA-Richtlinie [3], leider aber auch zu einer Beschichtung mit einem Latex-Anstrich. (Bild 12). Der momentane Zustand des Objektes ist jener in seiner ursprünglichen Bauweise, ohne WDVS und eine automatische Ventilationseinrichtung in der eingefügten Holzdecke.

Bild 10: Kirchturm noch mit WDVS eingehüllt

Bild 11: waagrechte Risse in Fläche mit einseitiger Längsdehnung

Bild 12: Latexanstrich war keine Lösung!

Diffusion ist dumm! Sie weiß nämlich nicht, dass sie bei diffusionsoffenen Wandsystemen nur von Innen nach Außen funktionieren sollte. Immer wieder folgt sie widerspruchslos den Naturgesetzen, dreht sich um und lässt Niederschlagswasser von Außen nach Innen diffundieren. Diese Umkehrdiffusion ist eine ‚Hinternässung der Fassade in Stufen'. Die zuerst in Dampfform vorliegende Feuchte kondensiert im Wandsystem, sobald es der warmen und mit Feuchte geladenen Außenluft in den tiefer liegenden trockenen, weil kühleren Zonen, zu kalt wird und das Wasser nicht mehr halten kann. An diesem Objekt (Bild 13) hat man bei der Konstruktion des gläsernen Konferenzzimmers ganz oben, schlichtweg die Wasserführung vergessen.

Bild 13: Moderne Architektur, Wasserführung vergessen

Das abfließende Wasser sammelte sich und rann wasserfallähnlich jahrelang links und rechts des Glaskastens über die Fassade ab. Die Feuchte und hohe Temperaturen durch die dunkle Fassadenfarbe haben nicht nur die Deckschicht dieser WDVS-Kork-Fassade nachhaltig zerstört. Zahlreiche Frost-Tauwechsel haben den Schichtenaufbau zerstört (Bild 14). Die wiederholten Warm-Feucht-Zyklen haben zudem die Schutzhülle der Textilglasgitterfäden angegriffen und die Festigkeit der Glasfasern verringert, das Gewebe konnte man mit den bloßen Fingern in kleinste Teile zerpflücken.

Bild 14: Sondieröffnung mit kaputter Deckschicht

Wir kochen die Armierungsgewebe tot!

Das ist keine neue Erkenntnis. *Himburg* hat bereits in seiner Dissertation an der TU Berlin, 1999 festgestellt [4] „... *Bei den in Putz eingebetteten Gewebeproben zeigten sich bereits nach einer 28tägigen Lagerung unter Normalklima deutliche Festigkeitsabminderungen bis zu 50%. Dies lässt den Schluss zu, dass die alleinige Einbettung des Gewebes in die Putzmatrix schon im frühen Stadium zu Festigkeitsverlusten führt, unabhängig von der weiteren Probenlagerung bzw. Bauausführung. ...*"
Nun haben wir an der Fassade aber alles andere als ein labormäßiges Normklima. Besondere Gestaltungsdetails müssen perfekt und bis ins letzte Detail geplant werden! An einem Verwaltungsgebäude wusste der Architekt zwar, dass er die über 400 Fenster bildhaft vor der Fassade schweben lassen wollte (Bild 15), überließ aber die technische Detaillösung und gebrauchstaugliche Umsetzung dem Bauschlosser (Fensterrahmen), dem Fensterbauer und dem Fassader (WDVS-Mineralwolle-Fassade), der auch noch seinen System- und Profillieferanten zu Rate zog. Das Ergebnis ist bedau-

erlich: Die um den Fenster-Rahmen angebrachten WDVS-Abschlußprofile verfügen über keine dichte Eckverbindung (Bild16), Aufgrund der KKU-Architektur des Gebäudes läuft regelmäßig Niederschlag an der Fassade herunter und bei den Eck-Löchern der Profile ins WDVS-Mineralwolle hinein. Der Erdanziehung folgend geht's dann nur noch abwärts; an den horizontalen Untersichten über den Verkehrsflächen (Parkdecks) zeigt sich das eingedrungene Wasser wieder an der WDVS-Oberfläche in Form markanter Ausblühungen (Bild 17).

Bild 15: „Schwebende Fenster“

Bild 16: Die Tücke liegt im Details

Bild 17: Wasseransammlung im System

Zur intensiven Feuchtebelastung von Mineralwolle-Dämmungen lautet die offizielle Antwort auf eine entsprechende Anfrage: „ ... *sollte Mineralwolle ..... immer so eingebaut werden, dass sie vor dauerhafter Feuchtigkeit (in Form von Dampf oder von Wasser) geschützt ist. Nur das ist bauphysikalisch und konstruktiv richtig! Stauende Nässe, vielleicht auch noch verbunden mit erhöhten Temperaturen, kann das in der Mineralwolle-Dämmplatte enthaltene Harz/Bindemittel lösen. Die Dämmplatte verliert ihre Formstabilität, kann "zusammensacken" und büßt ihre Wärmedämmfähigkeit ein. Schlagregen, der die Dämmung regelmäßig bzw. "wiederholt" durchnässt, schadet nicht nur der Dämmschicht, sondern der gesamten Wandkonstruktion! Dagegen muss unbedingt konstruktiv vorgegangen werden.* "

An hohen WDVS-Mineralwolle-Fassaden lässt sich beobachten bzw. auch feststellen: Die Deckschicht schwingt bei böigem Wind wie eine Membrane. Lässt die Bauart Fließwasser an der Fassade zu, so wird diese Nässe, in Verbindung mit Windböen, auch durch kleinste, zulässige Haarrisse in das WDVS eingepumpt. Der Vorgang: Niederschlag in Form eines Wasservorhangs an der Fassade (z.B. Gewitterregen) – Windböe drückt auf die Fassadenoberfläche und damit die Luft aus dem System hinten heraus – schwächt die Windböe ab, entspannt sich die Deckschicht des WDVS und saugt damit automatisch wieder Luft an, durch feinste Risse hindurch, ggf. auch feuchte Luft oder flüssiges Wasser! Diese Wechselwirkung ist witterungsabhängig und kann auch lange andauern. In Verbindung mit dunklen Fassadenfarben (=Hohe Temperaturen) kann das Deckschichtsystem relativ schnell „Altersmüde“ werden (Bild 18).

Bild 18: Deckputzabsturz nach starkem Wind

Die an dem Hochhaus abgestürzten Deckschichtteile (Bild 19) zeigten auffallende Zerreißlinien (Bruchlinien) des Gewebes. Das Gewebe reisst genau entlang der Bruchlinie der Deckschichtscholle. An diesem Objekt gab es auch eine auffallende Aufweichung des unter dem WDVS befindlichen Altputzes.

Bild 19: Bruchlinie der Putzscholle = Risslinie des Gewebes

Dazu nochmals *Himburg* in [4] „...*Bei einer schnellen Erwärmung der Bekleidungsschicht kann die gespeicherte Feuchtigkeit in einem kurzen Aufheizungszeitraum nicht vollständig nach außen diffundieren. In diesem Fall setzt ein Diffusionsstrom in umgekehrter Richtung, also von außen nach innen ein. Unter bestimmten Randbedingungen kann es nachfolgend zu einem Tauwasseranfall an der Schichtgrenze zur Massivwand kommen. ...*“ „... *Es ist erkennbar, dass die durch Beregnung angesammelte Feuchte in einem WDVS mit Mineralfaser-Dämmung beim Erwärmen der Bekleidungsschicht schnell austrocknet und dabei auch in Richtung der Massivwand transportiert wird (Umkehrdiffusion)...*“.
Zuletzt noch ein Blick auf die zunehmend ausgeführten Wärmedämmungen aus Holzweichfaser-Dämmplatten. Durch die hygroskopischen Eigenschaften des Holzwerkstoffs steht dieser in einer engen Wechselbeziehung mit dem Umgebungsklima. Es genügt bereits, die Eigenfeuchte im Zuge der Putzausführung in die Platten „einzusperren“, damit nachfolgende Erwärmung der Putzoberfläche die darunter befindlichen Dämmplatten zu erwärmen, zu dämpfen beginnt. Bei Nachstellversuchen konnten an hellgrauen Oberflächen bereits Oberflächentemperaturen von knapp unter 70°C gemessen werden. Die Weichfaser quellen dann im feucht-warmen Milieu auf (Bild 20). Die materialtypische Ausgleichsfeuchte von Holzweichfaser-Dämmplatten liegt um die 13-15 m.-%. Werden Weichfaserplatten über die Erwärmung von außen getrocknet, so ist das gleich bedeutend mit Volumensverlust, die Platten schwinden, auch wenn Sie an sich „trocken“ verputzt wurden.

Bild 20: Extreme Dokumentation von Aufwölbungen

Nachdem der Putz nicht elastisch- rückstellend ist, verbleiben in der Regel die deformierten Oberflächen (Bild 21). Die Sanierung kann dann meist nur durch vorgehängte Fassadensysteme erfolgen. Besser man hätte sich gleich vorher dafür entschieden.

Bild 21: WDVS-Weichfaserdämmplatten zeichnen sich ab

Aus jahreszeitlich aktuellem Anlass möchte ich informieren, dass auch Spechtlöcher sofort nach der Entdeckung verschlossen werden sollten. Spechtschäden sind Wassereintrittsstellen und somit Bauschäden! [5] Insbesondere, wenn es sich um witterungsbelastete, wenig geschützte Gebäudeseiten handelt, sind Sofortmaßnahmen angebracht. Abhängig von der Lage der Löcher, kann das Verschließen eine sehr aufwändige Arbeit sein, weshalb auch entsprechende Maßnahmen zur Spechtabwehr empfehlenswert sind, denn es kommt immer wieder vor, dass der Vogel bereits verschlossene Löcher wieder öffnet oder daneben neue macht (Bild 22).

Bild 22: Spechtlöcher sind Wassereintrittsstellen

Fazit

Hinternässungen von Fassaden sind jedenfalls zu vermeiden. Um dies zu erreichen, ist das Motto „Wasser weg vom Haus“ allen Planungen voranzustellen und bedarf es außerdem einer sehr detaillierten Planung, der Kenntnis von Anwendungsgrenzen von WDV-Systemen, sowie einer sehr exakten Ausführung des WDVS. Wie die angeführten Beispiele zeigen, hätten in einigen Fällen „ein paar Zentimeter mehr Architektur“, sprich konstruktiver Witterungsschutz in Form von Fassadengliederungen und/oder Vordächern, zu einer deutlich verringerten Schadensintensität geführt bzw. sogar die Schäden verhindert.
Im Zusammenhang mit der möglichen Hinternässung von Fassaden ist auch die sog. „zulässige Rissbreite“ anders zu werten, als bei sonstigen Putzrissen. Es genügen bereits zahlreiche Haarrisse, um Wasser in das System eindringen zu lassen.

Literatur

[1] Hladik, M.: *Was trocken bleibt, bleibt algenfrei!* Ausbau + Fassade, C. Maurer Druck u. Verlag, Geislingen/Steige. 04/2003, S. 28-30

[2] Hladik, M.: *Witterungsschutz – Sinn und Wirkung von Vordächern,* Hrsg. Forum BAUINFOalpin www.bauinfoalpin.at, Natters-Innsbruck. 2.Auflage, 12/2004

[3] WTA-Merkblatt 2-4-94 *Beurteilung und Instandsetzung gerissener Putze an Fassaden.*

[4] Himburg, St.: *Zur Standsicherheit und Langzeitbeständigkeit von Wärmedämmverbundsystemen mit keramischen Bekleidungen,* Dissertation. TU Berlin, 1999

[5] Hladik, M.: *Spechtschäden an Fassaden,* Internet-Publikation Forum BAUINFO-alpin www.bauinfoalpin.at, Natters-Innsbruck.11/2005

www.hladik.at

Wärmedämmverbund-Systeme: Beurteilung eines aktuellen Schadenfalls mit undichten Fensterzargen-Anschlüssen aus der Sicht des Sachverständigen

W. Schläpfer
CH-Bülach

Zusammenfassung

Immer wieder werden von Seiten der Planer Anschlüsse, Trennschnitte und Bewegungsfugen nicht konsequent genug geplant, sondern der Improvisationskunst der Handwerker am Bau überlassen. Zu welchem Schadenbild dies nach einigen Jahren führen kann, zeige ich aufgrund eines aktuellen Streitfalls an einem großen Büro- und Verwaltungsgebäude in der deutschsprachigen Schweiz auf.
Aus der Praxis des Sachverständigen gehe ich im Detail auf die Ursachen und meinen Befund, auf die ästhetischen Anforderungen der Bauherrschaft an die Architektur, sowie auch auf deren Maßnahmen zum konstruktiven Witterungsschutz ein.
Zugleich wollte ich über den Prozess bis zur Findung einer allseits akzeptierten Sanierungsvariante berichten, doch die Sanierung ist durch einen überraschenden Firmenverkauf und des damit zusammenhängenden Besitzerwechsels vorübergehend ins Stocken geraten und konnte bis heute nicht in Angriff genommen werden.
Das Ziel dieses Referates ist, dass möglichst viele Planer und Ausführende aus solch immens teuren Fehlern lernen, die Wichtigkeit der Planung bis ins Detail erkennen und so letztlich einen ganz persönlichen Nutzen mitnehmen können.

1 Ausgangslage

Rund vier Jahre nach Fertigstellung des Verwaltungsgebäude-Komplexes (Bild 1) zeigen sich rund um die Alu-Fensterzargen Putzabplatzungen größeren Ausmaßes auf dem mit Mineralfaser-Dämmplatten ausgeführten Wärmedämmverbundsystems (Bild 2).
Auf deren Ursachen und Verantwortlichkeiten kann ich an dieser Stelle nicht mehr vertieft eingehen. Vielmehr soll eine verhältnismäßige und in allen Belangen befriedigende Sanierungs-Variante aufgezeigt und beschrieben werden.
Bezüglich der Haftung für die Schäden ist ein Rechtsverfahren anhängig. Dieses verzögert die Behebung der vorhandenen Mängel und die Gefahr besteht, dass ein weiterer Winter mit allen seinen Frost- und Feuchtigkeitseinwirkungen dass Ausmaß der Schäden durch neue Folgeschäden noch erweitern könnte.

Bild 1: Ansicht einer Hälfte des Innenhofs gegen Westen

2 Der erste Sachverständigen-Auftrag vom 17. Mai 2006

Die verantwortliche Generalunternehmung stellte dem Sachverständigen die nachstehenden Fragen zur Beantwortung:

(1) Wie kann eine kostengünstige, ästhetisch befriedigende und funktionell richtige Sanierung der Putzschäden bei den Anschlüssen an die fremden Bauteile erfolgen?

(2) Welche Folgeschäden können allenfalls wegen einer verspätetet ausgeführten Sanierung (über den Winter) eintreten?

Feststellungen und Beantwortung Experten-Frage 1:

Der Ausdehnungskoeffizient der Alu-Fensterzarge (0.85 mm/m bei 50° C Temperaturdifferenz) bei einer Breite von 4.68 m und einer Höhe von 2.72 m ergibt einen notwendigen Bewegungsspielraum von mind. 4 mm in der Breite und 2,5 mm in der Höhe. Diese Deformationen können nicht mehr mit der Breite von normalen Anschlüssen in Form von Trennschnitten und/oder Dichtungsbändern aufgenommen werden. Auch verdeckte Kittfasen sind von der möglichen Dehnbeanspruchung her absolut ungenügend.
Diese fehlenden Stauchzonen führten nun rund um die Fensterzargen zu Putzabplatzungen (Bild 2).

Bild 2: Putzabplatzungen infolge fehlender Stauchzone

Der Planer hatte in den Detailplänen und Leistungs-Verzeichnissen nur Dichtungsbänder vorgesehen (Bild 3). [2], [3], [4] Gemäss den gültigen CH-Normen ist

die Planung von Trennschnitten, Bewegungsfugen und Schattenfugen, deren Dimensionierung immer Sache der Planer (Ingenieur/Architekt). Die entsprechenden Maßnahmen bei den An- und Abschlüssen müssen unbedingt detailliert in den Ausschreibungsunterlagen erwähnt werden.
Es müssen nun die technisch notwendigen Bewegungsfugen (Stauchzonen) nachträglich ausgebildet werden.

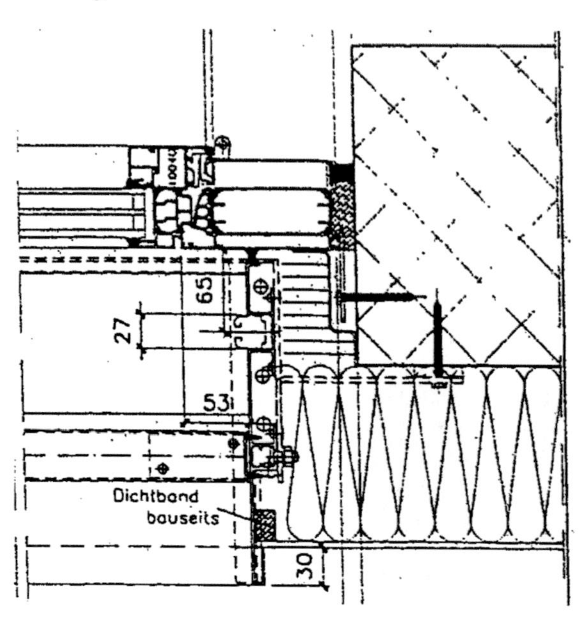

Bild 3: Schnitt durch Fensterleibungs-Detail

Das Schadenbild der Putzabplatzungen wiederholt sich an den Außenfassaden (Bild 4), wenn auch bezüglich der Putzabplatzungen in etwas geringerem Ausmaß, da die Fensterzargen-Abmessungen kleineren Ausmaßes sind.
An der Außenfassade treten zusätzlich weißliche Verfärbungen in der ziegelroten Deckbeschichtung in Form von kristallisierenden Ausblühungen auf, welche das Putzgefüge zerstören.
Bei den Fensterstürzen kommt dazu, dass die Auskragung ohne Gefällsausbildung eine wasserführende Ebene bildet, an welche grundsätzlich nach SIA 243 kein WDVS direkt anschließen dürfte.
Die Folgebeeinträchtigungen zeichnen sich bereits ab, die Mineralfaser-Dämmplatten saugen Wasser auf und im Stossbereich kommt es zu Blasenbildungen (Bild 5, helle Pfeile) durch kristallisierende Ausblühungen.

Bild 4: Ansicht Anschluss Fensterzargen-Ecke

Bild 5: Bereich über einem Fenstersturz

Die unteren, helleren Pfeile zeigen den Fensterbank einer Zarge, der anstelle der plangemässen 30 mm Auskragung praktisch putzbündig ist und. [5] die für einen wirksamen Witterungsschutz notwendige Auskragung von mind. 30 mm nach Empfehlung SIA 271 „Flachdächer" nicht mehr erreicht.
Dies ist eine unmittelbare Folge der Masstoleranz im Fassaden-Betonmauerwerk, da die Zargen exakt in Flucht versetzt werden mussten.

Andernorts (siehe dunklere Pfeile) ist der Überstand teilweise oder komplett gewährleistet.
Generell verfügt der Gebäudekomplex von der Architektur her über keinen nennenswerten konstruktiven Witterungsschutz für das Wärmedämmverbundsystem (Bild 6).

Bild 6: Innenhof Südfassade von unten nach oben gesehen

Sanierungsvorschlag:

(Gerüstungen und das Schützen aller nötigen Bauteile werden vorausgesetzt):

Heutiger Ist-Zustand mit dem quadratisch eingezeichneten Dichtband ohne eine im Verputz ausgebildete Stauchzone.	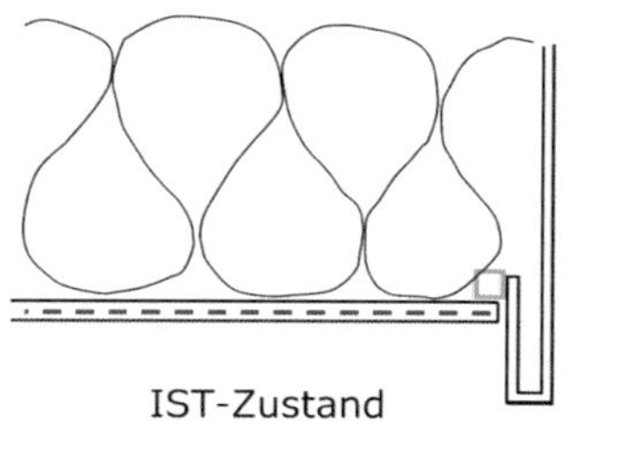

1. Schritt: Ausschneiden der zukünftigen Dehnfuge von ca. 25 mm Breite. Die Dimensionierung der Fugen-Breite und –Tiefe hat nach Empfehlung SIA V 274 zu erfolgen. Diese Nut (Bild rechts) sollte in der höher verdichteten Zone der Isolationsplatte zu liegen kommen. Die Aussendämmung und Anschluss-Bereiche sind trocken zu reinigen.	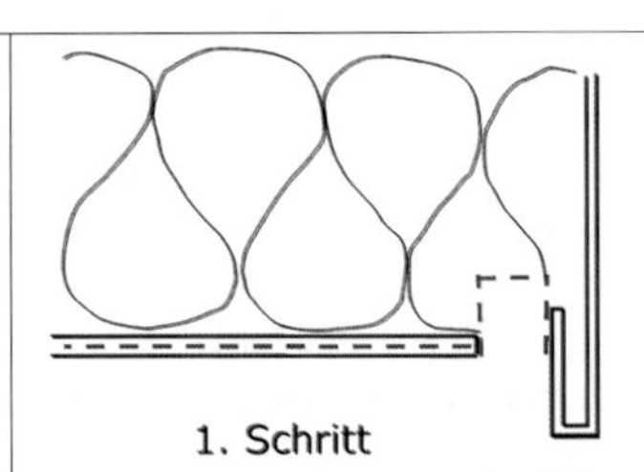
2. Schritt: Fugenflanke mit Gewebeeinlage (punktierte Linie) und –überlappung (mind. 10 cm breit) auf bestehende Beschichtung applizieren (Silikonharz-Einbettmasse, evtl. Voranstrich nach Lieferantenvorschrift nötig), zugleich mit der Einbettmasse den bestehenden Abrieb ausglätten. Auf diese Weise ist gewährleistet, dass es im Streiflicht zu keinen unerwünschten Schattierungen im Bereich der neuen Gewebeüberlappungen kommt (Bild rechts).	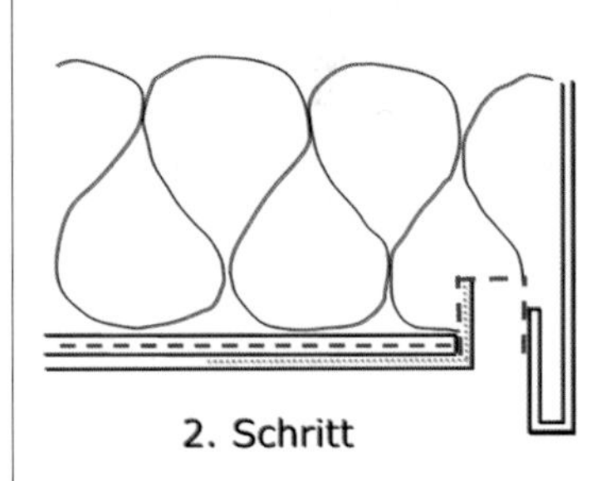
3. Schritt: Hinterfüllprofil (heller Kreis) einstopfen und Kittfuge (dunkel gezeichnet) ausbilden (Materialwahl und Dimension nach Empfehlung SIA V 274). Silikonharz-Deckputz eingefärbt, Korngrösse mind. 2 mm, applizieren (Bild rechts).	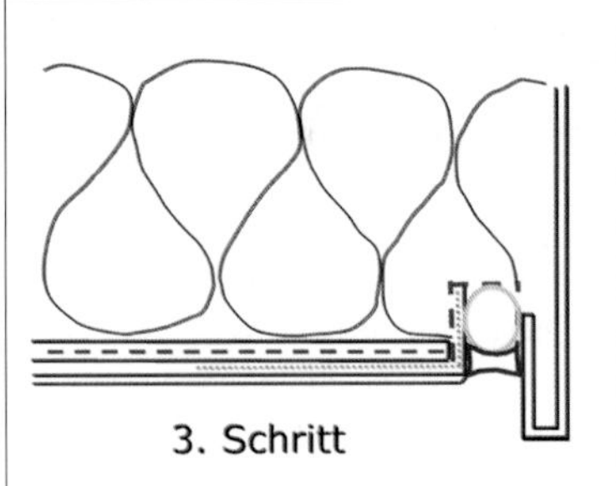
4. Schritt: Bei allen Fenstern, wo die Fensterbank-Auskragung nicht mehr mindestens die geforderten 30 mm erreicht, sollte, um einen minimalsten Witterungsschutz gewährleisten zu können, mit einer Fensterbank-Aufdoppelung dieser Zustand hergestellt werden. Zu diesem Zweck kann ein Alu-Fensterbank auf die bestehende Zarge geklebt und abgedichtet werden.	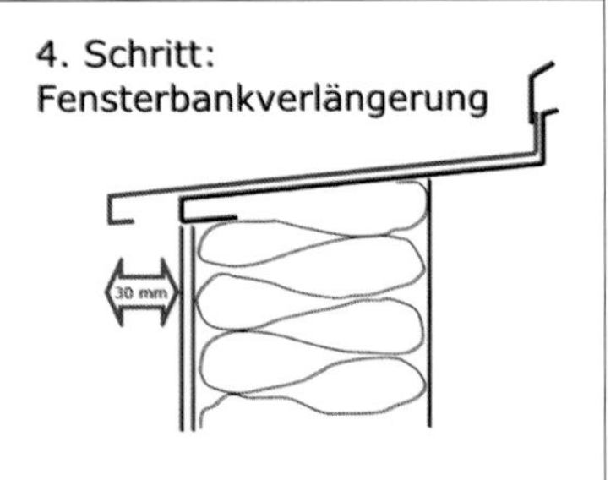

Als weitergehende Maßnahme außerhalb der eigentlichen Sanierungsarbeiten empfehle ich eine fungizid und algizid ausgerüstete, auf das Putzsystem abgestimmte Farbbeschichtung (SD-Wert beachten), um eine Algenbildung aufgrund des mangelnden Witterungsschutzes möglichst lange hinaus zögern zu können. Die zuständige Liegenschaftenverwaltung ist auf die große Bedeutung und Verantwortung des Fugen-Unterhaltes aufmerksam zu machen. Zustands-Kontrollen sind jährlich parallel zu den Fensterreinigungsarbeiten außen durchzuführen, zwingend müssen die Fugenfüllungen aber spätestens alle 10 Jahre erneuert werden.
Mit dieser Vorgehensweise kann die Forderung nach einer kostengünstigen, ästhetisch befriedigenden und funktionell richtigen Sanierung erfüllt werden. Der Sanierungserfolg steht und fällt aber allein mit der seriösen, qualitativ hochwertigen Ausführung dieser Details!

Feststellungen und Beantwortung Experten-Frage 2:

Welche Folgeschäden können allenfalls wegen einer verspätetet ausgeführten Sanierung (über den Winter) eintreten?

- Die Fensterzargen-Anschlüsse heute sind undicht und es dringt Wasser in die Isolation ein. Obwohl das System mineralisch und somit auch diffusionsoffen beschichtet wurde, kann vor allem in den nasskalten Jahreszeiten die Dämmung erfahrungsgemäß nicht mehr vollständig austrocknen, da die Feuchtigkeitsabgabe von Mineralfaser-Dämmplatten recht träge ist.
- Das WDVS besteht mehrheitlich nur aus zwischen den Fensterzargen liegenden Fassadenstreifen, deshalb nehmen diese von allen umliegenden, undichten Zargenanschlüssen her Feuchtigkeit auf.
- Diese Feuchtigkeit wird im Innenbereich des Gebäudes mit an Sicherheit grenzender Wahrscheinlichkeit keine Folgeschäden anrichten können, da alle Anschlüsse luftdicht abgeklebt sind und solcherart auch diese Feuchtigkeit zurückhalten wird.
- Im Außenbereich würde es sich lohnen, die Auswirkungen der Feuchtigkeit z.B. auf die Zargenmontagebügel und –schrauben durch eine unmittelbar vor der Sanierung zu erstellende Sondieröffnung in diesem Bereich ernsthaft zu überprüfen. Auf die Alu-Zarge selber sollte die Feuchte allerdings keinen korrosionsschädigenden Einfluss haben.
- Zusätzliche oder größere Putzablösungen können durch Frosteinwirkung erfolgen, haben aber faktisch keinen Einfluss auf den Sanierungsaufwand, da grundsätzlich um alle Zargen die neuen Bewegungsfugen erstellt werden müssen.
- Eine umstrittene Unwägbarkeit stellt für mich noch die Frage dar, ob in den Mineralfaser-Dämmplatten durch die eindringende Feuchtigkeit sich deren Bindemittel auflösen kann und die Platten in sich an Festigkeit und Homogenität verlieren werden. Aus Österreich sind mir solche aktuellen Schadenfälle bekannt. Auch aus

diesem Grund lohnt es sich zweifellos, kurz vor der Sanierung einige Sondieröffnungen in den schadhaften Bereichen vorzunehmen und den Ist-Zustand des ganzen Dämmungsaufbaus ernsthaft zu prüfen.

- Feuchte Isolation hat zudem einen markant schlechteren Dämmwert. Es ist davon auszugehen, dass sich dies im Winter ganz konkret in einem Mehraufwand an Heizkosten niederschlagen wird.

In einem zweiten Sachverständigen-Auftrag musste ich eine detaillierte Kostenschätzung für diese Sanierungsvariante abliefern, auf die ich an dieser Stelle wegen des Umfanges nicht näher eingehen kann.

3 Muster-Erstellung am Bau

Im Herbst 2006 ließ der Generalunternehmer nach einem vorgängigen Ortstermin mit allen Beteiligten sowie zusätzlich einem Fachrichter des Handelsgerichts und einer Fachperson für das elastische Ausfüllen der Bewegungsfugen eine Musterfläche am Bau zur Beurteilung der Ästhetik und Machbarkeit erstellen.
Anlässlich einer weiteren, gemeinsamen Begehung beurteilte man die sorgfältige Detailausbildung am Bau als knifflig, aber durchaus als lösbar (Bild 7), hingegen war die Bauherrschaft, resp. deren Vertreter mit der Ästhetik und dem langfristig beurteilten Unterhaltsaufwand nicht zufrieden (Bild 8) und lehnten diese Variante ab.

Bild 7: Fugenbreite

Bild 8: Fugenansicht

Es stellt sich nun auch aus rechtlicher Sicht die Frage, wie weit diese Lösung als verhältnismäßige Mängelbehebung von der Bauherrschaft zu akzeptieren ist oder nicht. Falls dies aus rechtlicher Sicht verneint werden müsste, so steht der komplette Rückbau der Fassadendämmung inkl. aller Fensterzargen bevor, was Aufwendungen in

Millionenhöhe zur Folge hätte.
An dieser Stelle hätte ich nun gerne über den Abschluss der Erledigung dieses Baumangels berichtet. Das Mutterhaus verkaufte diese Konzernsparte unerwartet an eine ausländische Firma. Wegen des dadurch verursachten Besitzerwechsel des Gebäudekomplexes ist die Erledigung der ganzen Angelegenheit leider arg ins Stocken geraten und momentan laufen die Abklärungen des Generalunternehmers dahingehend, wie zwingend die empfohlenen Fensterbankverlängerungen notwendig sind.

4 Zusammenfassendes Fazit:

Bereits bei der Projektierung eines Wärmedämmverbundsystems sind neben anderen Gesichtspunkten speziell die konstruktiven Gegebenheiten zu beachten. In diesem Fall besonders die Verformungen bei An- und Abschlüssen an Einbauteile und Hilfskonstruktionen (Fenster, Fensterbänke, Dachrandabschlüsse usw.) unter Feuchtigkeitseinwirkung oder bei thermisch- oder materialbedingten Einflüssen sowie auch die Verformungen bei An- und Abschlüssen an Bauteile der Tragkonstruktion (Untersichten von Auskragungen, Brüstungen usw.). Als Grundsatz muss hier gelten, dass die ästhetischen Kriterien den technischen Anforderungen unterzuordnen sind.

Literatur

[1] Vernehmlassungsentwurf Norm SIA 243 *Verputzte Aussenwärmedämmung*
[2] Empfehlung SIA V 242/1 *Verputz- und Gipserarbeiten*
[3] Empfehlung SIA V 274 *Fugenabdichtung in Bauwerken*
[4] Technisches Merkblatt SMGV *Planung und Ausführung von Trennschnitten,Bewegungsfugen und Schattenfugen*
[5] Empfehlung SIA 271 *Flachdächer*

Feuchtehaushalt von WDVS-Fassaden: Voraussetzungen und Verhinderungen von Mikroorganismenbefall

U. Erfurth
Welden

Zusammenfassung

Bautenschutz = Feuchtigkeitsschutz: Das ist die von vielen Autoren nach wie vor verwendete Formel der letzten 25 Jahre. Beschichtungssysteme werden nach DIN EN 1062 auf Ihre feuchtigkeitstechnischen Eigenschaften untersucht. Ziele der Formulierungen war bei qualitativ hochwertigen Beschichtungen:

nach EN 1062
- möglichst niedrige Wasseraufnahme $w < 0{,}1\ kg/m^2h^{0,5}$
- möglichst hohe Diffusion $V > 150\ g/m^2d$
- möglichst niedriger Diffusionswiderstand $s_d < 0{,}14\ m$

Unabhängig von diesen (Grenz-)Werten werden aber WDVS-Fassaden von Mikroorganismen (MO) befallen. Das Fraunhofer-Institut für Bauphysik (FIBP) vertritt die Auffassung, dass besonders das nächtliche Tauwasser über lange Zeiträume den Mikroorganismen die Lebensgrundlage anbieten. Dies würde bedeuten, die DIN EN 1062 ist für die Beurteilung des Feuchtehaushalts überholt und müsste durch weitere Messungen ergänzt werden.
Wenn aber Fassadenoberflächen zu lange feucht bleiben, hilft nach Aussage der Industrie nur die Ausrüstung mit Bioziden = Giften. Dass es sich bei den Bioziden um Umweltgifte handelt, wurde durch die Untersuchungen der EAWAG in der Schweiz bestätigt.
Nachdem nach Auffassung der deutschen Gerichte, die durch die Industrie entsprechend „informiert“ wurden, der Einsatz von biozidfreien Oberflächen beim Mikroorganismenbefall als Verschulden gewertet wird, zwingt die Frage der Gewährleistung das Handwerk dazu, die Umwelt mit biozidhaltigen Fassadenbeschichtungen zu vergiften, um Verschuldensansprüche abzuwehren.
Gibt es dazu Hoffnung auf giftfreie Alternativen? Ich meine ja, auch wenn noch viel zu erforschen bzw. zu testen ist. Dazu sollen die folgenden Darstellungen beitragen.

1 Welche Schichten sind für den Mikroorganismenbefall bedeutsam?

Viele Leute glauben immer noch an die atmende Wand und stehen deshalb WDV-Systemen mit rel. dampfdichten Dämmstoffen skeptisch gegenüber. Diese Skepsis ist unbegründet, denn der Dämmstoff nimmt am Feuchtehaushalt nicht teil bzw. sollte nicht teilnehmen. Würde auch der Dämmstoff bei Regen durchfeuchten, würde die Dämmung herabgesetzt und es würde dann zu erheblichen Gewichtszunahmen und ggf. zu statischen Problemen kommen.
Das Tauwasser durch Diffusion von innen nach außen auf der Dämmstoffoberfläche ist so gering bzw. entsteht gar nicht, so dass es zu vernachlässigen ist.
Damit kommen nur der Armierungsmörtel (AM) und der Oberputz (OP) und die Anstriche (A) infrage. Nur diese Schichten nehmen am Feuchtehaushalt teil.

2 Was sagen uns die Untersuchungen nach DIN EN 1062?

Tabelle 1: Wasserdurchlässigkeit nach EN 1062

		w-Wert - Klassen	
		w-Wert in $kg/m^2\,h^{0,5}$	w-Wert in g/m^2d
I	niedrig	< 0,1	< 490*)
II	mittel	0,1 – 0,5	490 – 2.450
III	hoch	> 0,5	> 2.450

*) w-Werte < 0,05 mit diesem Messverfahren nicht bestimmbar

Nicht nur Anstriche, sondern auch Putze, dazu zählen auch die Armierungsmörtel, werden nach DIN 18 550 V bezüglich des Feuchtehaushalts untersucht, wobei viele Sachverständige glauben, dass sog. „wasserabweisende" Putzsysteme (nahezu) kein Wasser aufnehmen.

Forderung der DIN 18 550 V

w-Wert $< 0,5\ kg/m^2h^{0,5}$ *)
s_d-Wert $< 2,0$ m = V-Wert 10,5 g/m^2d !!!
w x s_d $< 0,2\ kg/m\ h^{0,5}$

*) gilt bei Messung nach 28 Tagen als erfüllt wenn w-Wert $< 1,0\ kg/m^2h^{0,5}$

d.h. wenn in 24 h bis zu 5 l Wasser aufgenommen werden, ist das noch zulässig = wasserabweisend (!), wenn der s_d-Wert kleiner 0,4 m ist, was für alle mineralischen Putze und mineralischen Armierungsmörtel gilt. Trocken kann man solch ein System wohl kaum bezeichnen.

Wie wird gemessen?

Der Probekörper wird für 24 h einige mm in Wasser getaucht, dann herausgenommen, das an der Oberfläche verbleibende Wasser wird sorgfältig abgetrocknet, die Wasseraufnahme (w-Wert in kg/m²d) durch Wägung bestimmt.
Fehler aus der Sicht die Mikroorganismen:
Nach Regen oder Tauwasserbildung wird die Fassade nicht abgetrocknet, sondern braucht eine unbekannte Zeit, bis die Oberfläche trocken ist.

Tabelle 2: Wasserdampf-Diffusionsstromdichte nach EN 1062

		V-Wert in g/m²d	**s_d-Wert in m**
I	hoch	> 150	< 0,14
II	mittel	< 150	> 0,14
		> 15	> 1,40
III	niedrig	< 15	< 1,40

Fehler aus der Sicht der Mikroorganismen:
Die Anstriche bzw. Beschichtungen können den Beschichtungsuntergrund nicht zwingen, genauso schnell zu trocknen wie die Beschichtung oder die Austrocknungsgeschwindigkeit der einzelnen WDVS-Beschichtungen aus AM + OP + A bleibt unbekannt.
Mit den Werten der DIN EN 1062 lässt sich das Austrocknungsverhalten der mineralischen Putze nicht beschreiben, da neben der Diffusion auch kapillare Vorgänge eine erhebliche Rolle spielen, anfangs nach dem Regen sogar die entscheidende Rolle. Hier besteht noch großer Forschungsbedarf.
Bei den organischen Putzen, wo kapillare Vorgänge meist kein Rolle spielen, wird die Austrocknung hauptsächlich über die Diffusion ablaufen. Dort sind s_d - Werte zur Beurteilung hilfreich.

Ergebnis:

Mit der DIN EN 1062 lassen sich Farb-Beschichtungen bezüglich der Wasseraufnahme und der Austrocknung durch Diffusion vergleichen. Für die Beurteilung der Frage, wie groß die Neigung zur Mikroorganismenanlagerung ist, sind die Messungen nach EN 1062 nicht geeignet.

3 Oberflächenfeuchte

Mikroorganismen lagern sich auf feuchten Oberflächen an. Bei Algen weiß man, dass dazu die Zeitspanne der Oberflächenfeuchte „etwas länger“ andauern muss. Genaue Daten dazu sind mir aber nicht bekannt.

Pilze können sich – zumindest innen – schon ab ca. 80 % rel. Luftfeuchte anlagern, benötigen aber Nährstoffe an der Oberfläche.
Entscheidend ist aber die Dauer der Oberflächenfeuchte. Dies ist ein Parameter, der aber bis heute nicht geprüft wird.

Feuchtehaushalt bei Tau

Hierzu gibt es noch keine umfassenden Ergebnisse. Interessant aus meiner Sicht sind 2 Ergebnisse des von Krus und Fitz vom FIBP: Taupunkttemperaturunterschreitung

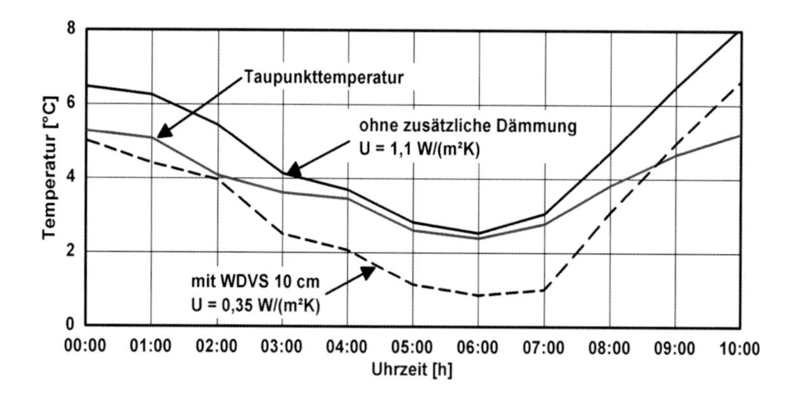

Bild 1: Ursachen für mikrobiellen Befall

Ergebnis: Hohe Dämmung führt zu Oberflächentauwasser in der Nacht bis in die Morgenstunden

Nach Untersuchungen des FIBP muss man auf WDVS übers Jahr mit über 500 h Dauerfeuchte durch Taupunkttemperaturunterschreitung an den Oberflächen rechnen, zumindest bei hydrophoben Oberflächen, ohne dass es regnet !
Erschwerend kommt hinzu, dass die Tauwassermenge nach den Ergebnissen des FIBP mit dem Benetzungswinkel steigt. Am ungünstigsten ist also eine Farbe mit dem Lotus-Effekt, die sich ja rühmt, mit 140° den größten Randwinkel zu besitzen. Dies erscheint insgesamt überraschend. Vermutlich liegt hier ein Messfehler deshalb vor, weil die Wassermenge nur über Messung der Oberflächenfeuchtigkeit erfolgte. Wenn aber Kondensat auch ins Substrat diffundiert, ergeben sich schon bei unterschiedlichen s_d-Werten zum Untergrund hin unterschiedliche Abdunstungsraten, d.h. bei niedrigem s_d-Wert wird das Wasser anteilig schneller auch in den Untergrund abdiffundieren.

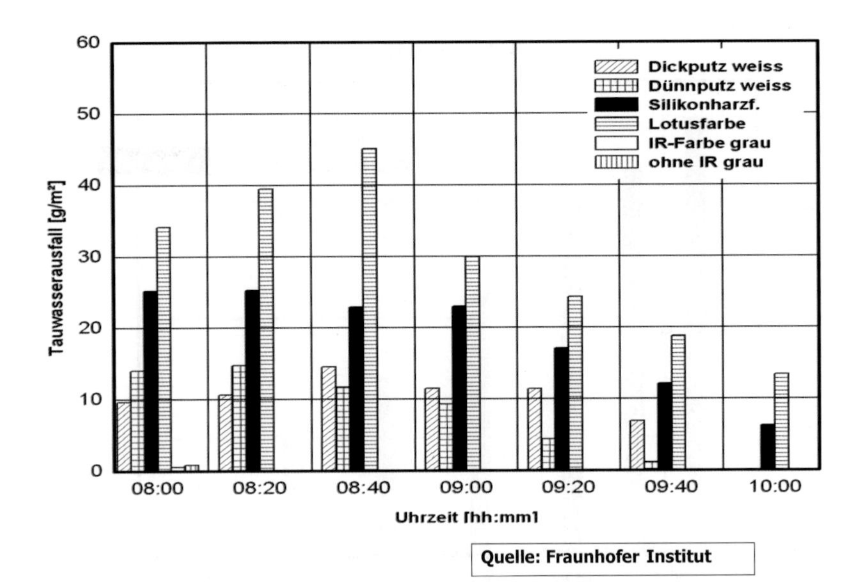

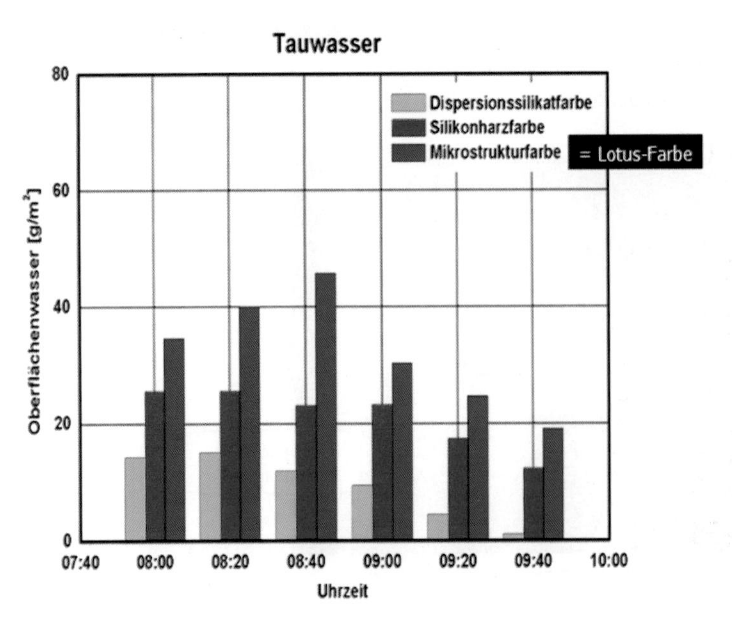

Bild 2: Tauversuch mit unterschiedlichen Anstrichen an der Oberfläche

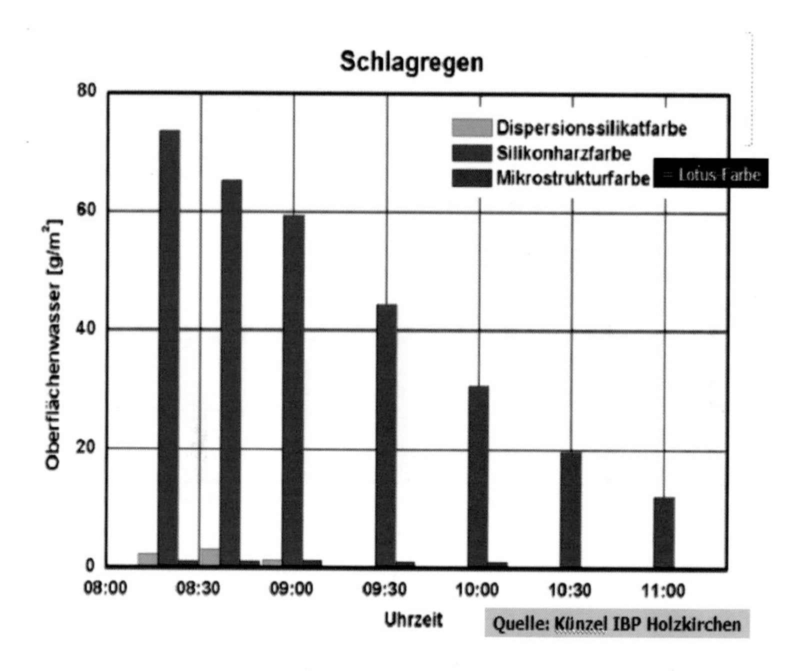

Bild 3: Oberflächenfeuchte nach Regen

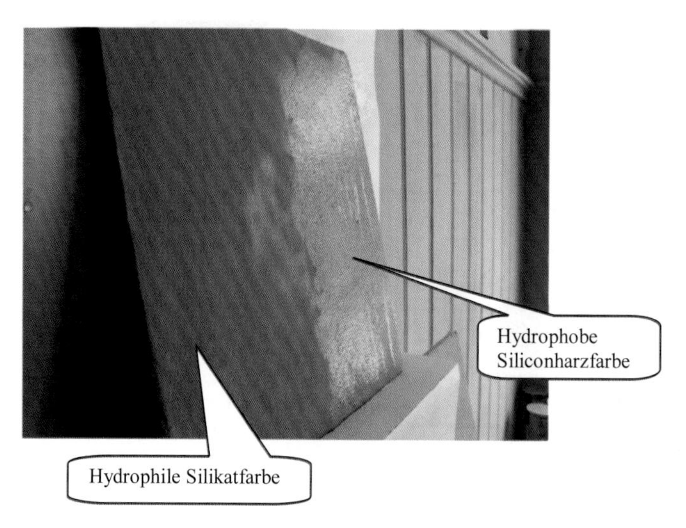

Bild 4: Beobachtung des Wasserfilmes

Ergebnis:

Tauwasser wird von hydrophilen und kapillar-aktiven Oberflächen in den Untergrund abgeführt, an hydrophoben Oberflächen reichert es sich an:

Versuch : Bedampfen von Putz mit hydrophiler / hydrophober Oberfläche. Die hydrophile Oberfläche bleibt trocken! bzw. trocknet viel schneller wieder ab (Bild 4).

4 Folgerungen zur Konzeption von biozidfreien und damit ökologisch unbedenklichen WDVS-Oberflächen

Dies ist zur Zeit noch nicht sicher möglich, weil noch zu viele Unbekannte vorliegen. Von der Tendenz her sind aber folgenden Fakten klar:

- Während des Regens findet an senkrechten, hydrophilen Flächen kein Befall statt, weil die Keime stetig abgespült werden
- Auf stark hydrophoben Oberflächen findet keine bzw. nur eine schlechte Reinigung durch ablaufendes Regenwasser statt
- Stark hydrophobe Oberflächen sind bei Taupunkttemperaturunterschreitungen länger feucht
- Hydrophobe Oberflächen bleiben nach Regen länger feucht
- Hydrophobe Beschichtungen mit einem Randwinkel > 120 ° müssen auf WDVS grundsätzlich biozid ausgerüstet werden, weil sie zu lange feucht bleiben.
- Auf diesen Oberflächen findet gerade bei Tauwasser eine Extraktion der Biozide über Osmose statt; Folge: Der MO-Schutz ist zeitlich begrenzt
- Längere Oberflächenfeuchte führt auch zu verstärkter Schmutzanlagerung, auch von Feinststaub. Diese ist ebenfalls Grundlage für MO-Befall
- Will man biozidfreie Beschichtungen für WDVS entwickeln, muss die Oberfläche benetzbar= hydrophil sein und es muss ausreichend Porenraum für die Tauwassermengen auch nach Regen zur Verfügung stehen. Dies bedeutet dickere Schichten auf dem WDVS. Mit Dünnschichtsystemen wird dies in regenreichen Gebieten nicht funktionieren

3 Zusammensetzung/Angaben zu den Bestandteilen

Chemische Charakterisierung:

Beschreibung:
Fassadenfarbe mit spezieller Bindemittelkombination auf Silacrylbasis mit nanoskaligen Füllstoffen - carbonverstärkt

Gefährliche Inhaltsstoffe:

CAS-Nr.	Bezeichnung	% K R-Sätze
330-54-1	DICHLORPHENYLDIMETHYLHARNSTOFF	< 0,2,N,Xn;22-40-48/22 50/53-51/53-52/53
26530-20-1	OCTYLISOTHIAZOL-3-ON	< 0,1,C,N,T,Xi,Xn;22-34 43-20/21-23/24 36/38-50/53-51/53 52/53
10605-21-7	CARBENDAZIM	< 0,1 N,Xn;50-68
55965-84-9	CHLORMETHYLISOTHIAZOL+METHYL-ISOTHIAZOLON	< 0,1,C,N,T,Xi,Xn;34-43 36/38-50/53-51/53 52/53-20/21/22 23/24/25
35435-21-3	TRIETHOXITRIMETHYLPENTYLSILAN	< 0,2,R10;10-52/53

zusätzl. Hinweise:

2 Mögliche Gefahren

Besondere Gefahrenhinweise für Mensch und Umwelt:
R-Sätze:
52/53 Schädlich für Wasserorganismen, kann in Gewässern längerfristig schädliche Wirkungen haben

12 Angaben zur Ökologie

Nicht in die Kanalisation, Gewässer oder ins Erdreich gelangen lassen.

8 Expositionsbegrenzung und persönliche Schutzausrüstung

Technische Schutzmaßnahmen:

Bestandteile mit arbeitsplatzbezogenen, zu überwachenden Grenzwerten:

CAS-Nr.	Bezeichnung	%	Wt[ppm]

Zusätzliche Hinweise:
Als Grundlage dienten die bei der Erstellung gültigen Listen.

Persönliche Schutzausrüstung:

Atemschutz:
bei unzureichender Belüftung umluftunabhängiges Atemschutzgerät

Handschutz:
Bei Spritzkontakt sollten Schutzhandschuhe aus Nitril mit einer Schichtstärke von mindestens 0,4mm verwendet werden, z.B. KCL Camatril oder vergleichbare Produkte.
Bei längerem oder wiederholtem Kontakt: Schutzcreme für die Hautflächen, die mit dem Produkt in Kontakt kommen.
BG-Regel "Einsatz von Schutzhandschuhen" beachten.

Augenschutz:
Bei Gefahr von Spritzern - Schutzbrille tragen.

Körperschutz:
Geeignete Arbeitskleidung

Bild 5: Auszug aus einem Sicherheitsdatenblatt eines hochmodernen Anstrichs

Bild 6: Dom zu Brixen : unbeheizte Türme, historischer hydraulischer Kalkputz, über Jahrzehnte bewittert, hohe Wasseraufnahme, dennoch kein MO-Befall

Bild 7: Dom zu Brixen nach 25 Jahren: hydrophiler reiner Silikatanstrich auf altem hydraulischen Kalkputz: Immer noch kein MO-Befall.

Diese Gifte werden nicht abgebaut:

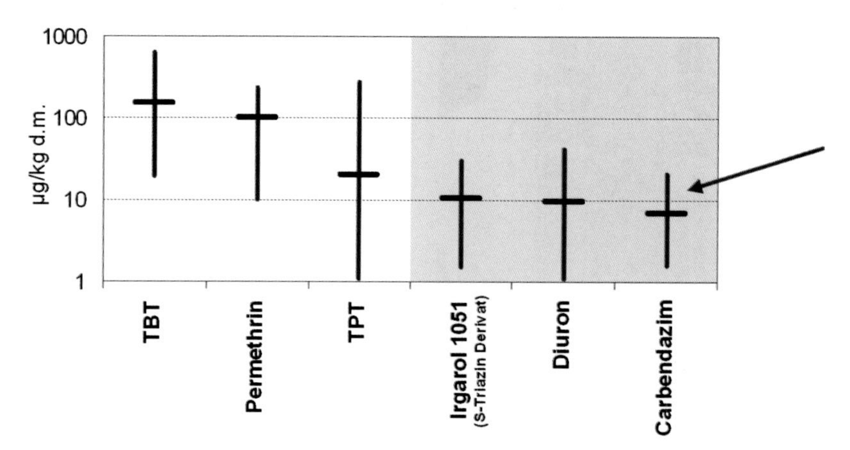

- Biozide werden häufig in geringen Konzentrationen gefunden (z.B. Diuron)
- Der Eintrag in die Kläranlage erfolgt via Oberflächenabfluss

Bild 8: Biozide im Klärschlamm (2001)

Tabelle 3: Biozide im gereinigten Abwasser von ARAs und Regenüberlauf

	Anzahl Untersuchungen	Diuron (ng/L)	Carbendazim (ng/L)	Permethrin (ng/L)
8 ARAs im Kanton Zürich: **gereinigtes Abwasser***	~800	120 14-970		
ARA Mittleres Emmental: **gereinigtes Abwasser**	7		460 50-980	18 12-32
ARA Chevilly: **gereinigtes Abwasser**	7		9 4-11	2 1-5
ARA Uster: **Regenüberlauf**	3	60 40-80		

Die wiederholt zur Beruhigung der Verbraucher aufgestellte Behauptung der Farbindustrie, dass die Gifte ja abgebaut werden, ist eindeutig falsch.

Ziel muss es sein, auf Gifte – die ja immer häufig wiederholt eingesetzt werden müssen – ganz zu verzichten. Dies ist möglich, wenn man die Oberflächen der Fassaden mit den bekannten notwendigen physikalischen Eigenschaften ausrüstet.

Literatur

[1] C.Fitz, *Beeinflussung der Oberflächenfeuchte zur Vermeidung von Algenbewuchs,* Fraunhofer Institut für Bau-Physik, Vortrag 1.2.2005 Zürich

[2] M.Burkhardt u.a., *Freisetzung von Biozidprodukten aus dem Materialschutz in Gewässer,* EAWAG, ETH Zürich, Vortrag 27.9.2005, Luzern

Die hydrophile Alternative einer Algen- und Pilzvorbeugung ohne Biozide

I. Rademacher
Diedorf

Zusammenfassung

Langjährige Praxiserfahrungen und wissenschaftliche Untersuchungen belegen den Erfolg einer Algen- und Pilzvorbeugung mit mineralisch gebundenen, biozidfreien und hydrophilen Farben und Putzen. Diese Produktkonzeption ist dabei auch auf Wärmedämmverbundsystemen einsetzbar.
Heute werden von nahezu allen WDV-Systemherstellern Farbe und Putz mit Bioziden und hochhydrophoben Additiven ausgerüstet, um zumindest die Gewährleistungsphase optisch bewuchsfrei zu überstehen.
Im Folgenden wird gezeigt, dass eine biozidfreie und hydrophile bzw. hydroaktive Systemtechnologie die nachhaltigere Alternative ist. Sie ist insbesondere durch mineralische Baustoffe, mit einer auf die Feuchtelast der gedämmten Fassade abgestimmten Bauphysik und Bauchemie, charakterisiert. Durch den Einsatz von dickeren Putzschichten mit zusätzlicher Wärmespeicherung und hohem Feuchtespeicher- und Rücktrocknungsvermögen wird ein verbessertes Feuchtemanagement gegenüber den hydrophoben und gifthaltigen Systemen erreicht. Die Verwendung mineralischer Bindemittel und Rohstoffe reduziert parallel die Schmutzanfälligkeit von Fassaden und bietet damit einen zusätzlichen Schutz vor biogenen Bewuchs.
Die Initiative AQUA PURAVision® trägt diesem Gedanken Rechnung.

1 Einleitung

Spätestens seit den frühen neunziger Jahren des letzten Jahrhunderts ist der biogene Bewuchs von Fassaden in den Fokus der Bauschaffenden gerückt.
In den letzten Jahren gab es als Reaktion auf den teilweise stark zunehmenden Algen- und Pilzbefall verschiedene Lösungsansätze. [1] Dabei wurde von vielen Baustoffherstellern vor allem ein Weg verfolgt: maximale hydrophobe und biozide Ausrüstung.
Dabei ist bekannt, dass mit mineralischen Baustoffen, die die Oberflächenfeuchte niedrig halten, an monolithischen aber inzwischen auch an WDVS – Fassaden überwiegend positive Erfahrungen gemacht werden.
Wie mit einem abgestimmten WDVS–Aufbau das Feuchtemanagement der Fassade verbessert und das Risiko des Befalles deutlich reduziert werden kann, soll hier gezeigt werden. So ein Aufbau hat auch den Vorteil, dass bei konsequenter Umsetzung die mittlerweile nachweisbaren Einträge von Bioziden aus Baustoffen in unsere Gewässer [2] weitgehend vermieden werden. Solche „hydroaktiven" und biozidfreien Systeme stellen damit eine ökologisch sinnvolle und nachhaltige Alternative zu herkömmlichen biozidhaltigen Systemen dar.

2 Geschichte der Fassadenbeschichtungstechnologie

Traditionell wurden unsere Fassaden mit hydrophilen und nicht biozid eingestellten Dickschichtputzen und mineralischen Farben geschützt bzw. gestaltet. Putzdicken von 20 mm und mehr wurden meist als mehrlagiger baustellengemischter Aufbau appliziert. In den letzten 50 Jahren schritt die Entwicklung von den aufwendigen und teuren dicken Putzaufbauten hin zu Dünnschichtputzen. Bald stellte man fest, dass diese zu viel Wasser aufnehmen. So kamen moderne Mittel zur Wasserabweisung zum Einsatz. In den 70´iger Jahren rückte dann das Thema der Fassadendämmung stärker in den Fokus. In der Folge wurden die hydrophoben Dünnschichtputze auch auf der Dämmung eingesetzt. Die parallele Entwicklung einer veränderten Architektur und sich ändernde Umweltbedingungen förderten den Biobefall an Fassaden. Heute wird meist mit hydrophoben, ultrahydrophoben und biozid ausgerüsteten Putzen und Anstrichen versucht, den Bewuchs zu unterdrücken.
Fakt ist heute:

(a) WDVS hat in Neubau und Bauwerkserhaltung wachsende Bedeutung.
(b) WDVS hat sich zur Reduzierung von Energieverlusten bewährt.
(c) Die Hauptursache für den Bewuchs von Fassaden ist Oberflächenfeuchte in Form von flüssigem Wasser in Verbindung mit Schmutzablagerungen. [3]
(d) Es gibt viele Objekte mit Biozidausrüstung die mit Algen- und Pilzen befallen sind. Bekannte Gründe hierfür sind: Biozide sind wasserlöslich und waschen

sich mit Feuchte aus, zeigen Wirkungslücken und nur eine beschränkte Anzahl von Wirkstoffen sind einsetzbar (Biozid-Richtlinie) [4].

(e) Es gibt eine Vielzahl von Objekten ohne Biozidausrüstung, die nicht mit Algen- und Pilzen befallen sind. [5]

3 Grundlagen für hohe Bewuchsrisiken

Die wissenschaftlichen und praxisbezogenen Arbeiten der letzten Zeit [6] ergaben acht Ursachen für einen Fassadenbewuchs: Die Ursachen „Standort", „Klimaänderung", „Licht" und „Luftverunreinigungen" sind unveränderbar. Die Ursachen „Bauausführung" und „konstruktive Baumaßnahmen" können über entsprechende Bauplanung beeinflusst werden. Materialtechnisch steuerbar bleiben die beiden letzten Ursachen „Produkt" und „Feuchtehaushalt".

Die Formulierung von Beschichtungsstoffen zeigt sich in Produkteigenschaften wie Klebrigkeit, Quellung und Benetzbarkeit von Oberflächen. Auch die Schmutzanfälligkeit von Oberflächen ist für einen möglichen Bewuchs von Bedeutung. Je stärker Oberflächen verschmutzen, desto eher wird dem biogenen Befall eine Lebensgrundlage geboten. Wiederholt zeigten silikatisch gebundene Anstriche bei verschiedenen Tests der letzten Jahre überdurchschnittlich gute Ergebnisse. Organisch gebundene Anstrichsysteme, wie viele Silikonharzfarben oder Dispersionsfarben, verschmutzten hingegen deutlich stärker. [7], [8]

Das Thema „Feuchtehaushalt" wird von Herrn Dr. Erfurth in diesem Buch ausführlich behandelt. Die entscheidenden Pluspunkte von silikatischen Anstrichen sind ihre extrem niedrige Oberflächenfeuchte sowie ihre schnelle Rücktrocknung von Feuchtigkeit nach Regen- und Tauwasserbelastung.

Eine Untersuchung vom Fraunhofer Institut für Bauphysik zu den jährlichen Feuchtebelastungen von Fassaden zeigt, dass Tauwasserbelastungen (linke Säulen) der Oberflächen um ein vielfaches länger andauern als die Regenwasserbelastungen (Bild 1). Daher muss eine funktionstüchtige Algen- und Pilzvorbeugung zuerst den Tauwasseranfall auf Fassadenoberflächen minimieren.

Die von der Siliconharzindustrie propagierte Aussage „Siliconharzfarben halten die Fassade trocken …" [8], [9] muss mittlerweile sehr differenziert gesehen werden. So zeigen gerade ultrahydrophobe Oberflächen neben einer oft starken Verschmutzungsneigung [7] auch eine verstärkte Ausbildung von Wassertropfen an der Oberfläche bei Tau. [10] In der Folge bleiben gerade stark hydrophobe Fassadenflächen länger oberflächlich nass. Eine Prophylaxe gegen Biobewuchs bedingt aber zwingend trockene Oberflächen. Denn nur „Was trocken bleibt - bleibt algenfrei". [5]

Allgemein anerkannt ist die Erfahrung, dass der biogene Befall mit dem Wandaufbau zusammenhängt. Die monolithischen Wände besitzen für alle Himmelsrichtungen eine deutlich geringere Anfälligkeit als ein WDVS oder eine vorgehängte Fassade.

Allgemein anerkannt ist auch die Befürchtung, dass durch die zunehmende Dämmdicken mit einer Verschärfung der Befallssituation zu rechnen ist.

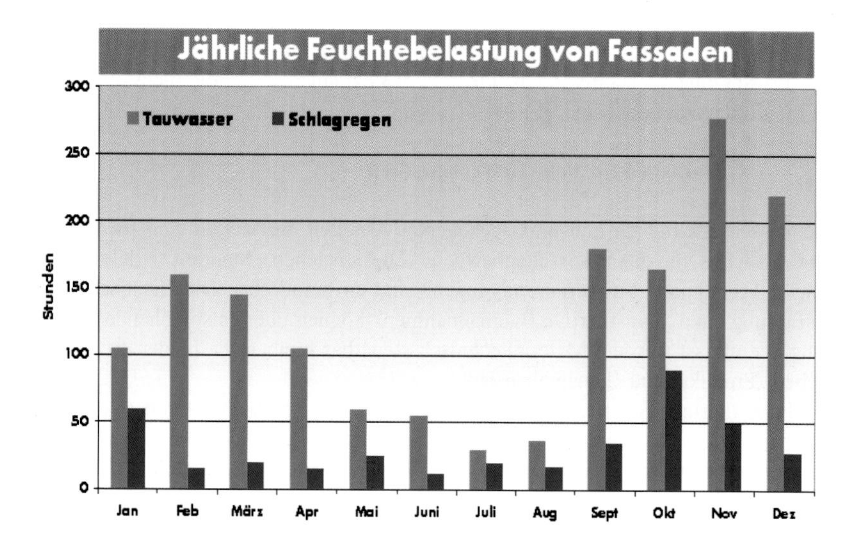

Bild 1: Untersuchung von WDVS-Fassaden, Fraunhofer-IBP, 2004.

4 Materialtechnische Ansätze aus dieser Situation

Die Materialwissenschafter haben zuletzt überwiegend darauf gesetzt, über die Ursache „Produkt" die Situation zu verbessern. Es wurden hoch hydrophobe und biozid ausgerüstete Baustoffe entwickelt. Mit immer neuen anglikanischen Begriffen wie z.B. Protect, Clean - Concept oder Guard – System wurden quasi ähnliche Konzepte verfolgt. Neuere Entwicklungen wie z.B. Nanotechnologie oder Photokatalyse sind für dieses Anwendungsgebiet noch kaum erprobt.
Alternativ bieten sich die Erfahrungen mit hydrophilen Oberflächen an. Seit Jahrzehnten zeigt uns die Praxis, dass dickschichtige, sorptionsfähige mineralische Putze mit reiner Silikatfarbe hervorragende Ergebnisse erzielen.
Eines von vielen Beispielen ist die Kirche Birmenstorf / Schweiz (Bild 2). Über 16 Jahre nach der Renovierung sind selbst an der feuchtebelasteten Nordwestseite keine Algen- und Pilzspuren erkennbar (Bild 3). Diese Erfahrungen aus dem traditionellen Massivbau decken sich auch mit Erfahrungen bei WDV-Systemen. Wenn die üblichen wasserabweisenden, bioziden Oberflächen mit einem stabilen, mineralischen und wasserregulierenden Putz- und Anstrichaufbau („hydroaktiv") ersetzt werden, sind oft bessere Ergebnisse erzielbar. [11]

Bild 2: Kath. Kirche Birmenstorf – 16 Jahre Silikatfarbe auf Dickschichtputz

Bild 3: Kath. Kirche Birmenstorf – feuchte Nordwestecke

5 Technik der hydrophilen Algen- und Pilzprophylaxe

Wichtigster Ansatzpunkt zur Verbesserung der Resistenz von WDVS – Oberflächen ist die deutliche Reduzierung der Zeiten feuchter Oberflächen. Wie Bild 1 zeigt, ist vor allem der Tau ursächlich verantwortlich für Oberflächenfeuchtigkeit an Fassaden. Das primäre Ziel muss es daher sein, während der Betauungszeiten die Ausbildung von flüssigem Wasser in Form von Tropfen an der Oberfläche zu minimieren. Bauphysikalisch und bauchemisch bedeutet dies, die Adsorption von Feuchte zu optimieren, so dass kein Oberflächenwasser entsteht. Quellungsprozesse organischer Be-

schichtungen, führen dazu, dass Feuchtigkeit unnötig lange in der Beschichtung gehalten wird. Das sollte ebenfalls vermieden werden. Zuletzt muss die Rücktrocknung physikalisch und chemisch gebundener Feuchten schnell erfolgen. In der Praxis erreicht man dies durch bewusste und gezielte Produktrezeptierung unter dem Aspekt eines optimalen Feuchtemanagements, der Auswahl geeigneter Rohstoffe sowie durch eine entsprechende Abstimmung der Fertigprodukte, hier Armierungsmasse, Putz und Anstrich im Systemaufbau .
Ein weiterer Ansatzpunkt ist, Produkte so einzustellen, dass deren Oberflächen sauber bleiben. Bauphysikalisch und bauchemisch sind diese daher mit idealem strukturellen Aufbau, mit elektrostatisch neutralen Werkstoffen und ohne Klebrigkeit zu formulieren. Kritische Rohstoffe wie Wachse, Siliconöle aber auch thermoplastische Dispersionen sollten vermieden werden.
Oberflächen mit hoher Selbstreinigungkraft lassen sich über kleine Kontaktwinkel des Wassers auf dem Anstrich erreichen. Der Tropfen breitet sich aus und kann schwach gebundene Schmutzteile unterwandern. [12] Im Ergebnis wird ein Schmutzpartikel durch die Gravitation von der Fassade gewaschen.
Die Lösung bietet ein hydroaktives System mit einer genau gesteuerten Wasseraufnahme im Systemaufbau. Die Taufeuchte wird von der hydrophilen Oberfläche eines Silikatanstrichs aufgenommen. Die Oberfläche bleibt nahezu tropfenfrei. Die aufgenommene Feuchtigkeit von (Regen- und) Tauwasser wird im Anstrich und Putz zwischengespeichert (Pufferzone). Ein kapillaraktiver Feuchtetransport der Putzschicht und die hohe Diffusionsfähigkeit des Anstrichs sorgen für eine schnelle Rücktrocknung. Gleichzeitig verringert ein dickschichtiger WDVS -Aufbau mit erhöhtem Wärmespeichervermögen die Dauer der Taupunktunterschreitung (Bild 4). Durch mineralisch gebundene Oberflächen wird die Schmutzanfälligkeit deutlich reduziert. Der weitgehende Verzicht auf organische Bestandteile in dem Wandaufbau minimiert das Maß der Quellung und parallel auch die Verfügbarkeit von organischen Nährstoffen. Die eingesetzten mineralischen Rohstoffe sind bevorzugt bewuchswidrig zu wählen.

Bild 4: Einsatz hydrophiler WDVS in Zug / Schweiz

6 Die Grundlagen der Algen- und Pilzprophylaxe im Bild

Die folgenden Bilder zeigen anschaulich die unterschiedlichen Befeuchtungseigenschaften hydrophiler und hydrophober Oberflächen.
An hoch hydrophoben Oberflächen bilden sich bei Tau kleinste Wassertröpfen (Bild 5). Diese sind im Gegensatz zu Regentropfen deutlich feiner und besitzen ein geringeres Eigengewicht. Die schwache Gravitation kann die Adhäsion nicht überwinden. Die Tröpfchen rollen dann die Fassade nicht hinunter

Bild 5: Hochhydrophobe Oberfläche bei Tau

Deutlich werden diese Unterschiede im direkten Vergleich von verschiedenen Anstrichen. Werden deren Oberflächen mit feinsten Tröpfen eingenebelt, so erscheinen sowohl hydrophile als auch hydrophobe Oberflächen im Streiflicht zuerst feucht. Eine hydrophile Oberfläche (linke Fläche in Bild 6) erkennt man durch ihre charakteristische mineralische Verdunkelung bei Befeuchtung und die trockenere Oberfläche nach dem Ende des Nebels.

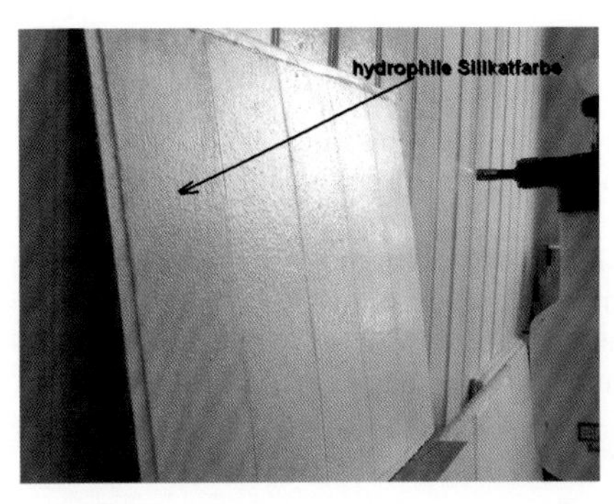

Bild 6: Nebel auf fünf Anstrichen

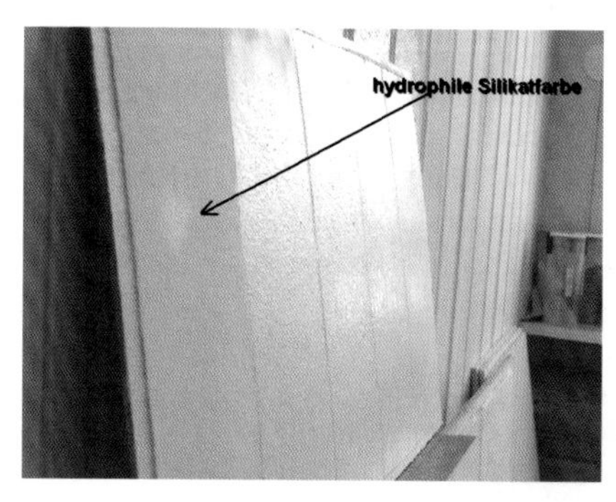

Bild 7: Oberflächenfeuchte nach Nebel

7 Die Initiative AQUA PURAVision ®

Diese Zusammenhänge waren der Auslöser einer von der Wissenschaft unterstützten Initiative zu einem verantwortungsbewussten, biozidfreien, hydroaktiven WDV-Systemaufbau. Diese Initiative „AQUA PURAVision® macht sich dabei die beschriebenen Erkenntnisse der Bauphysik und Bauchemie zu Nutze um Nachhaltigkeit und Sensibilität gegenüber der Ökologie jetzt und in Zukunft stärker zu verwirklichen – auch am Bau.
Das Funktionsprinzip der Hydroaktivität stellt sich wie folgt dar:

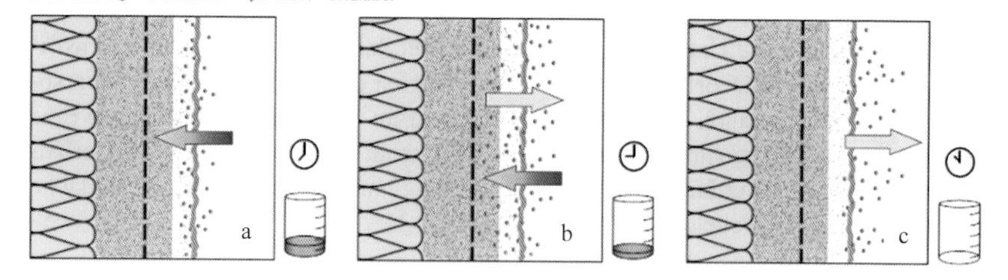

Bild 8: WDVS – Technologie einer hydroaktiven Fassade
(a)Taufeuchte wird sofort von der hydrophilen Anstrichschicht aufgenommen. Tropfenbildung wird verhindert, die Oberfläche bleibt weitgehend trocken.
(b)Feuchte wird kontinuierlich von den hydroaktiven Putzschichten aufgenommen zwischengespeichert und wieder abgegeben.
(c)Die Kapillaraktivität des Putzes und die silikalische hoch diffusionsoffene Matrix der Anstrichschichtsorgen für eine schnelle Rucktrocknung.

- Die genau gesteuerte Wasseraufnahme des Systems verhindert die Tropfenbildung von Taufeuchte an der Fassadenoberfläche.
- Die Feuchtigkeit wird direkt von der hydrophilen Oberfläche des Silikatanstrichs aufgenommen. Die Oberfläche bleibt nahezu tropfenfrei.
- Die Feuchtigkeit von Regen- und Tauwasser wird im Anstrich und Putz zwischengespeichert (Pufferzone).
- Der kapillaraktive Feuchtetransport der Putzschicht und die hohe Diffusionsfähigkeit des Anstrichs sorgen für eine schnelle Rücktrocknung.
- Der dickschichtige Aufbau schafft über Masse ein erhöhtes Wärmespeichervermögen und so eine Zeitverzögerung zum Erreichen der Taupunkttemperatur.
- Der silikatische Anstrich reduziert zudem die Verschmutzungsneigung der Fassaden.

Die Stärken dieses hydroaktiven und biozidfreien Systemaufbaus sind insbesondere:

- Biozidfreie Algen/-Pilzprävention
- Nachhaltige und langlebige Fassadenbeschichtung
- Erhöhte Schlagfestigkeit
- Besserer Schallschutz
- Bessere Wärmespeicherkapazität

Danksagung :
Meinen Kollegen bei Greutol AG, KEIMFARBEN AG und Keimfarben GmbH & Co. KG danke ich für die Zusammenarbeit bei der Erstellung dieses Beitrages und für viele wertvolle Informationen.

Literatur

[1] Koss, L., Lesnych, N., Von Werder J., Venzmer, H.: *Fassadenbiofilme*, Internationale Baufachtage Innsbruck 2007

[2] Burkhardt, M., Kupper, T., Rossi, L., Chevre, N., Singer, H., Alder, A., Boller, M.: *Coviss* , Coviss Verlag Luzern 11 / 2005, S. 6

[3] Bundesausschuß für Farbe und Sachwertschutz, Beschichtungen auf Außerputz, Merkblatt Nummer 9; BFS e.V. 1997, S. 8

[4] Erfurth, U.: Mi*t Gift in die Sackgasse*, Applica, Applica Verlag Wallisellen 19/2002, S. 8

[5] Hladik, M.: *Was trocken bleibt – bleibt algenfrei*, in Algen – Pilz – Fassaden; Herausgeber P.Dolt, Maurer Verlag , Geislingen 2004, S. 95

[6] Halmburger, K.: *Letzter Ausweg Chemie*, Die Mappe, Callvey Verlag Lindau 11/2002 S. 36

[7] Bagda, E., Ülgen, A.: *Was hat der Kunde vom Abperleffekt*, Farbe und Lack, Vincentz Verlag Hannover 3/2006, S. 36

[8] Born, A., Ermuth, J.: *Hydrophobie schützt*, Farbe und Lack, Vincentz Verlag Hannover 7/2001, S. 87

[9] Wacker Silicones , *Siliconharzfarben für Fassaden*, Broschüre der Initiative „Wir helfen den Fassaden“, 2007, S. 4

[10] Künzel, H.M., Fitz, C.: *Bauphysikalische Eigenschaften und Beanspruchung von Putzoberflächen und Anstrichstoffen*, WTA – Schriftenreihe, Heft 28, WTA – Publications München 2006, S. 49

[11] Haase, W.: *Konsequent mineralisch* , Die Mappe, Callvey Verlag Lindau 11/2002, S. 18

[12] Groß, F., Sepeur, S.: *Wasserfilm statt Wasserperlen*, Farbe und Lack, Vincentz Verlag Hannover 12/2006, S. 20

Wirksamkeit von Lotuseffekt-Farben

J. Müller-Rochholz
Münster

Ch. Recker
Greven

Zusammenfassung

Bionik, Nanostrukturen und Lotuseffekt sind Begriffe, die seit ein paar Jahren in der Fachpresse und in Werbebroschüren häufiger vorkommen. Bei einem architektonisch anspruchsvollen Gebäude wurde nach dem Verschmutzen eines Erstanstrichs dessen Fassade mit einer Lotuseffekt-Farbe beschichtet. Im Auftrag des Eigentümers wurde die Wirksamkeit dieser Lotuseffektfarbe an einer mehrere 100 m² großen Wärmedämmverbundfassade in Düsseldorf untersucht. Diese Fassade wies rund ein Jahr nach dem Anstrich mit einer Lotusfarbe erneut eine das Gesamtbild des Gebäudes stark beeinträchtigende Verschmutzung auf. Der vorhandene Untergrund unterliegt einer erhöhten Tauwasserbeaufschlagung. Die Untersuchungen zeigen, dass je nach den hygrothermischen Bedingungen an der Fassadenoberfläche der erwünschte Selbstreinigungseffekt nicht beobachtet werden konnte.

1 Einleitung

Bei dem untersuchten Gebäude handelt es sich um das Haus C des von Frank O´Gehry geplanten und zwischen 1996 und 1999 errichteten „Kunst- und Medienzentrum Rheinhafen“ in Düsseldorf. Alle drei Häuser (A, B, C) des Gebäudekomplexes besitzen unterschiedliche Fassadenbekleidungen, weisen die für Frank O´Gehry typischen dreidimensional gekrümmten Formen auf, und liegen unmittelbar am Ufer des Rheins.

Bild 1: Haus C, Zollhof

Aufgrund der starken Verschmutzung der Fassadenoberflächen, insbesondere auf den zum Himmel gekrümmten Flächen, entschied sich der Eigentümer nach Vorlage entsprechender Forschungs- und Untersuchungsberichte [2] [3] [4] [5] für den Einsatz einer Lotusfarbe.

Nach relativ kurzer Zeit (< 1 Jahr) traten an den mit Lotusfarbe gestrichenen Flächen erneut starke Verschmutzungen auf.

Bild 2: Streifiges Ablaufen von Schmutz

Bild 3: Streifiges Ablaufen von Schmutz

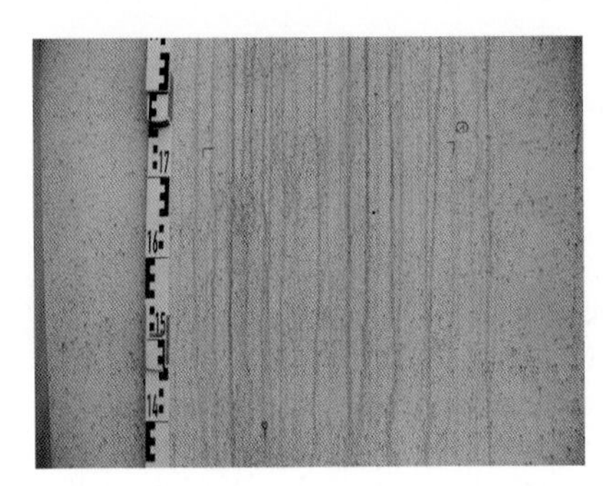

Bild 4: Streifiges Ablaufen von Schmutz (Detail)

Aufgrund dieser für den Eigentümer nicht zufrieden stellenden Situation, sollten Untersuchungen des Istzustandes und weitergehende Untersuchungen zur Wirkungsweise der Lotusfarbe durchgeführt werden.

2 Zustandsbeschreibung Gebäude / Verschmutzungen

Das Gebäude besteht aus überhängenden oder zum Himmel geneigten Wandflächen. Auffällig war, dass die überhängenden Bauteile weitgehend schmutzfrei, während die zum Himmel geneigten zum Teil sehr stark verschmutzt waren (siehe Bild 2, 3 u.4). Als Ursache für diese Verschmutzungen ist davon auszugehen, dass der auf der Oberseite der Fenstereinbauten abgelagerte Schmutz über die oberen Fensterrahmen gespült wird. Diese Verschmutzung läuft bei Regen über das Fenster auf die Fensterbank und tropft von dort unter Hinterlassung der Schnittkurve von gerader Fensterbank und gekrümmter Wand auf die Putzfläche.

Bild 5: Fensterbankabtropfkurve

Säuberungsversuche durch den Eigentümers zeigten, dass dieser Belag nur schwer zu entfernen war und die Verschmutzungen einen leicht „öligen /schmierigen“ Eindruck machten.

3 Lotuseffekt/Lotusfarben

Als Lotuseffekt wird die geringe Benetzbarkeit einer Oberfläche bezeichnet, wie sie bei der Lotuspflanze beobachtet werden kann. Blüte und Blätter dieser Pflanze können von Wasser und vielen anderen Flüssigkeiten nicht benetzt werden. An üblichen Oberflächen haftende Feststoffe zeigen verringerten Halt und können einfach weggespült werden [6]. Fein genoppte und mit sich ständig erneuernden Wachskristallen aufgeraute Oberflächen bieten dem Wassertropfen so wenig Kontaktfläche an, dass die Anziehungskräfte der Wassermoleküle aus den flachen Tropfen runde Kugeln machen, die über die raue Fläche rollen und die Schmutzteilchen wie ein Schneeball aufrollen.

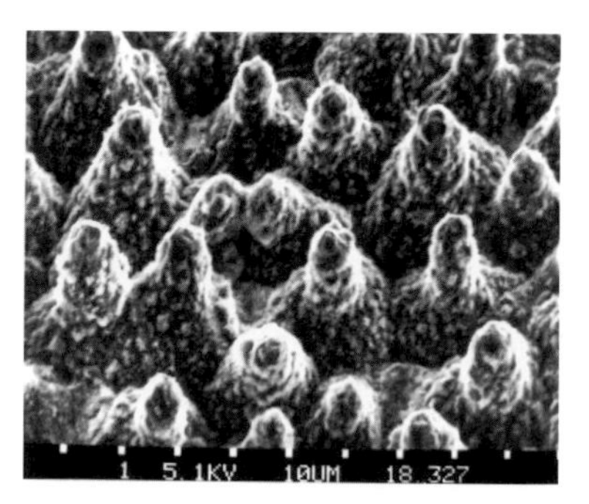

Bild 6: Wasserabstoßende Wachskristalle im Nanometer Bereich (1 nm = 1 milliardstel m) [7]

Bild 7: Lotuseffekt [7]

Bei der "Lotusfarbe" selbst handelt es sich um eine Silicon-Fassadenfarbe mit Lotus-Effekt[8] bei der grobe mineralische Partikel als Träger für Feinstpartikel < 1µ dienen. Diese Feinstpartikel ordnen sich nach dem Vorbild der Wachskristalle auf Pflanzenblättern auf den Grobpartikeln an. So erreicht man Oberflächen mit einem Anfangskontaktwinkel von rd. 140°. [9]

4 Kondensat als Schadensursache

Als Schadensursache wird eine längere Verweildauer von Kondensat auf der Bauteiloberfläche einhergehend mit einer raschen Abnahme des Lotuseffektes unter den am Objekt vorherrschenden Witterungsbedingungen angenommen.

Aus eigenen Erfahrungen und seit 2-3 Jahren auch aus der Literatur [10] [11] ist bekannt, dass es auf modernen WDVS Systemen zu erhöhten Wasserbelastungen durch Tauwasserbildung kommt. Der Grund hierfür ist, dass entsprechend dem Strahlungsgesetz Wärme von einem wärmeren Körper zu einem kälteren Körper durch Strahlung übertragen wird. Die übertragene Wärmemenge ist abhängig von der Temperaturdifferenz der beiden Oberflächen. Abhängig vom Standort, der Ausrichtung der Fassaden sowie vom Wetter können die wirksamen Himmelstemperaturen unterschiedlich hoch sein, z.B. wurden bei einer Außenlufttemperatur von 0°C im Zenit Himmelstemperaturen von -29°C in Zürich, bzw. -42°C in Davos gemessen. [10] Wenn der Himmel unbedeckt ist und mehr Wärme von der Oberfläche abgeführt wird als durch Transmission aus dem Gebäudeinneren nach fließen kann, kann die Temperatur an der Oberfläche unter die Außenlufttemperatur abfallen. [10]

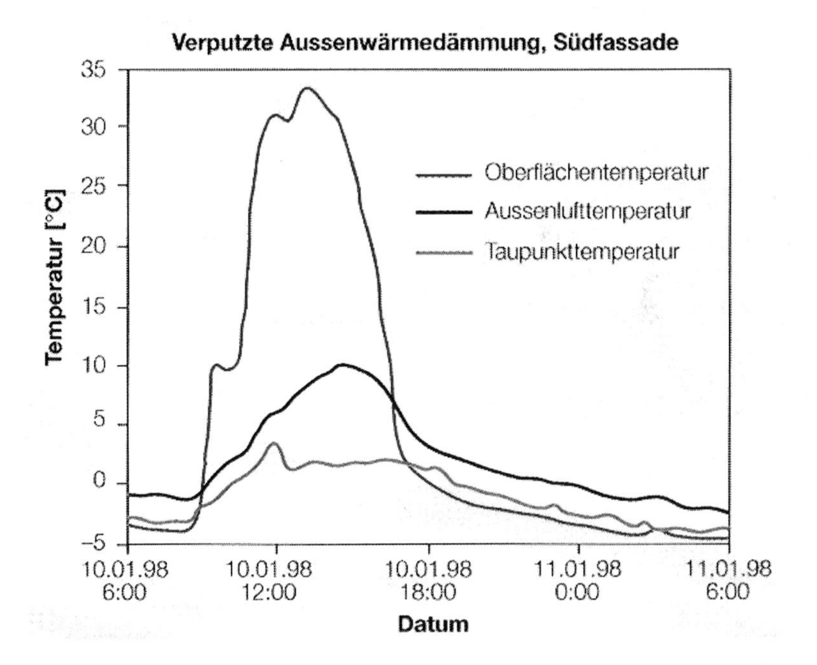

Bild 8: Temperaturverlauf im Tageszyklus [10]

Durch die verlängerten Kondensationsperioden kommt es zu einer erhöhten Wasserbelastung durch feine Tauwassertröpfchen auf der Bauteiloberfläche. Im vorliegenden Fall wirkten sich auf die Tauwasserbildung die vorhandene Gebäudegeometrie (zum Himmel gekrümmte Fassadenflächen) sowie die unmittelbare Nähe zum Wasser (Rhein) verstärkend aus.

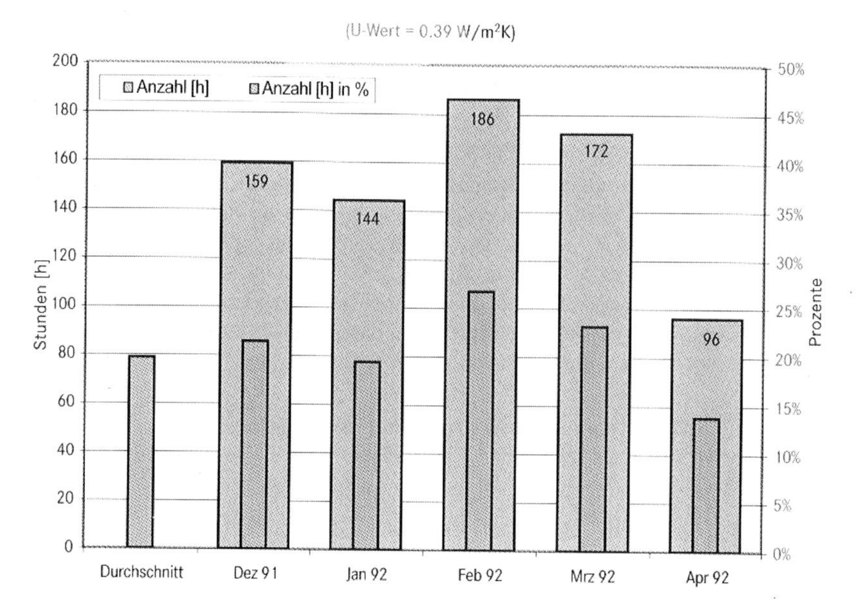

Bild 9: Verweildauer von Tauwasser auf einer verputzten Außenwärmedämmung [10]

5 Eigene Untersuchungen

Die lichtmikroskopischen Aufnahmen von aus der Fassade entnommen Mustern zeigen Verschmutzungen auf Erhöhungen (Noppen) der Farboberfläche und auch auf eingetrockneten Flächen im „Tal“ zwischen Erhebungen. Diese Tatsache und die Äußerungen in Forschungsbericht [2], dass auf der Lotusfarbe im Gegensatz zu anderen Farben Wasser nach Beregnung in Tropfenform noch lange festzustellen war, gaben Anlass zu Simulationsversuchen. Dazu wurden Prüfkörper bestehend aus einer mit Lotusfarbe beschichteten Faserzementplatte für 30 min. in einem Klimaschrank bei -6°C heruntergekühlt und anschließend im Laborklima gelagert. Auf den sich nach kurzer Zeit bildenden feuchten Film auf der Oberfläche wurde mit einem „Versuchsschmutz“, eine Mischung aus Blütenstaub, Ruß, Asche und einem Erde/Sand Gemisch, beaufschlagt. Mit zunehmender Neigung der Probekörper begannen die Wassertropfen an der Oberfläche abzurollen. Dabei hinterließen sie eine teilweise gereinigte Spur. Nach dem Trocken der Oberfläche sahen die Probekörper in etwa so aus wie die verschmutzten Oberflächen der Fassade. Durch Wiederholung der Versuche gelang es, festhaftende Schmutzbeläge zu erzeugen, die durch die abrollenden Wassertropfen nur teilweise entfernt wurden.

6 Schlussfolgerung

Zusammenfassend ist zu sagen, dass es sich bei der Lotusfarbe um eine qualitativ hochwertige Farbe auf Silikonharzbasis handelt bei der Wassertropfen ausgezeichnet abperlen. Dieser Abperleffekt ist abhängig von den Witterungsbedingungen aber nur von kurzer Dauer. Während ein kräftiger, länger anhaltender Regen die Flächen abwäscht und anschließend in der Luft sehr wenig Staubpartikel sind, erzielen geringfügige Wassermengen (Nebel, Tauwasser, Nieselregen) und anschließend langsame Trocknung der Oberfläche die Situation, bei der die abtrocknende Fläche Staub aus der Luft anlagert und akkumuliert.
Speziell auf Untergründen, die einer erhöhten Tauwasserbeaufschlagung unterliegen, wie z.B. Wärmedämmverbund-Fassaden, hat die Farbe nicht den angestrebten Selbstreinigungseffekt gezeigt.
Auf der Fassade in Düsseldorf waren zusätzlich Streifen ausgehend von den Dichtungsmassen an den Fensterwänden zu beobachten. Hier können chemische Effekte (Eluat, Auswaschungen) zusätzliche Wirkung haben.

Bild 10: Lotuseffekt (www.sto.de)

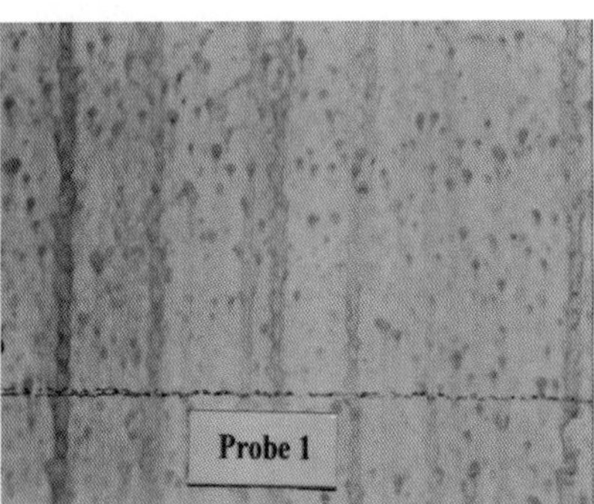

Bild 11: Untergrund Lotusfarbe

Wünschenswert wären weiterführende Untersuchungen, in denen geklärt wird, ob bei einer Lotusfarbe unter längerer Einwirkung von Tauwasser in Verbindung mit einer erhöhten Staubbelastung ein anderes Verschmutzungsverhalten als bei einer normalen Wandfarbe zu beobachten ist. Dazu sollte zumindest ein Aspekt genauer untersucht werden: Wird durch die Mikrostruktur der Lotosfarben Tauwasser länger festgehalten als bei üblichen Farben?
Gesicherte Aussagen können aber nur nach eingehenden weiteren Untersuchungen getroffen werden.

Literatur

[1] Müller-Rocholz, J.: *Gutachtliche Stellungnahme MRG 30-04*
[2] Dr.-Ing. Fiebrich, *Forschungsbericht B 1451*
[3] Forschungsinstitut für Pigmente und Lacke, *Untersuchungsbericht Nr.: 1668/99*
[4] Polymer Institut, *Prüfbericht P 2371-1*
[5] Fraunhofer Institut für Bauphysik, *Untersuchungsbericht FEB-7/1999*
[6] Wikipedia, Lotuseffekt, 19.08.2007
[7] www.moerike-g.es.bw.schule.de, 2005
[8] *Technisches Merkblatt Lotusan*, Ausgabe 07.02.03
[9] ausbau + fassade 3/2001
[10] Büchli, R., Raschle, P.: *Algen und Pilze an Fassaden*, Fraunhofer IRB Verlag
[11] Hofbauer, W., Fritz, C.: *Prognoseverfahren zum biologischen Befall durch Algen, Pilze und Flechten an Bauteiloberflächen, Bauforschung in der Praxis*, Band 77

Erklärung zum Artikel

H. Venzmer, K. Leuthold, L. Koss und N. Lesnych:
Baufeuchtigkeit – Von der Messung bis zur Visualisierung von Feuchtigkeitsverteilungen
erschienen im Tagungsband der 17. Hanseatischen Sanierungstage vom Bundesverband Feuchte & Altbausanierung e.V. im November 2006

(1) Hiermit erklären die o.g. Autoren, dass die im o. g. Manuskript dargestellten Messergebnisse der Feuchte (64 bis 84 % Abweichung gegenüber der gravimetrischen Methode), die von einem unserer Partner durch Verwendung der Gann-Hydromette UNI 2 ermittelt wurden, fehlerhaft sind und deshalb ausdrücklich aus der Gesamtauswertung ausgeschlossen werden.

(2) Die Firma GANN Mess- und Regeltechnik GmbH legt Wert auf die Feststellung, dass bei *Ziegel*[①] *oder Ziegelmauerwerk*[©] sowohl mittels der Widerstands-/Leitfähigkeitsmessmethode wie auch mittels der Dielektrizitätskonstante-/Hochfrequenz-Messmethode keine ausreichend präzisen Messergebnisse (exakte Auswertung in Gewichts- oder Volumenprozente) zu erzielen sind. Deshalb stellt die Fa. Gann GmbH für diese Baustoffe auch keine Umrechnungstabellen zur Verfügung. Dies bedeutet allerdings nicht, dass z.B. mit einer Hydromette UNI 2 und dafür geeigneten Elektroden keine aussagefähigen Vergleichswerte und / oder eine quantitative Feuchtebewertung erzielt werden können.

[①]Ziegel = allgemeine Bezeichnung für verschiedene Ziegelprodukte mit unterschiedlicher Rohwichte, Wasseraufnahmevermögen, Ausgleichsfeuchte und elektrischer Leitfähigkeit sowie diverser Herstellungsprozesse, die auf die Messgenauigkeit einen unterschiedlich großen Einfluss haben
[©]Ziegelmauerwerk = allgemeine Bezeichnung für verschiedene Mischmauerwerke aus diversen Ziegelprodukten, Mörteln, Putzen etc.

Prof. Dr. Dr. Helmuth Venzmer

Wismar, den 17. September 2007

Prof. Dr. techn. Michael Balak
Leiter des ofi-Instituts für
Bauschadensforschung (IBF)
Franz Grill-Straße 5,
Arsenal Objekt 213, A-1030 Wien
michael.balak@ofi.co.at

Bauing.(TH), Arch. AKS Günter Donath
Dombaumeister zu Meißen
Architektur- und Ingenieurbüro
Donath/ Büro des Meißner
Dombaumeisters Markt 14, 01723 Wilsdruff
www.architekt-donath.de
baubuero@architekt-donath.de

Dr. rer. nat. Uwe Erfurth
ö.b.u.v. Sachverständiger
für Anstriche und Putze
Institut für Bautenschutz S.L.
Am Anger 15 A, 86465 Welden
www.institut-erfurth.de
mail@institut-erfurth.de

Dipl.-Ing. Matthias Friedrich
Dipl.-Ing. Michael Müller
Prof. Axel C. Rahn
Ingenieurbüro Axel C. Rahn GmbH
Die Bauphysiker
Rosenheimer Straße 20,
10779 Berlin
mail@ib-rahn.de

Dipl.-Ing. Ralf Galster
Steigstr. 6
78727 Oberndorf-Boll
ralf.galster@ib-riesener.de

Doz. Dr.-Ing. Burkhard Grabnitzki
Schweriner Str. 4
23970 Wismar
burkhard.grabnitzki@t-online.de

Dr.-Ing. Andreas Hasenstab
TÜV Rheinland/LGA Bautechnik
GmbH, Bauwerksdiagnose
Tilly Straße 2, 90431 Nürnberg
andreas.hasenstab@lga.de

Dipl.-Ing. Tilo Haustein
Hochschule Wismar
University of Technology, Business
and Design
FIW, Bauingenieurwesen, Prof. von Laar
Postfach 1210, 23952 Wismar
info@haustein-dresden.de

Dr. Klaus Hemmer
Ingenieurbüro Dr. Hemmer
Sickingenstr. 11, 66851 Queidersbach
kh@hemmer-partner.de

Michael Hladik
Privat- und Gerichtssachverständiger
für Innenputz, Außenputze und
Wärmedämmverbundsysteme.
Bauschädendiagnostik
Sachverständigenbüro M. Hladik
Prof.-Hermann-Wopfnerweg 1
A-6161 Natters-Innsbruck
www.hladik.at, sv@hladik.at

Dipl.-Ing. Franz Kalwoda
Stefan Zweig-Platz 7, 1170 Wien
kalwoda@bauphysik.at

Dr.-Ing. M. Krus,
Mag. rer. nat. W. Hofbauer,
Dipl.-Ing. (FH) K. Lengsfeld
Fraunhofer Institut für Bauphysik
Fraunhoferstraße 10, 83626 Valley
www.bauphysik.de
krus@hoki.ibp.fhg.de
hofbauer@hoki.ibp.fhg.de
lengsfeld@hoki.ibp.fhg.de

Dr.-Ing. Hartwig M. Künzel
Fraunhofer-Institut für Bauphysik
PF 1152, 83601 Holzkirchen
hartwig.kuenzel@ibp.fraunhofer.de

Prof. Dr. rer. nat. Claudia von Laar
Hochschule Wismar, University of
Technology, Business and Design
FIW, Bauingenieurwesen
Postfach 1210, 23952 Wismar
claudia.von_laar@hs-wismar.de

Dr.- Ing. Karin Lißner
Ingenieur- und Sachverständigenbüro
Dr. Lißner
Forststr. 35, 01099 Dresden
karin.lissner@t-online.de

Prof. Dr.-Ing. Jochen Müller-Rochholz
Fachhochschule Münster, Fachbereich
Bauingenieurwesen
Corrensstr. 25, 48149 Münster
http://www.fh-muenster.de
muero@fh-muenster.de

Dr. rer. nat. Kurt Osterloh
Bundesanstalt für Materialforschung
und –prüfung, Fachgruppe VIII.3
Arbeitsgruppe Digitale Radiologie
und Bildanalyse
Unter den Eichen 87, 12205 Berlin
kurt.osterloh@bam.de

Prof. Dr. phil. Michael Pfanner
Dr. Pfanner GmbH
Restaurierungswerkstätten
Neuhaus 24, 88175 Scheffau/Allgäu
www.arge-pfanner.de
info@pfanner-gmbh.de

Dipl.-Ing.(FH) Johannes Pfanner
Pfanner Baustatik
Linzgaustraße 22, 88690 Uhldingen
www.arge-pfanner.de
info@pfanner-baustatik.de

Prof. Dr.-Ing. Martin Pfeiffer
Architekt, Geschäftsführender Direktor,
Institut für Bauforschung e.V., IFB,
An der Markuskirche 1, 30163 Hannover

Dr. Ingo Rademacher
Leiter Forschung & Baudenkmalpflege
Keimfarben GmbH & Co. KG
Keimstraße 16, 86420 Diedorf
ingo.rademacher@keimfarben.de
www.keimfarben.de
www.aquapuravision.de

Dipl.-Ing. Christian Recker
Institut für textile Bau- und
Umwelttechnik GmbH
Gutenbergstr. 29
48268 Greven
http://www.tbu-gmbh.de
crecker@tbu-gmbh.de

Prof. Dr.- Ing. Wolfgang Rug
Ingenieurbüro Prof. Dr. Rug & Partner
Wilhelmstraße 25
19322 Wittenberge
kontakt@holzbau-statik.de

Schläpfer Walter
Schweizerischer Maler- und
Gipserunternehmer-Verband
Bereichsleiter des Gipsergewerbes
Grindelstr. 2, CH-8304 Wallisellen
www.malergipser.com
w.schlaepfer@malergipser.com

Dr. -Ing. Christian Simlinger
Ingenieurkonsulent für Bauingenieurwesen
Staatlich befugter und beeideter
Ziviltechniker
Allgemein beeideter und gerichtlich
zertifizierter Sachverständiger
Mariazellergasse 1
A-2544 Leobersdorf
csimling@mail.zserv.tuwien.ac.at

Prof. Dr. Dr. Helmuth Venzmer,
Dr. -Ing. Natalia Lesnych,
Dipl.-Ing. Julia von Werder,
Dipl.-Ing. Lev Koss
Hochschule Wismar, Fakultät für
Ingenieurwissenschaften und Dahlberg-
Institut für Diagnostik und Instandsetzung
historischer Bausubstanz e.V.
www.dahlberg-Institut.de
helmuth.venzmer@hs-wismar.de

M.Sc. Dipl.-Ing (FH) Christian Wagner
Bilfinger Berger AG
Zentrales Labor für Baustofftechnik Leipzig
Martin-Luther-Ring 13
04109 Leipzig
Christian.wagner@bilfinger.de

I - Forschung / Lehre

Dr.-Ing. Gesa Haroske Bausachverständigenbüro ö.b.u.v. Birkenweg 4, 23968 Gägelow Tel.: 03841/62518, Fax: 03841/62576 Mobil: 0173 6024865 dr.g.haroske@web.de www.bausachverstaendige-haroske.de	**Prof. Axel C. Rahn** Ingenieurbüro Axel C. Rahn GmbH – Die Bauphysiker Rosenheimer Str. 20, 10779 Berlin Tel.: 030/8977470, Fax: 030/89774799 mail@ib-rahn.de www.ib-rahn.de
Prof. Dr. Dr. Helmuth Venzmer Hochschule Wismar Dahlberg-Institut e.V. Philipp-Müller-Str, PF 1210, 23952 Wismar Tel. 1: 03841/753231, Tel. 2: 03841/753226 Fax: 03841/753226 Mobil: 0172/9508340 helmuth.venzmer@hs-wismar.de www.dahlberg-institut.de	

II – Planer

Dipl.-Ing. Ralf Lindner Ingenieurbüro für Bauwerksdiagnostik Oberwall 65, 42289 Wuppertal Tel.: 0202/705160, Fax: 0202/7051617 Mobil: 0173/2525119 rl@-buero-lindner.de www.ing-buero-lindner.de	**Dipl.-Ing. Michael Müller** Ingenieurbüro Axel C. Rahn GmbH – Die Bauphysiker Rosenheimer Str. 20, 10779 Berlin Tel.: 030/8977470, Fax: 030/89774799 mail@ib-rahn.de www.ib-rahn.de
Prof. Dr. phil. Michael Pfanner Firma: Dr. Pfanner GmbH Strasse: Neuhaus 24 PLZ, Ort: 88175 Scheffau planungsbuero@pfanner-muenchen.de	**Prof. Axel C. Rahn** Ingenieurbüro Axel C. Rahn GmbH – Die Bauphysiker Rosenheimer Str. 20, 10779 Berlin Tel.: 030/8977470, Fax: 030/89774799 mail@ib-rahn.de www.ib-rahn.de
Dieter Schaller Colfirmit Rajasil GmbH & Co.KG Thölauer Str. 25, 95615 Marktredwitz Tel.: 09231/802211 oder 09231/8020 Fax: 09231/802205 dieter.schaller@basf.com www.colfirmit.de	

III – Sachverständige

Dipl.-Ing. Architekt Klaus Breitenbach ö.b.u.v. Sachverst. f. Schäden an Gebäuden IHK Dingelstedtwall 7, 31737 Rinteln Tel.: 05751/96270, Fax: 05751/962715 Mobil: 0171/6404935 breitenbach-architekt@t-online.de www.breitenbach-architektur.de	**Dipl.-Ing. Jürgen Gänßmantel** Ingenieurbüro Gänßmantel Marktplatz 6, 72355 Schömberg Tel.07427/914746, Fax: 07427/914964 Mobil: 0170/5575229 buero@gaenssmantel.de www.gaenssmantel.eu
Dr.-Ing. Gesa Haroske Bausachverständigenbüro ö.b.u.v. Birkenweg 4, 23968 Gägelow Tel.: 03841/62518, Fax: 03841/62576 Mobil: 0173 6024865 dr.g.haroske@web.de www.bausachverstaendige-haroske.de	**Dipl.-Ing. Volker Heinrichs** Ingenieurbüro Dorfstr. 2, 16818 Frankendorf Tel.: 033924/79063, Fax: 033924/79063 Mobil: 0172/3115433 volker-erwin@gmx.de www.holzerwin.de
Dipl.-Ing. Franz-Josef Hölzen Remmers Baustofftechnik GmbH Remmers-Str. 13, 49624 Löningen Tel.: 05432/83151, Fax: 05432/83740 Mobil: 0170/9245290 fjhoelzen@remmers.de www.remmers.de	**Dipl.-Ing. Eduard Knoll** Sachverständiger für die Instandsetzung historischer Gebäude Klingengasse 13, 91541 Rothenburg o. d. T. Tel.: 09861/94940, Fax: 09861/949494 knoll-rothenburg@t-online.de www.knoll-konopatzki.de
Dipl.-Ing. (FH) Detlef Krause Sachverständigenbüro für Holz- u. Feuchteschäden Dorfstr. 5, 18246 Groß Belitz Tel.: 038466/20591, Fax: 038466/20592 Mobil: 0173/2032827 post@ingkrause.de www.ingkrause.de	**Dipl.-Ing. Ralf Lindner** Ingenieurbüro für Bauwerksdiagnostik Oberwall 65, 42289 Wuppertal Tel.: 0202/705160, Fax: 0202/7051617 Mobil: 0173/2525119 rl@-buero-lindner.de www.ing-buero-lindner.de
Dipl.-Ing. Michael Müller Ingenieurbüro Axel C. Rahn GmbH– Die Bauphysiker Rosenheimer Str. 20, 10779 Berlin Tel.: 030/8977470, Fax: 030/89774799 mail@ib-rahn.de www.ib-rahn.de	**Prof. Axel C. Rahn** Ingenieurbüro Axel C. Rahn GmbH – Die Bauphysiker Rosenheimer Str. 20, 10779 Berlin Tel.: 030/8977470, Fax: 030/89774799 mail@ib-rahn.de www.ib-rahn.de

Michael Schmechtig AMS GmbH - Ingenieurfachbetrieb für Abdichtungen Steindamm 16, 39326 Gutenswegen Tel. 1: 039202/8756, Tel. 2: 039202/6363 Fax: 039202/87589, Mobil: 0171/4445096 info@schmechtig.de www.schmechtig.de	

IV- Ausführende

Frank Dressler BWD Bauwerksabdichtung Dressler Warnower Str.34, 18249 Zernin Tel.: 038462/20346, Fax: 038462/33346 Mobil: 0171/7735224 bwd-dressler@web.de	**Uwe Neisius** Neisius Bautenschutzprodukte Alte Gärtnerei 29, 18225 Kühlungsborn Tel.: 038293/433030, Fax: 038293/433032, Mobil: 0171/4128460 neisius@t-online.de www.cavastop.com
RB Ruppiner Brandschutz GmbH Roofwinkel 9, 16827 Alt Ruppin Tel.: 03391/659101, Fax: 03391/659188 info@ruppinerbrandschutz.de www.ruppinerbrandschutz.de	**Michael Schmechtig** AMS GmbH - Ingenieurfachbetrieb für Abdichtungen Steindamm 16, 39326 Gutenswegen Tel. 1: 039202/8756, Tel. 2: 039202/6363 Fax: 039202/87589, Mobil: 0171/4445096 info@schmechtig.de www.schmechtig.de

V – Hersteller / Lieferanten

Dipl.-Ing. Holger Eweler Schomburg GmbH Aquafinstr. 2 – 8, 32760 Detmold Tel. 05231/953167, Fax: 05231/9536167 Mobil: 0171 5887215 holger.eweler@schomburg.de www.schomburg.de	**Dipl.-Ing. Franz-Josef Hölzen** Remmers Baustofftechnik GmbH Remmers-Str. 13, 49624 Löningen Tel.: 05432/83151, Fax: 05432/83740 Mobil: 0170/9245290 fjhoelzen@remmers.de www.remmers.de
Uwe Neisius Neisius Bautenschutzprodukte Alte Gärtnerei 29, 18225 Kühlungsborn Tel.: 038293/433030, Fax: 038293/433032, Mobil: 0171/4128460 neisius@t-online.de www.cavastop.com	**Dr. Ingo Rademacher** Keimfarben GmbH & Co. KG Keimstraße 16, 86420 Diedorf Tel.: 0821/48020, Fax: 0821/4802213 info@keimfarben.de www.keimfarben.de

Dieter Schaller Colfirmit Rajasil GmbH & Co.KG Thölauer Str. 25, 95615 Marktredwitz Tel.: 09231/802211 oder 09231/8020 Fax.: 09231/802205 dieter.schaller@basf.com www.colfirmit.de	**WEBAC Chemie GmbH** Fahrenberg 22 22885 Barsbüttel Tel. 040/670570, Fax: 040/6703227 info@webac.de www.webac.de

b.v.s.
Bundesverband öffentlich bestellter und vereidigter
sowie qualifizierter Sachverständiger e.V.

Natürlich und energetisch sanieren
THERMOLUT®
Mensch, nur nicht ärgern!
Natürliches Putz- und Dämmsystem – Wohnen mit Wohlfühlklima
Lehmputze in Verbindung mit Holzfaserdämmplatten sind die Alternative für die nachträgliche Außenwand-dämmung von Innen.
Ihre Vorteile:
• hohe Dämmwirkung der Holzfaserdämmplatten
• spezifische Wärmekapazität ca. 2.100 J/(kgK)
• Gesamtaufbau ist dampfdiffusionsoffen
• leichtes Ansetzen der Platten mit Lehmunterputz
• erlaubt auch bei denkmalgeschützten Fassaden eine Dämmung
• schafft ein angenehmes Raumklima
Wir sind die kompetenten Problemlöser!
SCHOMBURG
SCHOMBURG GmbH · Aquafinstr. 2–8 · D-32760 Detmold
Telefon: +49-5231-953-00 · Telefax: +49-5231-953-333 · www.schomburg.de
THERMOLUT®-UP12
SCHOMBURG

DIN

Inserentenverzeichnis

Die inserierenden Firmen und die Aussagen in Inseraten stehen nicht notwendigerweise in einem Zusammenhang mit den in diesem Buch abgedruckten Normen. Aus dem Nebeneinander von Inseraten und redaktionellem Teil kann weder auf die Normgerechtheit der beworbenen Produkte oder Verfahren geschlossen werden, noch stehen die Inserenten notwendigerweise in einem besonderen Zusammenhang mit den wiedergegebenen Normen. Die Inserenten dieses Buches müssen auch nicht Mitarbeiter eines Normenausschusses oder Mitglied des DIN sein. Inhalt und Gestaltung der Inserate liegen außerhalb der Verantwortung des DIN.

Zuschriften bezüglich des Anzeigenteils werden erbeten an:

Beuth Verlag GmbH
Anzeigenverkauf
Burggrafenstraße 6
10787 Berlin